Elementos da Culinária *de A a Z*

TÉCNICAS, INGREDIENTES E UTENSÍLIOS

Michael Ruhlman

Elementos da Culinária *de A a Z*

TÉCNICAS, INGREDIENTES E UTENSÍLIOS

A arte do chef traduzida para a cozinha da sua casa

Introdução:
ANTHONY BOURDAIN

Tradução: Maria Luiza X. de A. Borges

Revisão técnica: Daniela Narciso Pacheco
Professora do curso de Gastronomia da Universidade Anhembi Morumbi – SP

ZAHAR
Rio de Janeiro

Para Michael Pardus e Thomas Keller
Vocês são ótimos chefs porque são ótimos professores

Título original:
The Elements of Cooking
(Translating the chef's craft for every kitchen)

Tradução autorizada da primeira edição norte-americana,
publicada em 2007 por Scribner, uma divisão de Simon & Schuster, Inc.,
de Nova York, Estados Unidos

Jorge Zahar Editor Ltda.
rua México 31 sobreloja
20031-144 Rio de Janeiro, RJ
tel.: (21) 2108-0808 / fax: (21) 2108-0800
e-mail: jze@zahar.com.br
site: www.zahar.com.br

Projeto gráfico: Carolina Falcão
Capa: Miriam Lerner

CIP-Brasil. Catalogação-na-fonte
Sindicato Nacional dos Editores de Livros, RJ

Ruhlman, Michael, 1963-
R877e Elementos da culinária de A a Z: técnicas, ingredientes e utensílios: a arte do chef traduzida para a cozinha da sua casa / Michael Ruhlman; introdução Anthony Bourdain; tradução Maria Luiza X. de A. Borges; revisão técnica Daniela Narciso Pacheco. — Rio de Janeiro: Jorge Zahar Ed., 2009.

Tradução de: The elements of cooking: translating the chef's craft for every kitchen
Inclui bibliografia
ISBN 978-85-378-0141-3

1. Culinária. I. Título.

CDD: 641.5
09-1537 CDU: 641.5

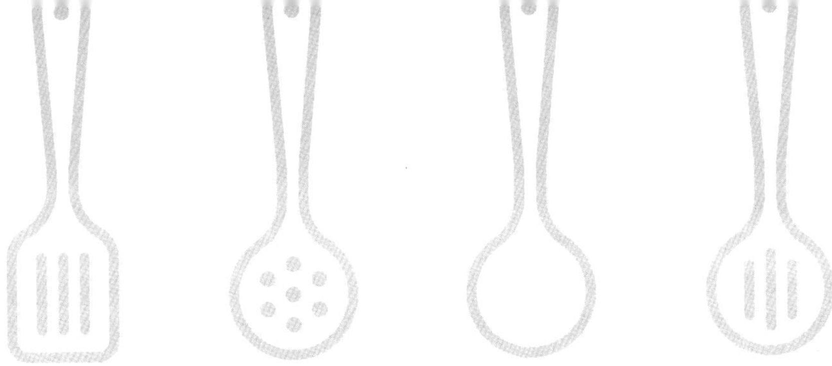

Sumário

Introdução

por Anthony Bourdain

Hoje em dia, quando todo mundo parece ter uma opinião sobre comida, é útil saber de que diabos estamos falando. E, quando planejamos cozinhar para valer, é aconselhável, se não compulsório, saber o que estamos fazendo. Desde a explosão da consciência gastronômica, já é bastante difícil decodificar um cardápio – com sua pletora de termos culinários, muitas vezes flagrantemente mal usados –, mas compreender perfeitamente uma receita antes de atacar nossos ingredientes com uma faca, ardor e boas intenções é cada vez mais uma necessidade. Não é mais admissível despejar um punhado de vegetais e arroz integral numa *wok*, mexê-los até que virem uma papa e depois convidar os amigos e esperar que fiquem encantados. Eles agora não se deixam enganar.

E se você consegue de algum modo assar adequadamente um frango e servi-lo com um pouco de molho, é bom ser capaz de explicar como exatamente o fez. Seu frango não ficou dourado na fôrma por mágica. Os vários elementos de seu molho se harmonizaram por alguma razão. Outros vieram antes de você – arruinando muitos frangos e molhos similares antes de acertar. É provável que você tenha aprendido, explícita ou intuitivamente, com os erros deles. As misteriosas forças físicas do Universo, a história e as tradições da raça humana e os elementos básicos da cozinha se combinam e entram em jogo cada vez que você empunha uma faca e se põe a cozinhar. Há fundamentos a considerar.

Elementos da culinária é um glossário gastronômico feito por um escritor e cozinheiro que sabe mais do que a maioria de que diabos está falando. Michael Ruhlman é coautor de *The French Laundry Cookbook* com o chef Thomas Keller e de *A Return to Cooking* com o chef Eric Ripert, bem como o responsável por uma excelente série de livros sobre a formação, a especialização e a própria alma dos chefs. Compreende como poucos a natureza básica não apenas dos ingredientes, mas dos elementos intangíveis da culinária – bem como o tipo de motivação, dedicação e formas particulares de loucura que ela parece exigir. Se alguém deve guiar sua mão na cozinha, você encontrará poucos mais bem qualificados que Ruhlman.

Está tudo aqui. Mais ou menos da mesma maneira que o clássico de Strunk e White, *The Elements of Style*, tornou-se um texto de referência essencial na mesa de todo escritor e jornalista, *Elementos da culinária* deve ter um lugar em toda cozinha. Qualquer estudioso de culinária antenado deve ter – e provavelmente terá – um exemplar junto às suas facas.

Oito ensaios sobre conceitos vitais, primordiais, como caldo, molho, sal, ovos, calor e utensílios... e uma definição absolutamente precisa de cada termo que os chefs devem certamente conhecer após anos de trabalho em cozinhas profissionais; agora você os aprenderá de maneira fácil e concisa, sem que precise, nesse processo, se queimar, se cortar ou levar um chute no traseiro. Basta procurá-los neste livro. Em suma: todo cozinheiro – profissional ou não – que se importa com o que está fazendo deve ter este livro. Simples assim.

Notas sobre Culinária: do caldo à finesse

1. Caldo

No preparo de boa comida, nada se compara ao poder do caldo fresco. Na cozinha francesa, ele é chamado, com razão, de *le fond*, "a base": o caldo é o fundamento e a estrutura de suporte para muito do que está por vir. Não é à toa que é a primeira lição ensinada nas cozinhas das melhores escolas de culinária. Os melhores restaurantes fazem caldos praticamente o tempo todo; não fosse por isso, não seriam os melhores restaurantes.

Em última análise, um caldo bem-feito é o ingrediente que distingue decisivamente a culinária caseira da profissional. Não há como fugir desse fato. Mesmo que você compre os mais caros caldos prontos e os realce com seus próprios ingredientes aromáticos, o resultado nunca alcançará a limpidez e a delicadeza de sabor dos pratos feitos com caldo fresco.

No entanto, embora seja crucial reconhecer a relação simbiótica entre bom caldo e boa cozinha, não há nada de lamentável no fato de que poucos de nós faremos caldo com frequência suficiente para tê-lo sempre disponível; não é prático fazer caldo dia sim, dia não. Dois fatores atenuam essa situação: primeiro, os caldos congelam bem; segundo, é possível incluir seu preparo na rotina da cozinha de forma mais ou menos regular a partir de sobras e aparas. E mesmo que você não tire proveito do freezer ou faça disso um hábito, ainda que ocasional, de vez em quando é importante saber fazer um caldo, seja para uma sopa, um molho, um líquido de cozimento, ou simplesmente pelo prazer de fazê-lo.

O que se segue são, em primeiro lugar, os padrões para a preparação de um excelente caldo e, em segundo, os atributos importantes dos principais caldos: frango, carne bovina, peixe e vegetais. (O caldo de vitela, o mais versátil de todos, será tratado separadamente.)

Os elementos básicos são poucos e fáceis: ingredientes bons e frescos e fogo baixo.

Caldos são uma destilação de sabor, uma extração da essência dos ingredientes pela água. Se esses ingredientes forem velhos, se forem sem cor e fracos, essas qualidades se refletirão no sabor do caldo. Pergunte a si mesmo: esses ingredientes têm uma boa aparência, seriam saborosos se eu os cozinhasse e comesse como estão? Se a resposta for positiva, eles são adequados para um caldo. Caldos de carne beneficiam-se de um bom equilíbrio entre carne (que fornece o sabor) e ossos e juntas (que fornecem consistência).

Fogo baixo. Não basta dizer que caldos nunca devem ferver – idealmente, não devem nunca sequer chegar a fervilhar. Água entre 76°C e 82°C extrairá a essência de um ingrediente; a agitação da água fervente pode comprometer um caldo ao estimular a gordura e outras impurezas, deixando um líquido opaco e comprometendo o gosto. Manter carne e vegetais em ponto de fervura tende a cozer demais seu exterior, que começará a se decompor antes que o caldo fique pronto, liberando fragmentos que absorverão seu valioso líquido e serão jogados fora depois; deixar o líquido em quase fervura por longos períodos tem um efeito oxidante que tende a embrutecer e turvar os sabores. Cozer caldo a baixas temperaturas requer um pouco mais de tempo, e há exceções à regra, mas os benefícios do "baixo e lento" são evidentes.

A limpidez pode se referir a dois atributos de um caldo. O primeiro é a aparência. Ele é translúcido ou opaco? Quanto mais claro for, na maioria dos casos, melhor será o sabor. Quando você mergulha uma colher num caldo branco, deve poder vê-la sob a superfície; quanto mais nítida for sua visão da colher, mais claro é o caldo. Numa colherada de caldo escuro, você deve poder ver claramente o fundo da colher; se não puder, é porque o caldo está turvo. A limpidez pode também se referir ao gosto – se, num caldo de frango, o gosto de frango é nítido e você consegue detectar o tomate, a doçura dos vegetais e a complexidade dos aromáticos, como tomilho e pimenta em grão, e se ele parece leve ao paladar, não espesso ou pegajoso, tem um gosto claro, limpo.

Uma questão relacionada, e algo a que você deve estar atento, é o cozimento dos ingredientes antes da adição de água. Água adicionada a cebolas cruas e depois aquecida terá um sabor diferente de água adicionada a cebolas que foram suadas, e diferente de água adicionada a cebolas que foram douradas. Caldos escuros à base de carne são feitos usualmente com ossos assados em calor seco, que dão ao caldo o aroma tostado que você sente quando tira os ossos do forno. Em geral, cozinhar seus ingredientes antes de adicionar a água intensifica o sabor e torna o caldo mais complexo. Nem sempre isso é desejável – por vezes você quer a pura doçura da cenoura e da cebola em vez das nuances complexas da caramelização.

No preparo de caldos de carne, é melhor começar com água fria sobre a carne e os ossos (os vegetais e outros aromáticos devem ser adicionados perto do fim), permitindo que a temperatura se eleve gradualmente. Quando a água atingir sua temperatura de cozimento – 82°C é ideal –, tire a espuma do caldo. Se os ingredientes estavam crus, uma grande quantidade de sangue coagulado e proteína estará flutuando na superfície nesse ponto; isso, juntamente com quaisquer outros pedacinhos e impurezas flutuantes, deve ser retirado e jogado fora. Se os ingredientes estavam cozidos (ossos branqueados para um caldo claro ou assados para um caldo escuro), essa proteína já terá coagulado e assim menos material precisará ser retirado, mas ainda haverá sangue residual e gordura adicional. Isso deve ser removido logo, enquanto o caldo está bem diluído, sendo a maior parte água.

Retire as impurezas repetidamente, usando uma concha ou colher grande; de modo geral, escumar nunca é demais, mas você não vai querer perder caldo desnecessariamente.

Vegetais e ervas aromáticas são cruciais. Cebola e cenoura são os mais comuns, por sua doçura, assim como aipo, louro, tomilho, salsa, pimenta em grão e alho; evite usar simplesmente os vegetais que tem à mão – você não desejaria nabo ou pimenta verde como aromatizantes. Vegetais, ervas e especiarias aromáticas devem ser adicionadas perto do fim. Elas liberam seus sabores em uma hora ou menos a partir do momento em que o caldo, esfriado pelos ingredientes adicionados, volta à temperatura de cozimento; se você cozinhá-los por tempo demais, eles podem se decompor e comprometer o resultado. Caldos de vegetais precisam de uma hora ou menos para cozer.

Quando o caldo fica pronto – em geral, 1 a 4 horas para frango, 4 a 6 horas para carne bovina, 8 a 12 para carne de vitela, menos de uma hora para peixe, uma hora para vegetais –, deve ser passado primeiro por um coador ou um chinois, depois coado em um pano para remover a maior quantidade de partículas possível.

Em seguida o caldo deve ser usado ou esfriado e guardado. Quanto mais depressa ele esfriar, melhor (como qualquer comida que é cozida e esfriada). Deve-se deixar a gordura subir para a superfície e retirá-la, ou deixá-la solidificar para mais fácil remoção depois. É possível esfriar caldos rapidamente pondo a panela num banho de gelo, mas isso exige grande quantidade de gelo e pode não ser prático. Em casa, deixe o caldo chegar à temperatura ambiente, depois refrigere-o até que fique gelado, remova a gordura e tampe. Como alternativa, se você for usá-lo durante toda a semana, devolva-o à panela depois de coado e deixe-o destampado sobre o fogão; o cozimento matou a maior parte dos micróbios que poderiam estragá-lo, e a facilidade de ter à mão um caldo que pode ser fortificado com aparas de cebola, aipo, cenoura e saborosos retalhos de carne e ossos é tentadora por sua conveniência e economia.

Caldos se conservam por vários dias quando refrigerados; se bem acondicionados, podem ficar congelados por até dois meses (depois disso, começam a pegar os sabores de outros alimentos e a desenvolver um gosto ruim).

Não é preciso mais nada – usar bons ingredientes de base, fogo baixo pelo tempo apropriado para os ingredientes, adicionar aromáticos de qualidade no final, escumar ocasionalmente, coar, e pronto. Não há nada como caldo fresco e nada que torne outras comidas tão saborosas e nutritivas.

Pontos a ressaltar nos caldos comuns

Frango: É o mais comum, porque frango é barato e disponível e dá um excelente líquido para uso geral. Ossos e carne de frango podem ser usados assados ou crus; a carcaça de um frango assado dará um excelente caldo.

Carne bovina: Como os ossos de carne bovina resultam num desagradável sabor gelatinoso, uma grande proporção de carne é o componente decisivo de um bom caldo. Preferivelmente, devem ser usados ossos carnudos, com muito tecido conjuntivo (tutano), mas carne moída também funciona. No caso de animais terrestres maiores que o frango, é melhor cozinhar os ossos antes de usá-los, para livrá-los de impurezas (como sangue e gordura) antes de adicionar água. Ossos podem ser branqueados – isto é, submetidos a uma fervura completa, depois coados e cuidadosamente enxaguados com água fria. Podem também ser assados, o que tem um efeito "limpante" similar, mas dará ao caldo o gosto complexo do assado que o branqueamento não dá.

Peixe: Caldo de peixe, também chamado de *fumet* (palavra que sugere que foi usado vinho branco e reflete a delicadeza do líquido depois de pronto), requer os ossos mais frescos de peixes de carne branca retirados com delicadeza. Cebola, cenoura e aipo são primeiro suados, depois os ossos são adicionados e também suados, seguidos de vinho e depois água. Mais do que para qualquer outro caldo, é essencial não deixar que ele ferva. *Fumet* de peixe requer menos de uma hora de tempo total de cozimento e, quando pronto, deve ser imediatamente coado e esfriado.

Vegetais: Como o caldo de peixe, o caldo de vegetais deve ser cozido suave e brevemente. Os chefs variam na maneira como lidam com ele – alguns gostam de vaporizar os vegetais antes de adicionar água para uma extração rápida, outros os suam para extrair o máximo de sua essência. Não poderia ser mais fácil fazer caldo de vegetais em casa – use vegetais bons e doces, bem como cogumelos, por seu efeito suculento e substancioso, e não tem como errar. Mas ele é volátil, e por isso deve ser feito à medida que for necessário ou ser esfriado e congelado.

Caldo de vitela – uma reflexão pessoal sobre o mais valioso ingrediente do cozinheiro caseiro

O caldo de vitela distingue-se de todos os outros por sua neutralidade e sua gelatina: a carne e os ossos não têm gosto forte próprio, e assim realçam os sabores dos alimentos com que se combinam; os ossos de um animal jovem contêm abundante colágeno, que se decompõe em gelatina, dando excelente corpo ao caldo pronto.

De ingredientes tão simples vem não só um dos instrumentos mais requintados da cozinha como algo que mais parece um milagre natural ou uma grande obra de arte. Poucos incluem caldo de vitela na mesma categoria que, digamos, as *Variações Goldberg* ou a alegoria da caverna de Platão, e essa falta de compreensão me assombra. Há razões para que ele seja considerado a espinha dorsal da mais excelente tradição culinária do mundo ocidental, e, para muitos, nas mãos do chef certo, uma verdadeira arte.

Mas ele quase não é usado na cozinha caseira, e isso é tão lamentável quanto desnecessário. Não mais difícil de fazer que caldo de frango, o caldo de vitela é um dos instrumentos mais poderosos nas cozinhas profissionais, uma das maiores armas de todo o arsenal do chef profissional, e é praticamente desconhecido pelo cozinheiro caseiro. Se há um único ingrediente capaz de transformar o repertório de um cozinheiro em casa, é o caldo de vitela.

Talvez uma razão para sua ausência na cozinha caseira seja que a maioria dos livros destinados a esse público não oferece receitas de caldo de vitela. Ou oferece receitas de "caldo de carne", sem se dar ao trabalho de distinguir entre carne bovina, de porco, de frango e de vitela. Tanto *Joy of Cooking* quanto *The New York Times Cookbook*, de Craig Claiborne,* excelentes livros para uso geral, contêm receitas de caldo de vitela, mas não explicam *por que* se deve fazê-lo, como se fosse equivalente a caldo de frango. *The New Good Housekeeping Cookbook* não oferece nenhuma receita, como tampouco *The Essentials of Cooking*, do respeitado autor e professor James Peterson. Não sei ao certo por que isso acontece. Receitas de caldo de frango abundam em livros de culinária e parecem não precisar de justificação. Caldo de vitela não é mais difícil de fazer que qualquer outro caldo, é cem vezes, se não mil vezes, mais útil, e é uma raridade.

Caldo de vitela é *o* elemento essencial. Se você pudesse ter apenas *uma* receita num livro de elementos essenciais, esta teria de ser caldo de vitela. Num livro com muitos elementos essenciais, ele é a única escolha lógica para a preparação inicial.

Mas os autores de livros de receitas não falam sobre ele e os programas de culinária não discutem muito o preparo de qualquer tipo de caldo (no banco de dados do Food Network, com 60 mil receitas, encontrei apenas

---

* Toda dona de casa americana que se interessa por cozinha tem esses livros. No Brasil, poderíamos compará-los aos livros de Ofélia ou Dona Benta, que tampouco dão ênfase aos caldos. (N.R.T.)

uma de caldo de vitela, de Emeril Lagasse, abençoado seja – um caldo escuro tradicional como você faria numa escola de culinária), e os chefs célebres, quando incluem uma receita de caldo de vitela, tendem a escondê-la no fim de seus grandes e bonitos livros.

É preciso fazer todo o caminho de volta até os anos 1970 para encontrar um autor de livro de receitas que exponha apropriadamente a noção de caldo de vitela: o expatriado americano Richard Olney, que vivia na França, um dos mais influentes escritores sobre comida de seu tempo: "Caldo de vitela", escreveu ele em *The French Menu Cookbook*, "poderia ser comparado a um retrato inacabado, seu segundo plano traçado, os volumes e harmonias essenciais definidos, antes que os detalhes de traços particulares sejam impostos à estrutura abstrata... É o veículo perfeito para outros sabores, emprestando corpo e apoio sem alterar ou obscurecer suas qualidades primitivas."

Madeleine Kamman, professora de culinária e escritora nascida na França, inclui uma receita de caldo de vitela no volume *The New Making of a Cook*, uma revisão de seu livro de 1971, e diz que "é muito importante usá-lo exclusivamente para o preparo de todos os molhos, sejam eles clássicos, neoclássicos ou modernos...".

É irônico que o caldo de vitela esteja tão fenomenalmente sub-representado em todas as mídias voltadas para o cozinheiro caseiro durante o que é considerado uma "revolução da comida" nos Estados Unidos.*

Devo contrabalançar aqui o que pode parecer, na superfície, uma espécie de fanatismo pessoal por caldo de vitela. A maior parte das cozinhas do mundo não se baseia em absoluto no caldo de vitela. Toda a cozinha vegetariana, por exemplo, sobrevive perfeitamente sem ele. Os caldos asiáticos à base de carne recorrem abundantemente a frango e porco. A cozinha italiana usa-o de maneira ocasional, mas em geral parece relativamente indiferente a ele. Um dos chefs americanos mais inovadores, Jean-Georges Vongerichten, um francês de formação clássica, tornou-se conhecido em círculos de chefs por evitar molhos à base de caldo de vitela em seu restaurante, o Vong. Judy Rodgers, a chef francófila e de formação francesa

---

* Se nos anos 1970 os americanos viveram uma explosão da fast-food e da comida industrializada, após esse período surgiu uma nova e contínua busca pela alta gastronomia e por alimentos de qualidade. Tal revolução se reflete até hoje em movimentos que cultuam a essência do bem comer. (N.R.T.)

do americaníssimo e bastante excêntrico Zuni Cafe, em São Francisco, não inclui nenhuma receita de caldo de vitela em seu *Zuni Cafe Cookbook* (que reproduz tão fielmente as receitas usadas no restaurante que seus cozinheiros o consultam continuamente no trabalho diário). Ela alega que simplesmente não encontrou um bom fornecedor de carne de vitela perto de seu restaurante, e por isso não usa esse caldo.

Mas, é claro, Vongerichten e Rogers podem operar maravilhas com simples água. *Quem mais tem a ganhar com caldo de vitela é o amador, o cozinheiro caseiro.* Tomar esse único item e adicioná-lo à sua cozinha é como tomar o motor de quatro cilindros de seu Mitsubishi e turbiná-lo; com a adição de um turbocompressor, o motor torna-se não apenas mais rápido como mais econômico. Com o caldo de vitela é a mesma coisa – ele não dá apenas um gosto muitíssimo melhor à sua comida, dá maior eficiência aos seus esforços para criar uma comida deliciosa.

Veja como é simples usá-lo. Corte cogumelos em cubos, o equivalente a cerca de uma xícara, e pique uma echalota. Tenha à mão um quarto de xícara de um saboroso vinho branco e uma xícara de caldo de vitela. Aqueça uma frigideira funda (*sautese*) em fogo alto, até fumegar de calor. Adicione uma camada de óleo, que deve encrespar-se ao atingir a panela e começar a fumegar. Jogue os cogumelos, deixe-os cozinhar por alguns segundos, depois mexa – quanto mais dourados ficarem, melhor o sabor – e cozinhe por cerca de um minuto. Adicione a echalota e cozinhe, adicione o vinho branco e continue a cozinhar até que o álcool evapore, depois adicione o caldo de vitela e leve-o a ponto de pré-fervura. Adicione um pouco de sal e pimenta, mexa com uma ou duas colheres de manteiga, e você tem molho para quatro porções de um peixe suave e carnudo, como o linguado gigante ou o bacalhau, ou fatias de filé mignon. Esse mesmo molho seria perfeito para vitela *sautée* (adicione um pouco de suco de limão) ou medalhões de lombo suíno (adicione uma colher de sopa de mostarda). Se você tiver salgado e cozido sua carne apropriadamente, o prato ficará mais saboroso que os pratos esnobes de seu restaurante francês favorito – substancioso, com sabor de cogumelos, encorpado e, graças à manteiga, cremoso e com textura aveludada – porque é fresco e feito *à la minute*, e porque veio da sua cozinha. Deglace a panela em que assou um frango com caldo de vitela e num instante terá um molho surpreendente, tal como está, ou facilmente realçado com a adição de, digamos, manjericão, tomate e azeitonas, ou estragão e cebolinha-francesa.

Você pode fazer isso com caldo de frango – aliás, pode fazer até com água –, mas não é a mesma coisa.

Não há nada como caldo de vitela. É uma maravilha.

Nada disso é novidade para um chef, e se ele for competente poderá abandonar o caldo de vitela e se sair bem, porque tem um grande conjunto de instrumentos e técnicas à sua disposição.

Mas o cozinheiro caseiro, limitado pelo tempo, pelo dinheiro e pelo conhecimento de culinária, multiplica seu talento por um fator de dez fazendo caldo de vitela. Palavra de honra, é como mágica, como ganhar asas.

Fazer caldo de vitela em casa

Não é diferente de fazer qualquer outro caldo, a não ser pelo tempo de cozimento, e por isso não dá mais trabalho que qualquer outro: asse os ossos, cozinhe-os em água a 82°C por 8 a 12 horas, acrescente os aromáticos, cozinhe por mais uma hora e coe.

Caldo escuro de vitela básico

Rendimento: aproximadamente 2 litros de caldo pronto

1/4 de xícara de óleo vegetal
4,5 quilos de ossos carnudos e juntas de vitela (ossobuco, peito, paleta), cortados em pedaços de 7,5 a 10 centímetros
4 cenouras grandes descascadas
4 talos de aipo
2 cebolas grandes descascadas
5 dentes de alho descascados
1/2 xícara de extrato de tomate
2 colheres de sopa de grãos de pimenta quebrados
5 ramos de tomilho
5 ramos de salsinha
2 folhas de louro

Preaqueça o forno a 230°C e unte levemente com óleo duas assadeiras grandes. Coloque-as no forno. Quando o forno e as assadeiras estiverem quentes, retire-as e ponha a carne e os ossos nelas. Assegure-se de que estão espalhados, para dourarem da maneira mais uniforme possível. Asse-os por 30 minutos, depois vire-os e continue assando por mais 15 minutos ou até que estejam apetitosamente dourados e com um cheiro delicioso.

Ponha os ossos numa panela de caldo. Descarte a gordura das assadeiras, adicione a elas umas duas xícaras de água, ponha-as sobre fogo alto e raspe os pedacinhos tostados pregados nelas. Prove esse líquido. Por vezes os sucos dos ossos podem queimar e amargar o líquido do deglacê. Se estiver amargo, não o use. Se tiver um gosto bom (seu sabor deve ser muito mais suave do que sua cor escura indica), adicione esse líquido ao caldo, depois continue a adicionar água fria até que ela fique uns dois centímetros acima dos ossos, cerca de dez litros. Leve a água ao ponto de pré-fervura, retirando da superfície quaisquer gorduras ou impurezas que venham à tona. Ponha a panela de caldo no forno e aqueça-o entre 82°C e 94°C. Deixe que o caldo cozinhe por no mínimo oito e no máximo 12 horas.

Nesse meio-tempo, limpe e pique grosseiramente os vegetais. Depois que os ossos cozinharem por oito a dez horas, retire a panela do forno. Acrescente os ingredientes restantes. (Para um caldo ainda mais denso e substancioso, asse os vegetais e o extrato de tomate até ficarem ligeiramente caramelados, e depois acrescente-os ao caldo.) Leve o caldo ao fogo baixo novamente até a pré-fervura, escumando quando necessário, depois retorne a panela ao forno por mais uma hora ou uma hora e meia.

Coe o caldo com um escorredor ou coador assim que o tirar do forno. Coe uma segunda vez com um pano de prato. Refrigere o caldo. Remova e jogue fora a gordura coagulada na superfície. Use dentro de uma semana ou congele se necessário.

Questões de finesse e variações segundo os chefs

Caldo de vitela não é apenas uma revelação em si mesmo; o modo como sua premissa fundamental varia segundo os chefs revela muito sobre a flexibilidade e as possíveis nuances do próprio caldo.

Como mencionado antes, o de Emeril é tão básico quanto o exposto acima, do tipo que você aprende numa escola de culinária, e revela as raízes desse chef como formado pela Johnson & Wales. Ele carameliza os vegetais da maneira clássica para obter uma doçura intensa e complexa.

Embora não faça caldo de vitela em seu Zuni Cafe por não ter um bom fornecedor de vitela na região (ela prefere manter seus fornecedores nas vizinhanças), Judy Rodgers lembra-se afetuosamente de seu primeiro encontro com a iguaria. Foi numa cozinha em Roanne, por acaso dirigida por Jean e Pierre Troisgros, que estão entre os gigantes da culinária no centro gastronômico do mundo ocidental. O ano era 1973, Rodgers tinha 16 anos e acabara de chegar de St. Louis. Eram quatro horas da manhã e foi-lhe oferecido um sanduíche de presunto preparado por Jean. "Estávamos de pé na cozinha", escreve ela na introdução de seu livro de receitas do Zuni, "que era escura e tranquila e não dava nenhuma indicação de seu status legendário, exceto pelo aroma penetrante de um caldo de vitela sendo lentamente reduzido a *demi-glace*."

Ela ainda tinha a receita, das anotações que fez assiduamente durante sua estada com a família Troisgros. "No Troisgros", diz ela, "caldo de vitela era a base de tudo." A receita, escrita em francês na caprichada letra redonda da aprendiz de 16 anos, requer 20 quilos de ossos e um quilo de pele de porco. Esta é rica em gelatina e encorpa bem o caldo. Alhos-porós também estão incluídos na receita básica, mas tomate não. Rodgers observa que os ossos não são torrados ("*pas grillé, innovation de la maison*", escreve ela; numa nota de rodapé ela comenta que a casa sempre torrara os ossos, mas por acaso não o fez uma vez e o caldo resultante ficou com um sabor muito mais natural).

Curiosamente, Thomas Keller também não assa os ossos para caldo de vitela. Em vez disso, tira toda a gordura possível deles e da carne e os põe para ferver, depois os enxágua e limpa, antes de cobri-los novamente com água e cozinhá-los em temperatura de pré-fervura.

As cozinhas de Keller são famosas por fazerem as coisas da maneira difícil, e seu caldo de vitela não é diferente. Como os irmãos Troisgros, Keller acrescenta tanto uma fonte adicional de gelatina, como mocotó, quanto alhos-porós. Ele não usa aipo, acreditando que ele deixa o caldo amargo. Usa uma grande quantidade de extrato de tomate, o que torna seu caldo muito doce e lhe dá uma cor dourada pálida, embora nada tenha sido tostado. Primeiro ele cozinha os ossos e os ingredientes aromáticos em fogo lento por cerca de seis horas. Em seguida, coa o caldo e o esfria rapidamente. Os ossos são mais uma vez cobertos com água, depois cozinhados em fogo lento por mais seis horas, coados e esfriados (o que por vezes é chamado de *remouillage*). Os dois caldos – chamados no restaurante de Vitela 1 e Vitela 2 – são misturados e reduzidos lentamente, de 16 a 20 litros para cerca de dois litros.

Talvez a variação mais estranha, em matéria de ingredientes, seja a adição que Kamman faz de um cubo de caldo de carne.

"Você põe um cubo de caldo de carne Knorr em seu caldo?", exclamei quando ela me disse isso pelo telefone.

"Sim, ponho!"

"Você?!"

"Sim, eu!" E acrescentou, com a modéstia costumeira entre chefs: "Com toda a honestidade, nunca experimentei molhos como os meus."

Explicou que os cubos adicionam sal e glutamato monossódico ao caldo, o que dá um sabor mais intenso. Isso parece estranho e desnecessário, mas cozinheiros são uma turma excêntrica.

Não importa qual seja sua variação, os ossos jovens ricos em gelatina, combinando-se com a doçura dos vegetais, criam um dos mais extraordinários elixires na cozinha e uma das ferramentas mais versáteis que um cozinheiro pode manter à sua disposição.

2. Molho

Tendemos a pensar em molho como uma coisa que derramamos sobre outra pouco antes de servi-la, mas, em termos práticos, molho é qualquer gordura temperada, ácido, líquido de cozimento, suco, purê vegetal, ou combinação dessas coisas, que adicionamos a um ingrediente principal para realçá-lo, e é útil para o cozinheiro concebê-lo desta maneira fundamental.

Sim, é o molho de tomate sobre o macarrão, o *beurre noisette* sobre a truta *sautée*, o ketchup sobre o hambúrguer, o chocolate sobre os profiteroles. Mas a maionese que enriquece e liga uma salada de atum é um molho;

uma *quenelle* de *tapenade* de azeitona sobre um peito de pato grelhado pode servir como seu molho. O vinagrete é um molho de salada comum. Ingredientes braseados ajudam a criar seu próprio molho. Um ovo *poché* pode ser servido sem molho porque contém o seu próprio, mas acrescente-lhe uma colherada de *beurre blanc* e ele se tornará um prato requintado. Num clássico frango *chaud-froid* (quente-frio), um molho cozido é derramado sobre frango assado e frio, de modo a cobri-lo completamente e a se solidificar depois sobre ele – uma maneira extravagante de servir comida com molho. Sopa é pouco mais que ingredientes principais numa abundância de molho. Um *crème brûlée* nada mais é, de fato, que um molho de sobremesa temperado, cozido para dar consistência às proteínas.

O molho pode transformar um prato ou refeição de bom em excelente, mas nunca deve chamar atenção para si – está sempre a serviço de alguma outra coisa, e como tal constitui por si mesmo uma especialidade culinária incomum. É por isso que no sistema francês de *brigade*, que divide os chefs em vários departamentos, o *saucier* é muitas vezes o cozinheiro mais talentoso, o mago e feiticeiro. Do início da refeição (mostarda com a tábua de frios) até a sobremesa (sorvete sobre a torta, ou purê de amoras com uma torta de chocolate), quase não há um prato que não se beneficie com alguma forma de molho.

Do ponto de vista do cozinheiro, o molho é uma ideia e uma função, e os melhores são essenciais para aquilo que acompanham e inseparáveis dele. Embora possam ser categorizados de várias maneiras, eles recaem geralmente em uma de três categorias: à base de caldo, à base de gordura e à base de purê vegetal (fruta ou hortaliça).

Caldo refinado

O suprassumo do preparo de molhos é alcançado naqueles à base de caldo, não tanto porque são mais saborosos que qualquer outro, mas porque exigem o maior esforço e se distinguem por numerosos elementos de requinte.

Os molhos escuros baseiam-se em caldo de vitela. Na verdade, qualquer mistura de carne e ossos pode ser assada e, com vegetais caramelizados, servir de base para um excelente molho escuro; no panteão dos molhos, porém, os verdadeiros molhos escuros começam com caldo de vitela.

O caldo de vitela era outrora transformado no molho *espagnole*, isto é, engrossado com um *roux* escuro e fortificado com mais *mirepoix* caramelizado. Isso podia ser ainda refinado num *demi-glace* ao ser misturado com mais caldo de vitela e reduzido. Tanto o molho escuro, pai de todos os molhos, como o clássico *demi-glace* podem ser transformados numa miríade de molhos *à la minute*, porque têm apetitoso sabor neutro de carne e a doçura dos vegetais, e já desenvolveram uma excelente consistência para incrementar quaisquer sucos e vegetais aromáticos com que venham a ser realçados.

Se mesmo o mais tímido dos cozinheiros tiver um pouco de molho *espagnole* à mão, a família e os amigos podem pensar que é um *saucier* genial; qualquer panela à qual esse molho é adicionado parece se transformar em algo mágico. Com um pouco de echalota picada, mostarda, ervas frescas e cogumelos, subitamente o insosso frango assado, o apático lombo de porco, o caro e tedioso filé mignon serão transformados em delícias impressionantes, dado o pequeno impulso do molho-mãe à base de caldo de vitela (o qual, verdade seja dita, não tem em si mesmo um sabor tão apetitoso – parte de sua mágica).

Qualquer caldo pode ser fortificado e pré-engrossado dessa maneira com um *roux* – quando se trata de um caldo claro (frango ou peixe), é chamado de *velouté* – com excelentes resultados, contanto que você se dê ao trabalho de escumar a película à medida que ela se forma na superfície e de permitir que a farinha cozinhe por completo. Até leite pode ser engrossado dessa maneira para fazer o chamado molho bechamel, uma invenção de surpreendente versatilidade. Aqui, o leite é como um caldo pronto, facilmente engrossado e temperado para se tornar a base de inúmeros excelentes molhos cremosos para massas, carne branca, peixe e vegetais.

Os molhos engrossados com *roux* passaram a ser vistos com maus olhos por sua associação com a pesada e antiquada ou mal preparada comida francesa. Isso é uma pena, porque um *roux* é potencialmente a maneira mais elegante e refinada de engrossar um molho. Caldos engrossados apenas mediante redução podem parecer pegajosos, e aqueles engrossados com uma pasta de amido puro, como o de milho, podem ficar diluídos pelo amido e ganhar uma textura amido-gelatinosa. Um molho engrossado com *roux*, em que o caldo básico foi devidamente cozido e escumado, tem sabor intenso, é bem encorpado e leve ao paladar.

O único problema com molhos engrossados com *roux* é que exigem mais trabalho. Leva-se um dia para fazer um caldo de vitela, e para fazer depois um molho escuro a partir desse caldo precisa-se de uma boa parte de um segundo dia. Como o leite está pronto, o molho bechamel pode ser o mais prático dos engrossados com *roux* para o cozinheiro caseiro. Para cozinheiros empenhados, vale a pena fazer molhos de base e seus derivados, pois o processo contém muitas lições para o cozinheiro, entre as quais o prazer de saborear um molho excelente. Além disso, molhos de base congelam bem, de modo que uma grande quantidade pode ser dividida em pequenas porções para uso futuro.

Na prática, qualquer caldo pode ser reduzido e fortificado com elementos da refeição – aromáticos adicionais, ossos e aparas de carne, ervas, condimentos – para fazer excelentes molhos à base de caldo. O caldo de vitela é o mais fácil e versátil de todos. Pode ser servido como está ou engrossado com uma pasta de amido (maisena e água).

Não ignore a água como a base fundamental de caldos e molhos. Não, ela não tem nenhum sabor ou consistência própria, mas absorve sabor muito rapidamente, e assim os molhos feitos no último minuto na panela podem ser fáceis e rápidos, mesmo que você não tenha caldo à mão. A água é certamente superior a caldos enlatados. Se você assa um frango numa assadeira, por exemplo, pode criar um molho delicioso enquanto ele repousa, usando água para criar um caldo e molho básico ali mesmo. Remova o frango para uma tábua de corte, descarte o excesso de gordura da assadeira e reserve toda a pele grudada nela, as pontas das asas, o pescoço, a moela e o coração, se os tiver assado junto com o frango. Ponha a assadeira em fogo alto, adicione uma xícara de cenouras e cebola picadas e cozinhe levemente. Deglace a assadeira com vinho branco e cozinhe-o lentamente em fogo baixo até que a assadeira fique quase seca, depois cubra os vegetais e as aparas de frango com água e cozinhe em fogo alto. Tempere com sal e pimenta. Em poucos minutos você terá um saboroso *jus* que pode acompanhar o frango.

Se tiver tempo, deixe toda a água secar para dourar os açúcares liberados nela pelos vegetais; depois, adicione mais água e cozinhe de novo.

Para um molho mais refinado, coe-o numa panela pequena, misture um pouco de manteiga, algumas ervas frescas ou um pouco de mostarda para melhor realçá-lo.

Seria esse molho mais suculento se você usasse um bom caldo de frango ou de vitela em vez de água? Sim. Mas é possível fazer um bom molho rápido sem caldo? Com toda a certeza, e ele será muito superior a um que você faça usando um caldo comprado pronto.

Finalmente, molhos derivados e molhos à base de carne são voláteis. É por essa razão que são concluídos *à la minute*. Se feitos e conservados, ficam insípidos. Precisam ser finalizados pouco antes de serem servidos para ter frescor e sabor mais vibrante. Sobra de molho pode ser usada depois de ser refrigerada, mas precisa ser refrescada com caldo e coagem adicionais.

A grande transformação da gordura: o molho emulsionado

A gordura é de longe o material mais facilmente transformável em molho, porque praticamente já é um – para começar, é substanciosa e opulenta, e o cozinheiro precisa apenas temperá-la e ajustar sua consistência. Esta é extremamente importante em molhos à base de gordura. O óleo de canola em si mesmo não é apetitoso, mas bata-o numa maionese e só a consistência já se torna sedutora. O tempero, que torna a gordura característica e saborosa, vem das fontes usuais: ácido, aromáticos, especiarias e sal.

Gordura é também o molho mais fácil para dar a um prato. Manteiga sobre frango ou bife é excelente por si só, e um bom azeite de oliva combina-se perfeitamente com a doçura e a acidez de um tomate da horta.

A manteiga oferece sua própria categoria de molhos na chamada manteiga composta, que é aquela temperada com ervas frescas, ingredientes aromáticos e ácido, e posta diretamente na comida. Quando a manteiga é aquecida, os sólidos se separam da gordura clara e ficam dourados, o sabor aprofunda-se em gosto de castanhas; ervas e ácido o finalizam, fazendo um delicioso molho para uso geral.

Mas quando o cozinheiro aplica alguma energia e arte à gordura, emulsionando-a – transformando-a de líquida em espessamente cremosa –, resultam molhos de grande distinção, que podem satisfazer mais que os de qualquer outra categoria.

Óleo e manteiga são as duas principais gorduras usadas para molhos emulsionados. As emulsões de óleo são a maionese e suas variantes. Quando a gordura é manteiga, o resultado é chamado de molho de manteiga emulsionada, como o *hollandaise*. Ambos usam gemas de ovo como o principal meio para emulsionar uma grande quantidade de gordura com um pouquinho de água. Para molhos de maionese, o óleo é batido com gema de ovo crua (e algumas gotas de água e/ou suco de fruta cítrica e tempero). Para molhos emulsionados de manteiga, a mistura de gema de ovo é cozida e a manteiga (clarificada ou integral) é depois batida com ela.

As proporções para ambos são bastante padronizadas, embora possam ser alteradas segundo seu gosto e estilo. Para maionese, use uma gema para cada xícara de óleo. Para molhos de manteiga, a proporção clássica é de três gemas para 225 gramas de manteiga (embora as gemas extras sejam mais para textura e sabor que para a emulsão).

Os princípios são basicamente os mesmos. Para uma maionese, o sal é misturado ao líquido (suco de limão e água) para se dissolver; depois mistura-se a gema, e então o óleo é batido com esta, sendo adicionado a princípio gota a gota, à medida que a emulsão se forma, depois num fino fluxo constante, sem que se pare de bater. Nos molhos de manteiga, usa-se uma redução para dar sabor; uma mistura de ervas aromáticas, hortaliças, especiarias, sal e ácido (vinagre e/ou vinho) é cozida e coada; esse líquido é combinado com as gemas numa panela ou tigela. As gemas são postas sobre calor (normalmente em banho-maria, para evitar que fiquem excessivamente cozidas) e batidas enquanto cozinham. Quando estão cozidas e espumantes de tanto bater, são leve e lentamente incorporadas com a manteiga. O molho pode ser finalizado com ervas frescas e ingredientes aromáticos.

Maioneses e molhos emulsionados de manteiga são deliciosos com todas as preparações de carne, peixe, mariscos, vegetais e ovos. As primeiras, como o *aïoli* de alho e azeite de oliva, são especialmente boas com carnes, mariscos e vegetais crus.

Há também um tipo de molho emulsionado de manteiga sem ovos, que se beneficia do fato de que a manteiga integral já é uma emulsão de água, sólidos e gordura. Vegetais aromáticos como echalotas ou cebolas são cozidas com vinho até que o líquido seja reduzido, depois a manteiga é adicionada e batida pedaço por pedaço. Esses molhos, chamados *beurre blanc* ou *beurre rouge*, dependendo do vinho usado, são muito fáceis e rápidos de preparar.

Da mesma maneira, há um molho à base de óleo sem ovos, baseado principalmente em ácido – a emulsão de vinagrete. Uma parte de vinagre é temperada com sal e mostarda, depois três partes de óleo são misturadas a ela. Como a mostarda tem algum poder emulsificante, pode-se alcançar uma emulsão estável, embora consideravelmente mais rala que uma maionese. É mais fácil fazer isso usando a força de um mixer, mas pode-se fazê-lo também da mesma maneira que uma maionese.

Molhos contemporâneos

A culinária americana evoluiu de maneira espetacular durante a última década. Assim também a maneira como pensamos sobre comida. A definição de molho não deve ficar restrita àquelas preparações especiais para derramar sobre carne e vegetais; ele deve ser descrito como uma espécie de *continuum* de sabor e textura que pode variar do sólido (uma manteiga composta) ao aquoso (um *nage*), dependendo da comida que pretende enobrecer. Um purê de tomates, cozido, serve há muito como um dos principais molhos, sendo considerado um molho-mãe, mas qualquer purê vegetal pode ter essa função.

Um molho de aspargos – aspargos cozidos, branqueados em água com gelo, transformados em purê que depois é temperado com sal e limão e enriquecido com manteiga quando reaquecido – é tão saboroso a cada garfada quanto um molho de manteiga sobre um peixe branco. Pode ser altamente refinado, coado até ficar ralo ou servido grosso e substancioso.

O que você está fazendo é simplesmente transformar a consistência do ingrediente para fazer dele um molho. Você está cozinhando os aspargos como o faria se planejasse servi-los inteiros, apenas com sal, manteiga e suco de limão. Pode-se fazer isso com qualquer vegetal. Da mesma maneira, a maioria das frutas pode ser cozida, transformada em purê e coada para deliciosos molhos de sobremesa.

Preparações desse tipo podem ir além – podem ser servidas como sopa. Na cozinha contemporânea, geralmente a linha que divide sopa e caldo está bastante borrada. Caldos podem funcionar como molhos, para carne e peixe; vinagretes podem ser usados como molhos clássicos; sucos vegetais podem ser transformados em molho. A definição de molho não para de se expandir.

À medida que os americanos viajam mais e a cultura de restaurantes nos Estados Unidos torna-se mais variada, nos familiarizamos com uma série de molhos de outras culturas – dos molhos asiáticos para mergulhar alimentos (baseados em soja fermentada e peixe, que representam toda uma nova categoria) e do *chimichurri* sul-americano (de fato um vinagrete de ervas maceradas) aos *moles* mexicanos e *curries* asiáticos (que muitas vezes usam pastas de pimenta, sementes e castanhas como fonte de sabor e consistência).

O mundo dos molhos não tem fim, mas é fácil organizá-los em sua mente quando você está pensando em que molho combinar com o prato da noite. Na verdade, molho não tem a ver senão com sabor e tempero. Quando você adiciona molho a um prato, não está fazendo nada mais complicado que temperá-lo. Exatamente como tempera um prato com sal, não para que se possa sentir gosto de sal, mas para realçar o prato. Pense no molho como uma forma elaborada de sal. Este é, de fato, o significado da palavra inglesa para molho, *sauce*, derivada do latim *sal*.

3. Sal

Lembro-me claramente do momento em que ouvi aquilo – uma luminosa tarde de sábado, ao telefone, sentado à minha mesa em nossa velha casa. A verdade da informação me atingiu com um ferrão. Eu estava trabalhando com Thomas Keller na proposta para o que se tornaria *The French Laundry Cookbook*. Relativamente novato no mundo da culinária profissional, perguntei-lhe: "Qual é a coisa mais importante que um cozinheiro deve saber em sua cozinha?"

Ele fez uma pausa e respondeu: "Temperar."

"Que quer dizer com temperar?"

"Sal e pimenta." Ele fez outra pausa. "Na verdade, sal."

"A coisa mais importante que um cozinheiro deve saber é salgar a comida?"

"Isso mesmo", respondeu ele.

A verdade disso iria apenas se intensificar à medida que continuei a explorar a arte culinária. Isso é verdade não apenas para cozinheiros em cozinhas profissionais, mas para todos os cozinheiros em todas as cozinhas, em toda parte: aprender a salgar a comida de maneira apropriada é a habilidade mais importante que você pode possuir.

Não é nenhuma surpresa, portanto, que salgar comida seja uma das primeiras coisas ensinadas nas escolas de culinária. Quando meu instrutor considerou minha sopa insípida, ele me disse para encher uma concha, salgá-la e depois comparar as duas. Isso me ajudaria a compreender o que chamava de "efeito do sal". Você não quer sentir gosto de sal na comida – isso significa que ela está salgada demais. Você quer senti-la temperada – isto é, que tenha uma intensidade apropriada de sabor e equilíbrio, que não seja insossa ou insípida. O mesmo ocorre com a água em que você cozinha macarrão. Antes da escola de culinária, eu salgava a água do macarrão pondo uma pitada numa gigantesca panela de água. Não sei que efeito pensava que isso teria – se tivesse dedicado ao assunto pelo menos dois segundos de consideração, teria concluído que o sal não teria absolutamente nenhum efeito. Meu instrutor explicou que a água do nosso macarrão deve ter o gosto de uma sopa bem temperada. Isso garantiria um macarrão perfeitamente temperado. O mesmo vale para arroz.

Aprendemos a "temperar enquanto avançamos" – isto é, salgar a comida ao longo de todo o processo de cozimento, porque comida salgada no início ou durante o cozimento tem gosto diferente daquela salgada pouco antes de ser servida. A primeira parece temperada; a segunda, salgada.

Assim, desde que comecei a aprender a cozinhar corretamente, descobri que não fazia direito um dos atos mais rotineiros da cozinha: salgar a comida de maneira apropriada. Keller disse que essa era uma das primeiras coisas que eles ensinavam aos novos cozinheiros no restaurante *The French Laundry*. Eu não pensava muito a respeito – o sal sempre havia sido uma *reflexão posterior*. É para isso que o saleiro está na mesa, certo?

Errado. Saber salgar a comida – essa é a habilidade mais importante que você pode ter.

Depois de minha conversa com Keller, quase dez anos atrás, passei a prestar muita atenção ao sal e ao modo como as pessoas o usavam. Ouvi também as onipresentes advertências sobre os perigos de seu consumo excessivo para a saúde. Acabei até escrevendo um livro que trata em grande parte da arte de salgar comida: *Charcuterie: The Craft of Salting, Smoking and Curing*.

Judy Rodgers foi a primeira chef que conheci a abordar esse assunto de frente em seu *Zuni Cafe Cookbook*. A sabedoria popular sempre declarou que se você salgar a comida com antecedência, ela ficará seca. É o que parece: salgue um bife e algumas horas depois ele estará no meio de uma poça vermelha. Na verdade, porém, o perpétuo efeito osmótico do sal aumenta a suculência ao alterar a estrutura celular de tal maneira que ela retém mais umidade. O sal também *realça* o sabor da carne ao penetrá-la inteiramente. E dissolve a proteína pegajosa miosina, de modo que em preparações moídas – hambúrguer, salsicha – a carne se mantém coesa.

Rodgers recomenda com insistência aos cozinheiros que salguem logo a comida. Quanto maior ela for, mais sal e mais tempo com sal necessita (isso é sempre verdade no caso da carne, mas não é bem assim com os peixes: alguns são deliciosos depois de acondicionados em sal – salmão ou bacalhau –, mas outros têm carne tão delicada que o sal pode estragá-la se usado cedo demais). E a regra pode se aplicar também aos vegetais. Aqueles com grandes células aquosas, como cebolas, berinjelas e pimentões, são realçados quando salgados cedo.

Rodgers aprendeu sobre o sal com mentores franceses que o consideravam não apenas um tempero, mas sim, escreve ela, "aquilo que impede você de passar fome". De fato, o papel do sal como conservante para todo tipo de alimento – permitindo que se gerasse um excesso de comida, comida que pudesse servir de base para a economia e alimentar tripulações durante longas explorações – faz dele uma das substâncias mais influentes na terra.

Sal nunca deve ser uma reflexão posterior.

O sal e a saúde

O sal é tão decisivo para a nossa saúde que desenvolvemos uma extraordinária capacidade de percebê-lo com o paladar – a fim de poder regulá-lo. Quando comemos alimentos naturais, não processados ou processados mas contendo poucos ingredientes, podemos usar tanto sal quanto nos pareça gostoso, sem preocupação com a saúde. O sal tornou-se um problema porque fazemos muito uso de alimentos altamente processados (que vêm em caixas e sacos plásticos); eles são impregnados de um sal que não necessariamente detectamos, e podemos facilmente consumir muito mais do que nosso corpo precisa.

Algumas pessoas têm problemas de pressão alta e hipertensão e devem restringir o consumo de sal. Em geral, porém, o sal não é ruim. Se você come muita comida processada, ele poderia ser um problema, e pode haver ainda outras questões de saúde. Se você é saudável e come bons alimentos, deve sentir-se livre para salgar a comida em níveis que a deixem saborosa.

Como salgar a comida

Há somente alguns preceitos quando se usa sal. Use sal kosher, que é ao mesmo tempo econômico e disponível em toda parte, ou sal marinho, ou algum outro sal especial, se desejar. Nunca use sal iodado (a deficiência de iodo não é mais um problema). Salgue cedo no processo de preparo, quer esteja temperando uma carne, quer uma sopa. Prove sua comida constantemente durante todo o cozimento e tempere-a adequadamente enquanto avança.

Salgar a carne

A maioria das carnes pode ser salgada assim que você a adquire, independentemente de quando pretenda cozinhá-la. Fazer isso o mais cedo possível não só permite que o sal se distribua por toda a peça como a mantém fresca – o sal impede o crescimento de micróbios responsáveis pela deterioração da comida.

Ironicamente, deve-se ser cuidadoso ao salgar criaturas que viviam na água salgada. Alguns peixes são tão delicados que os cristais de sal "queimarão" a carne ao invés de se distribuir por ela (vieiras são um bom exemplo; elas devem ser temperadas pouco antes do cozimento).

Salgar a água

Há dois níveis de água salgada. Água intensamente salgada é usada para ferver hortaliças verdes e qualquer outra coisa que não vá absorver muito líquido. Água moderadamente salgada, que simplesmente tem gosto de temperada, é usada para reidratar alimentos, como macarrão, arroz e vegetais. Veja ÁGUA SALGADA no glossário para as quantidades recomendadas.

Salmouras

Salmoura – sal disperso através de um meio muito denso – é um sistema extremamente eficaz de salgar, impregnando a comida de maneira uniforme, previsível e rápida. Uma boa proporção é de 170 a 220 gramas de sal por 4 litros de água; quanto mais forte, mais rapidamente agirá. A água pode ser também impregnada com vegetais aromáticos, ervas e especiarias; o sal ajuda esses sabores a penetrarem na carne. Comida submetida à salmoura se beneficia repousando fora dela antes de ser cozida, para que a concentração de sal, mais intensa no exterior, se iguale por toda a peça (isto não é muito diferente de deixar a carne repousar quando sai do forno).

Conservar em sal

Praticamente qualquer coisa pode ser conservada com sal – carne, peixe, vegetais e frutas – com resultados variados em termos de qualidade e usos culinários. Porco é a carne mais frequentemente conservada assim porque fica com gosto excelente. Você pode fazer isso com filé mignon, mas por que o faria? É melhor conservar uma carne de peito bovino (chamada *corned beef*, ou, se defumado e condimentado, *pastrami*).

Alimentos podem ser conservados em sal seco – bacon, bacalhau e peito de pato são itens normalmente curados dessa maneira. Ou podem ser curados em salmoura – lombo canadense (lombo de porco), carne de peito bovino e vegetais, por exemplo. Alguns alimentos começam numa cura seca, mas soltam tanto líquido que se cria uma salmoura – salmão, repolho (chucrute)...

Mesmo umas pitadas de sal, como se você estivesse simplesmente temperando a comida, tem efeitos de cura. Carne pode ser esfregada com sal e deixada para curar. Uma xícara de sal para 4 litros de água dá uma boa salmoura de cura. Para conservas *in natura*, isto é, com ingredientes que criam seu próprio ácido através da fermentação, exatos 50 gramas de sal por litro de água é perfeito.

Cada alimento reage de maneira um pouco diferente ao sal. Em última análise, você tem de prestar atenção. Prove. Registre na memória. Salgue, prove, registre. Assimile seus próprios níveis de sal ao cozinhar. Ponha um pouco de sopa ou caldo numa tigela e salgue-o, depois compare com a parte sem sal. Prove um tomate sem sal, depois com sal. Ensine os efeitos do sal para si mesmo.

4. O ovo

Minha veneração pelo ovo beira a devoção religiosa. Ele é o alimento perfeito – embalagem barata, repleto de nutrientes e com sabor extraordinário, pode ser preparado de forma fácil e simples, mas é também capaz de inigualável versatilidade na cozinha. Sim, um ovo é só um ovo, mas é também ingrediente, ferramenta e objeto, uma construção da natureza de proporções quase místicas.

O ovo é ao mesmo tempo nutritivo e barato. É delicioso servido sozinho; em combinação com outros ingredientes, pode ser ainda melhor. Adiciona sabor e substância a incontáveis preparações; a outras, textura e corpo. É uma ferramenta versátil que transforma as consistências de outros ingredientes: pode deixar os líquidos aveludados, transformar o óleo num molho com a maciez opulenta e densa de um creme facial, deixar o chocolate fofo e o creme de leite liquefeito, transformar a consistência de uma massa líquida em leveza sólida como esponja. Pode ser usado inteiro ou separado; a clara e a gema se comportam com propriedades únicas e poderosas, sejam cruas ou cozidas, e, *quando* cozidas, podem sê-lo num grande número de estágios. Até a casca pode ser usada. Como objeto estético, considerado por seu design, o ovo é engenhoso e, exceto por sua propensão a rolar e cair das bancadas, eficiente.

Ovos podem ser servidos a qualquer hora do dia e em qualquer refeição. Podem ser o item principal ou a guarnição; podem ser servidos de forma simples, em preparações rústicas, mas são igualmente apropriados para uma cozinha quatro estrelas. Nenhum outro ingrediente tem tantos usos e efeitos. O ovo é uma maravilha.

Dominar o uso de ovos é uma façanha de mérito para o aspirante a cozinheiro e um pré-requisito para o aspirante a profissional. Se você pudesse escolher um único ingrediente sobre o qual ter pleno domínio, ele seria sua melhor escolha: o aperfeiçoamento de técnicas de uso do ovo eleva sua competência como cozinheiro mais do que o de qualquer outro item isolado.

As possibilidades do ovo

Inteiro, isto é, com clara e gema juntas

Comumente, o ovo é cozido com a clara e a gema juntas, e pode ser um item de destaque no café da manhã, no almoço, no jantar ou como um lanche no meio da manhã, da tarde ou à meia-noite. As notas que se seguem tratam das várias estratégias de uso de calor para ovos inteiros:

Poché: Quebrar o ovo em água que está no limite da temperatura de pré-fervura é provavelmente a melhor maneira de cozinhar um ovo inteiro. A temperatura é branda e por isso mantém o ovo mole. (Você já parou para pensar que é uma sorte a clara endurecer antes da gema? Vemos isso como natural, mas o universo culinário seria diferente se elas endurecessem ao mesmo tempo.) O meio de cozimento não comunica seu próprio sabor, nem o calor doura a proteína introduzindo novos gostos, de modo que o sabor de um ovo *poché* é aquele elegante e puro de ovo.

A clara de ovo tem duas consistências diferentes: parte dela é rala, aquosa, e parte é densa, viscosa. Quebre um ovo sobre um prato e poderá ver as diferentes texturas. Quando você deixa um ovo cair suavemente sobre água quente, a clara rala coagula em farrapos inúteis, enquanto a parte densa coagula apetitosamente em torno da gema. Muitos livros de culinária recomendam acidular a água para ajudar a evitar que a clara solta se forme; como nunca fui capaz de ver a diferença entre ovos cozidos em água batizada com vinagre ou água pura, e a água ácida precisa ser enxaguada depois do cozimento, adicionar algo ácido à água para escalfar não é recomendável. Ovos frescos tendem a ter maior proporção de clara densa que ovos de granja, e isso faz uma grande diferença no tamanho e na aparência do ovo *poché*.

Harold McGee, ao observar a desigualdade da clara de ovo, faz esta excelente recomendação para se fazer ovos *pochés* mais bonitos (quando feitos apropriadamente, eles são realmente lindos de se ver, o que faz parte do prazer de cozinhá-los e servi-los). Quebre o ovo numa tigela. Derrame o ovo da tigela numa colher perfurada grande e permita por um breve tempo que a clara rala escorra, depois devolva o ovo à tigela e escalfe-o. Isso reduz enormemente a quantidade de clara solta.

O ovo deve ser cozido até que a clara endureça, e não mais; remova-o com uma colher perfurada, permita que solte o excesso de água e sirva-o imediatamente. Como alternativa, pode ser removido da panela para um banho de gelo até ficar inteiramente resfriado, podendo ser reaquecido quando necessário dentro de cerca de um dia (uma excelente estratégia para servir muitas pessoas).

Frito: Ovos fritos são deliciosos, em parte porque o fogo alto doura parcialmente a clara, o que lhe confere sabores adicionais. Você pode alterar o sabor do ovo com a gordura que usa – azeite de oliva, por exemplo, ou manteiga integral ou clarificada, em vez de óleo vegetal neutro.

Fritar ovos pode ser complicado. Quando se usa uma frigideira plana de aço, a superfície de cozimento deve estar imaculada, deve-se usar bastante óleo e a frigideira deve estar muito, muito quente – se algum desses requisitos não for atendido, o ovo grudará. Frigideiras antiaderentes são mais convenientes: permitem fritar o ovo a temperaturas mais baixas e tornam mais fácil virar o ovo para fritá-lo de ambos os lados. Para evitar esse movimento, mas se assegurar de que a clara esteja dura, a frigideira pode ser tampada e retirada do fogo para finalizar a cocção. Uma frigideira de ferro fundido bem temperado é uma boa escolha para fritar ovos.

Cozido: Ovos cozidos têm numerosos usos culinários, seja como um lanche prático e nutritivo, seja picado e misturado a um molho emulsionado de gema (também conhecido como salada de ovo), seja como guarnição. Há também o engenhoso ovo recheado, uma técnica em que se cozinha o ovo, separa-se a clara da gema e em seguida se recompõe o conjunto de forma mais apetitosa e elegante.

É importante interromper o cozimento quando os ovos estão no ponto, para evitar que a gema fique de um verde pardacento, cheirando a enxofre. A gema de um ovo devidamente cozido é amarela, brilhante e uniforme. Para alcançar esse efeito, ponha os ovos em uma panela formando uma única camada e cubra-os com cerca de cinco centímetros de água fria. Deixe a água ferver, tire do fogo, tampe a panela e ajuste um cronômetro de cozinha para 12 minutos (alguns livros recomendam um tempo menor, outros um tempo maior – isso pode variar dependendo do tamanho e do número de ovos, mas 12 minutos é um bom ponto de partida; observe seus ovos e faça os ajustes necessários). Remova-os para um banho de gelo e resfrie-os por completo. Algumas pessoas gostam de quebrar os ovos no banho de gelo, o que torna mais fácil descascá-los e pode também reduzir o risco de a gema descolorir. Se você for descascá-los imediatamente, isso é aconselhável.

Assado: Ovos podem cozinhar no forno de duas maneiras satisfatórias, na *cocotte* ou no *coddler*. Eles devem ser servidos como itens individuais, não como guarnição. Para fazer um ovo *cocotte*, quebre um ou mais ovos num ramekin untado com manteiga e asse em fogo médio-baixo até que o fundo endureça. Finalize a cocção a 180°C por alguns minutos. Normalmente despeja-se um pouco de creme fresco por cima (e talvez um pouco de Parmigiano-Reggiano ou manteiga) para enriquecer o prato e abrandar o calor.

Embora alguns se refiram a ovos moles como aqueles fervidos por um ou dois minutos, um ovo mole pode ser também aquele assado num ramekin ou recipiente fechado (*coddler*) em banho-maria, como um creme. Ele pode ser temperado com uma gordura saborosa como manteiga ou um excelente azeite de oliva.

Uma preparação em particular de ovos inteiros digna de nota é aquela em conserva. Eles podem ser conservados com sal ou com vinagre. Ovos cozidos podem ser transformados em conserva num líquido ácido. Curados em sal, fazem parte de algumas tradições culinárias asiáticas, das quais o "ovo de mil anos" é um exemplo.

Convém notar que, além de serem ótimos pratos por si próprios, ovos cozidos são excelentes guarnições. A maioria das pessoas já os viu picados ou cortados em fatias e servidos na salada. Mas ovo frito na salada também é excelente; ovo *poché* na salada é um clássico costume francês. Ovo frito no sanduíche de presunto e queijo é imbatível. Ele é, de fato, um excelente ingrediente em praticamente qualquer sanduíche. Um ovo inteiro solto sobre uma sopa bem quente quase nunca é má ideia. Ovo *poché* usado como guarnição para aspargos cozidos no vapor (e uma boa *beurre blanc*) faz um elegante prato de aperitivo ou um almoço leve. Quando em dúvida na cozinha, olhe para o ovo – ele raramente o desapontará.

Inteiros, mas com clara e gema misturadas, de forma livre (ovos mexidos) ou estruturada (omelete)

Depois de peito de frango, ovos mexidos são provavelmente o item que é mais excessivamente cozido nos Estados Unidos (seguidos por costeleta de porco). Ovos mexidos preparados corretamente são úmidos, delicados, brilhantes; devem até conter um pouco de líquido, como se tivessem recebido um leve toque de molho.

Comece misturando bem os ovos, batendo com um *fouet* ou garfo até não ver mais a clara. A mistura deve ser homogênea em cor e textura.

Em regra, ovos sempre respondem melhor a fogo brando – fogo alto os deixa borrachudos e secos. Se você usa uma frigideira antiaderente, os ovos podem ser mexidos na manteiga sobre fogo baixo. Quanto mais você misturar, melhor o coalho; o tamanho do coalho é uma questão de gosto.

Se você não tiver uma frigideira antiaderente, ou uma boa panela de ferro temperado, talvez precise usar um fogo mais alto para evitar que o ovo grude e queime; nesse caso, precisará começar sobre fogo alto, sacudindo a frigideira e mexendo assim que os ovos estiverem nela, e depois finalizá-los fora do fogo, mexendo continuamente.

Para um omelete, os ovos devem ser mexidos antes – misturados continuamente –, para coalhar; depois que ele endurece, é enrolado e retirado da frigideira. É útil usar uma frigideira de ferro temperado ou antiaderente, pois as de aço puro são mais complicadas (nesse caso, valem as mesmas regras que para ovos mexidos). Omeletes devem ser de um amarelo claro brilhante e uniforme, não dourados, e bem úmidos, não secos. Podem conter queijo ou vegetais cozidos, embora não devam ser recheados demais; ao usar vegetais cozidos, certifique-se de que estão bem quentes para poderem finalizar a cocção do omelete depois que ele for enrolado. É possível dar um lindo brilho a um omelete finalizando-o com um pouquinho de manteiga por cima em temperatura ambiente.

Um ovo bem batido pode ser escalfado, para um resultado interessante e apetitoso. Simplesmente coloque-o em água no limiar de pré-fervura até que cozinhe, depois coe e tempere com sal, pimenta e manteiga.

O ovo, separado

Separadas, claras e gemas raramente são cozidas sozinhas. As claras são por vezes fritas em imersão e ficam parecendo lascas de isopor, e algumas pessoas comem omelete feito apenas com claras (por que o fariam, não consigo imaginar). Adoçadas e batidas em ponto de suspiro, as claras podem cobrir uma torta de limão (entre muitos outros pratos); geralmente, colore-se esse merengue dourando-o brevemente no forno, mas a clara fica crua.

Ovos crus podem ser usados com excelente efeito, no *eggnog*, por exemplo – o líquido é enriquecido com gema crua e incorpora-se a ele um merengue leve e doce.* Um ovo cru pode fortificar um milk-shake com sabor e nutrientes. Mas claras cruas puras não são deliciosas. Gemas, por outro lado, são; são deliciosas como guarnição para quase qualquer coisa. A gema é como um molho pronto – sobre um hambúrguer, um bife grelhado, ou um *steak tartare*.

Uma observação sobre o consumo de ovos crus. Frangos de granja, isto é, confinados em ambientes fechados às dezenas de milhares em gaiolas compridas, podem estar infestados com salmonela e outros micro-organismos, de modo que não é uma boa ideia servir ovos crus ou mesmo *pochés* se você precisar ter cuidado (se estiver servindo pessoas muito jovens ou muito idosas). É sempre aconselhável usar ovos orgânicos ou de frango caipira quando você os servir inteiros com a gema fluida ou crua, ou quando

* Dependendo do contexto, *eggnog* pode ser simplesmente traduzido como "gemada". Na maioria das vezes, porém, refere-se à bebida feita de gemada, leite e destilados (rum, uísque, conhaque ou uma combinação deles), temperada com noz-moscada e incorporada com claras em neve (merengue) antes de servir. A bebida pode ser fervida ou não, mas é servida fria (com ou sem gelo). É típica das festas de fim de ano. Na Alemanha, há uma versão à base de cerveja. (N.R.T.)

for usar gema crua em algum preparo, como na maionese. A despesa adicional vale a pena do ponto de vista da saúde, do sabor e também do meio ambiente.

O ovo como instrumento

Os ovos têm sabor tão suave e delicado que combinam esplendidamente com um sem-número de carnes, vegetais e grãos. Um creme (feito de leite ou creme de leite fresco e ovos) por si só é maravilhoso, mas pode também conter outras coisas, como numa quiche Lorraine – bacon e cebola suspensos numa mistura macia que se solidifica de forma delicada quando lentamente cozida. Outras preparações – *frittatas*, suflês, salada de ovo, rabanadas –, para não mencionar os muitos usos como guarnição, descrevem formas felizes de combinação do ovo com outros ingredientes.

Mas talvez o tópico mais importante no estudo do ovo seja seu uso como um instrumento. Ele pode enriquecer, espessar, emulsionar, fazer crescer, clarificar e até colorir.

Ovos batidos podem ser pincelados sobre pâtisseries e massas para, sob calor, criar uma cor castanho-dourada intensa e apetitosa. Adicione claras a um caldo frio turvo e, quando este for aquecido, elas formarão uma rede que o clarificará à medida que coagular e emergir à superfície. Costuma-se adicionar casca de ovo a caldos que estão sendo clarificados, mas a maioria dos chefs que faz isso não sabe bem o que torna essa prática mais do que um simples mito de cozinheiro; de fato, alguns especialistas em ciência dos alimentos acreditam que a alcalinidade que as cascas acrescentam ao caldo aumenta a capacidade clarificadora das claras.

Gemas ficam espessas quando batidas sobre fogo brando e engrossam os líquidos que as contêm, resultando em preparações como zabaione e creme inglês de limão, molhos salgados, pudins e cremes a serem transformados em sorvete.

Outra técnica com gema é chamada *liaison* – creme de leite e gema são combinados e adicionados, geralmente, a um ensopado, para enriquecê-lo (mas com insignificantes poderes espessantes).

Em seus usos mais espetaculares como instrumento, porém – e a gema e a clara talvez disputem a supremacia em seus efeitos separados –, os ovos servem para emulsionar e fazer crescer.

A capacidade da gema de transformar óleo transparente num creme sólido e opaco resulta em alguns dos mais agradáveis molhos conhecidos. A gema é o elemento coesivo central de *hollandaise*, *béarnaise*, maionese e *aïoli*, molhos cuja simples presença transforma (muitas vezes roubando a cena) a carne ou o vegetal que acompanham.

Uma emulsão acontece quando o óleo é mecanicamente dividido em minúsculos globos que permanecem separados por lâminas contínuas de líquido; a falta de movimento e as muitas ligações criadas tornam o óleo ao mesmo tempo firme e opaco. Quando os globos atravessam essas lâminas e se combinam numa grande massa, desfazendo-se numa sopa, o molho se decompõe. A molécula responsável por evitar que isso aconteça é chamada lecitina, que é metade solúvel em óleo e metade em água; ela engasta metade de si mesma numa gotinha de óleo, enquanto a outra metade permanece na "fase" de água da emulsão, impedindo que os globos se aglutinem, amontoem-se e decomponham o molho.

Um molho propriamente emulsionado é uma lição sobre o poder que tem a textura de proporcionar sabor e prazer. Um bom *hollandaise* e uma maionese fresca são coisas lindas. Um *hollandaise* talhado, não. Uma maionese talhada não pode ser usada. O molho emulsionado é em primeiro lugar uma questão de textura; combinado com sabor, seja simplesmente suco de limão, ou alho e manjericão, ou estragão, echalota e vinagre, o prazer de um molho emulsionado não é igualado por nenhum outro, e de fato nem pela maioria das comidas, ponto final.

Tradicionalmente, usa-se manteiga clarificada para os molhos emulsionados de manteiga, e isso realmente resulta num sabor elegante, mas pode-se usar também manteiga integral (ela própria uma emulsão). Para um molho de sabor neutro, a maionese, temperada com sal e suco de limão, deve ser feita com óleo vegetal fresco ou com óleo de canola. Para *aïoli*, um pouco de azeite de oliva. Se você quiser preparar uma emulsão de vinagrete bem firme, pode adicionar uma gema. O frescor da gordura é decisivo – se você usar óleo velho ou azeite de oliva rançoso, os sabores ruins serão intensificados. Use sempre a gordura mais fresca e de melhor gosto possível. E ela tampouco precisa ser restrita a uma das três já mencionadas. Gema de ovo pode transformar qualquer gordura límpida num untuoso prazer. Com uma gema misturada a uma redução de echalota picada e vinagre de vinho, por exemplo, pode-se bater uma gordura de bacon límpida e morna para uma emulsão de bacon e echalota maravilhosa se servida sobre um ovo *poché*.

A consistência de um molho emulsionado – seja um *béarnaise* ou um *aïoli* – deve ser tão firme quanto a de uma maionese. A menos que você não queira que fique tão espesso. Ele pode ser facilmente raleado com água ou creme de leite. Quando um molho emulsionado de manteiga é incorporado com creme de leite fresco batido, ele recebe o nome de *mousseline*.

A capacidade da clara de conter incontáveis bolhas de ar em miniatura (talvez uma imagem espelhada da capacidade da gema de conter óleo separado em minúsculas gotas) permite-lhe fazer crescer muitas preparações, sejam cruas (como uma mousse) ou cozidas (as mais variadas, desde suflês salgados ou doces a pães-de-ló). O ovo como "fermento" tem ainda mais usos que a gema como espessante.

É difícil imaginar uma cozinha sem ovos. Eles estão em toda parte na culinária, numa miríade de formas. É importante reconhecer e compreender o seu poder. Eu disse acima que o ovo raramente o desapontará; uma expressão mais completa da mesma ideia é esta: você o desapontará mais vezes do que ele a você, e quanto mais competente você for com o ovo, mais o será como cozinheiro.

5. Calor

A capacidade de controlar a temperatura da comida envolve um conjunto de habilidades culinárias e de conhecimento sobre os alimentos que, mais que qualquer outra coisa, define a excelência do cozinheiro. O domínio da temperatura não transformará ingredientes ruins em bons, mas determinará muito do que ocorre com eles depois que chegam à sua casa. Somente a habilidade no uso do sal tem impacto de magnitude similar.

A noção de controle da temperatura diz respeito não somente ao *cozimento* do alimento – saltear em fogo alto, escalfar em fogo brando etc. –, mas também a seu armazenamento, a como ele está quando começa a cozer, ao recipiente em que é colocado, ao momento em que é retirado do calor, a quanto tempo ele repousa depois de cozinhar e a como é servido. Em todas essas etapas, é crucial o controle da temperatura.

Embora o cozimento seja a mais variada e complexa das subcategorias do controle de temperatura, é importante reconhecer as fases anteriores e posteriores a ele. Por que refrigeramos comida? É útil pensar sobre essa pergunta, saber por que a comida gelada dura mais tempo. Muitas bebidas têm gosto melhor quando frias, e também algumas comidas, mas não a maioria. Quase sempre, a principal razão por que refrigeramos a comida é que a temperatura fria torna muito mais lento o aumento de bactérias que a fazem estragar. Por que é melhor descongelar comidas no refrigerador que à temperatura ambiente? Porque se a comida congelada for deixada durante horas à temperatura ambiente, seu exterior estará bem acima da temperatura refrigerada enquanto o centro ainda estará congelado, uma situação que estimula o crescimento de micróbios; se você descongela no refrigerador, toda a comida permanece a menos de 4°C durante o degelo. Que importância isso pode ter para a saúde? Depende da comida e da rapidez com que você precisa descongelá-la (para descongelar comida fora do refrigerador, uma prática comum nos restaurantes é deixá-la num recipiente sob um fino fluxo de água fria – a água acelera o processo, mas mantém a temperatura baixa). Alguns alimentos, como tomates, ficam comprometidos com o frio e nunca devem ser postos no refrigerador.

Outra questão crítica de temperatura que não envolve o fogão é a temperatura em que a comida está quando começa a cozer. Carnes cozinharão mais uniformemente se não forem direto do frio do refrigerador e do congelador para a panela; por isso, com cortes que não exigem horas e horas de cozimento, é útil permitir que se ajustem à temperatura ambiente por um tempo apropriado a seu tamanho. Quanto maior o corte de carne, mais importante é essa fase de ajuste de temperatura; uma peça fina cozinhará mais ou menos da mesma maneira se estiver fria ou à temperatura ambiente. Uma perna de cordeiro com osso que vai do refrigerador para o forno ficará inevitavelmente cozida demais no lado de fora e de menos no centro; você obterá o que é por vezes chamado de efeito olho-de-boi – um centro cor-de-rosa envolto por um anel acinzentado.

Em outras palavras, se você não tratar a carne adequadamente *antes* de cozê-la, está se condenando à imperfeição antes mesmo de acender o fogo.

Na outra ponta do espectro – após o cozimento –, é importante considerar a maneira como se lida com a temperatura. Pôde a perna de cordeiro (ou o frango assado) descansar, de modo que as temperaturas se igualassem e os sucos se distribuíssem dentro do músculo? Foi o vegetal verde submetido a um choque térmico, isto é, mergulhado em água com gelo para preservar seu sabor fresco e sua cor viva? A travessa em que você está pondo a comida quente está fria? Você está servindo comida muito quente num dia muito quente? Todas essas são questões de temperatura importantes para o efeito final da comida, desde sua salubridade até sua aparência, seu sabor e o prazer de comê-la.

O mais decisivo controle da temperatura está no cozimento. Nas escolas de culinária e suas apostilas, a cocção, a aplicação de calor, é dividida em três categorias: calor seco, calor úmido e uma combinação dos dois. Isso é de fato definir a cocção em relação a um absoluto – o ponto de ebulição da água. Assim, outra maneira de descrever essas categorias é "acima de 100 graus", "abaixo de 100 graus" e um pouco de cada um.

A razão para fazer essa distinção entre acima ou abaixo do ponto de ebulição é, primeiro, que a comida se comporta de maneira extremamente diferente dos dois lados da linha divisória. Além disso, a composição do alimento determina o tipo de calor que se deve usar. Alimentos naturalmente macios e que não requerem longo tempo no calor para decompor tecido conjuntivo duro beneficiam-se geralmente de fogo alto, temperaturas nas quais açúcares e proteínas douram, adicionando mais sabor e textura. Pedaços duros de carne se beneficiam de um longo tempo de cozimento e, por isso, para evitar cozê-los demais e ressecá-los, deve-se cozinhá-los num líquido saboroso. Cozinhar em líquido assegura uma temperatura baixa e uniforme, quer a comida esteja submersa, quer seja posta em banho-maria. Itens macios que não precisam ser dourados também podem ser cozidos em líquido, o que é uma forma muito suave de calor usada para itens delicados, como peixe, vegetais e ovos. E por vezes usamos ambas as zonas de temperatura, primeiro dourando a carne dura, como paleta de vitela, para desenvolver cor e sabor apetitosos, e depois amaciando-a com um lento cozimento em fogo brando, em líquido.

A cocção em calor seco, em altas temperaturas, é dividida em duas subcategorias: com gordura (fritar por imersão, fritar com pouca gordura, saltear) e sem gordura (assar, grelhar e gratinar), mas essa não me parece uma distinção particularmente significativa. O mais importante a considerar é o nível de calor. Óleos de cozinha chegam a 232°C antes de começarem a fumegar e a se decompor, e por vezes você quer esse calor, que evaporará a superfície líquida do alimento de modo que açúcares e proteínas dourem, ficando saborosos e crocantes. (Lembre-se: se houver líquido na panela, se o pedaço de carne estiver molhado, por exemplo, a água esfriará a gordura e nada irá dourar até que ela evapore.) Deve-se assar um frango num forno muito quente, para assegurar uma pele crocante e castanho-dourada. Mas como o cozimento em fogo alto tem pouco efeito amaciante, somente carnes que já são macias devem ser cozidas nessa temperatura. Um grosso pedaço de bacon, por outro lado, que requer tempo para liberar sua gordura e ficar macio, deve ser salteado sobre um calor bem menor. Se você quiser cozinhar vegetais sem dourá-los, uma técnica chamada "suar", isso também requer temperatura baixa em calor seco. A fritura por imersão é melhor quando feita à média de 176°C, calor moderado, quente o suficiente para tornar o exterior dourado e crocante, mas não a ponto de queimá-lo antes que o interior esteja totalmente cozido. Há portanto muitos níveis de calor "seco", e qual você escolhe depende do que precisa acontecer com a comida.

Da mesma maneira, é possível assar e grelhar em temperaturas baixas, moderadas e altas, escolha que o cozinheiro faz baseado principalmente no tamanho e no grau de maciez do item que está sendo assado ou grelhado, e em qual será sua temperatura interna final.

A cocção em calor úmido significa ou no ponto de ebulição da água ou até muito abaixo dele. Como no caso do cozimento em calor seco, há subcategorias que é importante distinguir: escalfar em muito líquido, escalfar em pouco líquido, brasear, cozer a vapor e ferver.

Escalfar em muito líquido é uma técnica em que a comida é completamente submersa em algum tipo de caldo, geralmente um *court bouillon*, que pode ser feito rapidamente, com aromas adocicados e ácidos, sendo levemente cozido. Para escalfar, a água não deve estar em ebulição, e sim pouco antes de chegar ao ponto de fervura – usualmente uma temperatura de cerca de 88°C é ótima. Salmão é normalmente cozido dessa maneira, mas também carne bovina (como num guisado, ou *pot au feu*), frangos inteiros (*poule au pot*) e ovos.

Escalfar em pouco líquido é uma técnica usada muitas vezes para peixe branco de sabor neutro, e sua principal vantagem além de um cozimento suave é que o líquido torna-se o molho.

Nenhum desses métodos doura os alimentos, o que é ótimo para carnes de sabor delicado. Você poderia escalfar um filé de porco, por exemplo, mas não deve, porque a carne ficaria cinza e pouco apetitosa, sem os sabores realçantes que surgem quando ela é dourada.

Escalfar é um processo rápido, usado em comidas macias. Estufar é de fato um escalfar prolongado. Itens que requerem horas de um calor suave – algumas carnes duras, vegetais secos – são estufados num líquido saboroso até ficarem macios. Isso pode ser feito no fogão, mas é realizado de maneira mais adequada em forno baixo, a 150°C ou menos. Nacos de vitela dura, previamente branqueados, são por vezes estufados em caldo de carne para fazer a chamada *blanquette de veau*, e aves duras são frequentemente estufadas. Estufar é um método usado para itens que não são dourados. Se os itens forem dourados antes, falamos de um braseado (na terceira categoria de calor). Além disso, alguns chefs distinguem estufado e braseado pelo tamanho em que o item principal está cortado – uma carne de panela é um braseado, mas se estiver cortada em cubos torna-se um guisado de carne.

O cozimento no vapor é um método de calor úmido usado quando não se quer que o meio de cozimento afete o sabor do que está sendo cozido, como no caso de vegetais e peixe. O vapor é mais quente que água fervente, mas muito menos denso, por isso não cozinha tão eficientemente quanto ela. Isso, porém, pode ser uma vantagem: ele é muito mais suave que água fervente, portanto apropriado para itens especialmente delicados (*dumplings*, por exemplo); é também excelente para reaquecer comidas e para mantê-las úmidas sem saturá-las.

A fervura é usada para alimentos como vegetais, que devem ser cozidos rapidamente em calor úmido (distingue-se do escalfamento pelo nível de calor; mais uma vez, o escalfamento é feito *abaixo do ponto de fervura*). A técnica da fervura não deve ser usada quase nunca, exceto para vegetais verdes e macarrão – muito poucos itens se beneficiam da sua agitação. Ela desmancha alimentos macios e, em caldos, sopas e molhos, emulsifica impurezas no líquido.

A terceira forma de cozimento combina o calor úmido e o calor seco, e refere-se mais comumente ao braseado. Para cortes duros de carne que se beneficiam do douramento, fazemos isso primeiro, depois os cozinhamos suavemente em caldo até que fiquem macios, e então usamos o líquido de cozimento, retirando a gordura, como o molho ou a base para ele.

Braseados clássicos incluem o *boeuf bourguignonne* e o ossobuco. Nacos de carne bovina ou cortes grossos de paleta de vitela são temperados e passados na farinha, depois dourados em gordura crepitante até que adquiram uma magnífica crosta aromática. São então combinados com caldo, suficiente para cobrir, levados a pré-fervura e depois colocados em forno baixo, sendo cozidos até que a carne não ofereça resistência aos dentes de um garfo. A carne é então esfriada no líquido de cozimento para que reabsorva parte dele; a gordura que se coagula na superfície é removida e a carne e o líquido são reaquecidos. Vegetais podem ser braseados. Um bulbo de funcho pode ser partido ao meio, enfarinhado e salteado para ganhar uma cor apetitosa e sabores adicionais, depois cozido em caldo até amaciar. Peixes em geral não são braseados; brasear implica amaciar mediante fogo baixo e lento. Mas tudo que é primeiro dourado, depois terminado em líquido, como uma salsicha terminada em chucrute ou cerveja, ou um peito de frango dourado e terminado em seu molho, pode razoavelmente ser considerado braseado.

O braseado é a quintessência do cozimento eficiente. Não requer cortes de carne caros; assim como o caldo cozinha a carne, esta enriquece o caldo, que se torna o molho, e através da perícia do controle da temperatura – fogo alto para tostar e desenvolver sabor, fogo baixo para amaciar – o pedaço de carne barato ou simples torna-se delicioso.

Além do calor seco, do calor úmido e da combinação dos métodos de cozimento, há algumas formas especiais de cozer.

Uma delas é o escalfamento em gordura (*poêler*), e como gordura e sabor são praticamente a mesma coisa, esse é um método favorito entre os chefs. Gordura muito densa, geralmente uma saborosa gordura animal, cozerá alimentos muito lenta e suavemente, mas emprestará grande sabor ao que está sendo cozido, quer isso seja feito de maneira relativamente rápida – para um peixe branco como bacalhau ou linguado gigante –, quer seja durante horas e horas, como no caso de um *confit*. Para *confits*, a carne (em geral de pato ou porco) é primeiro curada durante um dia com sal e temperos, depois escalfada em gordura até ficar macia, e então esfriada dentro dessa gordura. O *confit* não apenas resulta em excelentes sabores e texturas que se dissolvem, é também uma forma de conservação – carnes confitadas são preservadas durante meses na gordura. O *poêler* na manteiga é também uma forma apreciada de cozer carne e peixe. A densidade da gordura conduz o calor com eficiência, e a temperatura de escalfamento assegura um cozimento suave.

Cozinhar com ácido é um método popular para alguns peixes macios – linguado ou vermelho, por exemplo. Alguns peixes que podem ser comidos crus são cobertos com um ácido, normalmente suco de limão, o que de certa maneira cozinha seu exterior (as proteínas se rompem e a carne se torna opaca) e os condimenta, uma técnica chamada ceviche.

Outro método especial de cozer, de fato um novo desenvolvimento na culinária que se aproxima do cozimento sobre chamas ou em uma caixa aquecida fechada, é o chamado *sous vide*, que significa "sob vácuo" em francês. A comida é fechada num saco plástico especial e cozida em água a baixa temperatura (podendo mesmo atingir um mínimo de 55°C) por longos períodos, por vezes dias. Desenvolvido na França para a preparação de alimentos comerciais, foi adotada por chefs porque proporciona novos sabores e magníficas texturas, sendo também uma eficiente forma de cozinhar e conservar a comida a ser servida em restaurantes. Mas o método pode ser usado também em casa. Técnicas *sous vide* podem imitar o efeito do braseado, mas requerem menos caldo, e podem imitar os efeitos do *confit*, mas requerem menos gordura. Pedaços de peixe magros e macios podem permanecer assim se cozidos *sous vide*, e muitos vegetais e frutas serão bem cozidos por meio das qualidades singulares do cozimento a vácuo.

O último método de "cozimento" especial, um dos mais antigos, usa sal e evaporação em vez de calor – é chamado de cura. Alguns presuntos, salsichas e peixes nunca passam por uma temperatura acima da do ambiente antes de chegarem ao prato, mas apesar disso não só podem ser comidos com segurança como são deliciosos. Um presunto pode ser salgado por várias semanas, depois pendurado para secar – o sal e a evaporação tornam o interior da carne inóspito para micróbios que poderiam estragá-la, além de mudar o sabor e a textura; uma salsicha pode ser recheada e pendurada para secar enquanto uma cultura bacteriana viva em seu interior alimenta-se de açúcar e gera ácido que a protege contra micróbios nocivos e ao mesmo tempo lhe proporciona um agradável sabor. A natureza do peixe é tal que o salmão pode ser curado até em apenas um dia quando envolto em sal, depois enxaguado, fatiado e comido.

Classificamos qualidades e intensidades de calor para pensar claramente sobre os alimentos e sua cocção. Definir calor dessa maneira nos força a pensar sobre a composição do alimento. Um peito de frango não tem muito sabor por si só, por isso você quer lhe dar tanto sabor quanto possível, de início usando fogo alto (salteando para obter um tostado castanho-dourado ou grelhando de modo que ele adquira o sabor da chama e da fumaça). Um peito de frango é macio, de modo que fogo alto é apropriado. Para uma paleta de cordeiro, que é muito dura, precisamos de fogo alto de início para criar sabor, cor e textura, e depois o amaciamos com calor úmido (baixo). Essa maneira de pensar sobre os alimentos com relação à forma de calor que você pretende lhes dar aplica-se em todos os níveis da culinária.

6. Utensílios

Se você está lendo este livro, suponho que já tenha uma boa quantidade de equipamentos culinários. Gostaria, porém, de imaginar a cozinha como uma caixa branca sem nada além de fogão, refrigerador, bancada e pia – sem nenhum outro elemento usado para cozinhar –, para então formular uma pergunta hipotética: se você tivesse que equipar a cozinha com o menor número possível de itens, o mínimo absoluto com que conseguiria se virar e ainda ser capaz de cozinhar a maioria das coisas, quais seriam esses itens? Responda bem e você terá descoberto os instrumentos que podem ser considerados verdadeiramente fundamentais na culinária. Segue-se, logicamente, que é com eles que você deve gastar seu dinheiro, comprando coisas da melhor qualidade e evitando todo tipo de engenhocas e apetrechos de conveniência.

Ao dizer minimamente equipado, não estou falando de 20 ou 30 itens, ou mesmo de dez. Estou falando de equipamentos que podem ser contados com os dedos de uma das mãos.

Eu poderia equipar uma cozinha – uma cozinha quente, não uma de pâtisserie, porque para panificação e confeitaria é necessário um conjunto mais amplo de instrumentos fundamentais – com cinco itens e fazer praticamente tudo de que precisasse. O rendimento seria limitado, mas não haveria nada que eu não fosse capaz de improvisar (eu não poderia fazer waffles, mas poderia fazer uma preparação de massa líquida similar, se necessário).

Os cinco itens são estes, em ordem de importância – mas, de fato, se você eliminar um só, estará praticamente incapacitado como cozinheiro:

- Faca de chef
- Tábua grande de cortar
- Frigideira grande
- Colher de pau reta
- Tigela refratária grande (preferivelmente Pyrex)

Faça esta pergunta hipotética a qualquer chef, "como equipar uma cozinha com cinco itens ou menos?", e eles farão uma lista bem parecida com a minha.

Que significa isso? Significa que, se você tiver esses itens, mas eles forem baratos, frágeis ou comprometidos de alguma maneira, você estará incapacitado. Esses são os itens que você precisa ter em sua cozinha, e a única conclusão é que você deve se assegurar de que eles sejam, cada um, da *melhor qualidade* ao seu alcance. Você não precisa de um conjunto de sete panelas de segunda, e sim de duas panelas realmente boas.

O que pretendo fazer aqui é descrever esses itens essenciais em três categorias representadas pela lista acima – cutelaria, recipientes e utensílios – e depois ampliá-la, passando dos instrumentos essenciais para aqueles cada vez mais supérfluos.

Cutelaria

Um cozinheiro precisa de duas facas feitas de aço inoxidável de alto carbono: uma faca de chef – comprida e larga, para uso geral, comumente com 4,5 centímetros de largura por 20 a 30 centímetros de comprimento – e uma de descascar. Nenhuma das outras facas é essencial. Isso não significa que não tenham seus usos, somente que um cozinheiro deve ser capaz de realizar todas as tarefas com uma faca grande e uma pequena. Uma faca de desossar, uma com lâmina flexível, para fatiar, e uma serrilhada podem facilitar muitas tarefas, porém, mais uma vez, elas não são essenciais. Como uma faca de chef e uma de descascar são essenciais, você deve possuir as melhores que puder comprar, e deve mantê-las, como diria M.F.K. Fisher, "afiadas como um raio". Portanto, tenha e saiba como utilizar também a chaira, aquela barra comprida com um cabo na ponta que costuma vir no centro de seu elegante conjunto de luxo de sete peças. Esse objeto não afia uma faca; se você arrastar o gume da faca ao longo dele no ângulo próprio (cerca de 20 graus), ele endireitará e alinhará os dentes microscópicos que formam uma lâmina afiada. Isso requer alguma prática, portanto faça-o lentamente no início, até sentir-se seguro. Envie suas facas para serem profissionalmente afiadas uma ou mesmo duas vezes por ano.

Escolha facas adicionais segundo o que você mais faz. Uma faca serrilhada é realmente a única com que você deve cortar pão, portanto pode ser importante. Se você corta peixes em filés com frequência, uma com lâmina fina e flexível vem a calhar. Uma faca de tornear, que tem a curva invertida para facilitar cortes controlados, é útil para dar forma a vegetais. Facas utilitárias têm formas e tamanhos variados – algumas lhe parecerão mais cômodas e convenientes que outras. Determine aquelas de que necessita além da faca de chef e da faca de descascar segundo o que e como você cozinha. Mas gaste seu dinheiro nos itens essenciais – não há uma boa razão para se comprar um conjunto inteiro de facas elegantes e caras. Esses conjuntos são um artifício de marketing que os fabricantes usam para levá-lo a comprar mais do que precisa.

Além de facas, você precisa ter algo sobre o qual cortar: uma grande tábua de corte em madeira ou borracha dura, quanto maior e mais pesada melhor. Em nenhuma circunstância use uma tábua mais dura que o fio de sua faca, como, digamos, um pedaço extra de sua nova bancada de granito, ou mesmo plástico muito duro (espantosamente, essas tábuas são bastante disponíveis). Madeira é o material preferido por toda a sua versatilidade, aparência e textura. Mantenha a tábua limpa com água muito quente e sabão e permita que seque por completo, e não terá problemas com bactérias. Algumas pessoas se preocupam com isso, e se você for uma delas, mantenha um pequeno recipiente com água sanitária debaixo da pia (os fabricantes sugerem uma razão de cerca de 30ml de água sanitária para quatro xícaras de água, misturadas apenas na hora de usar) e esfregue a tábua com essa solução para assegurar que fique higienizada depois de cortar frango. Tábuas de corte adicionais de vários tamanhos são convenientes, mas não essenciais.

Recipientes

Caçarolas e panelas essenciais

Duas frigideiras espessas de aço inox, uma grande e uma pequena, com cabos de metal. Uma caçarola de aço inox espessa e grande, com capacidade para 6 a 8 litros, e uma pequena, com capacidade para 1 1/2 a 2 litros. Estas devem ter tampas e nenhuma parte de plástico, para que possam ser usadas no forno.

Quanto maior a espessura da panela, mais uniforme o calor – e, o que é igualmente importante, menos calor será perdido quando você puser comida fria nela. Uma panela barata perderá muito calor, e assim a comida fria se grudará e não dourará adequadamente. É realmente difícil saltear bem numa panela barata. Panelas de aço espessas devem ser sua primeira opção; você não deve recorrer logo de início a uma panela antiaderente (falarei disso daqui a pouco): é melhor aprender a aquecer adequadamente a de aço. Compre panelas de qualidade profissional, que são amplamente disponíveis. Não compre aquelas com cabos plásticos ou de qualquer material que não possa ficar realmente quente; muitas vezes, você quererá pôr sua frigideira no forno.

Quanto a caçarolas e panelas, é isto. Esses quatro itens são tudo de que você precisará para sempre.

Caçarolas e panelas opcionais

Há, é claro, uma variedade aparentemente infinita de caçarolas e panelas, de todos os tipos e formatos, e se você cozinha muito e precisa ter muitos itens sobre o fogão, fará uso dessa variedade. Se você tiver as quatro panelas essenciais, não precisará de outras, mas elas virão a calhar, como uma panelinha para cozinhar ou finalizar quantidades muito pequenas. Uma frigideira média lhe dá mais opções dependendo do que você estiver cozinhando – você não vai querer cozinhar itens pequenos numa frigideira grande. Um *sautoir* é uma panela rasa com bordas retas e tampa, e tem muitos usos, de saltear a brasear. Uma *sauteuse* é o nome para o que tomamos por uma frigideira tradicional, com bordas inclinadas.

Caçarolas e panelas especiais

Panelas de ferro fundido são altamente recomendáveis. Elas são excepcionais se você as mantiver de maneira apropriada (e mantê-las apropriadamente significa basicamente lavá-las com sabão). São baratas, pesadas, manterão uma superfície praticamente antiaderente e suportam considerável calor (e até o transmitem!).

Ferro fundido esmaltado é também altamente recomendável, um excelente material para cozinhar e a melhor escolha para muitas formas de cozimento, especialmente para brasear. São muito pesadas e por isso permanecem quentes. Sua superfície permite o douramento, mas é praticamente antiaderente. Podem ser usadas sobre a chama do fogão ou no forno. E são atraentes. Um caldeirão de ferro fundido esmaltado – panela e tampa – é também muito recomendável e tem muitos usos.

Panelas antiaderentes: compre uma muito boa e trate-a como uma princesa. Poucos utensílios de cozinha são mais inúteis que uma panela antiaderente *barata*. Além disso, elas tendem a arranhar facilmente, e depois que isso acontece deixam de ser antiaderentes, passam a ser simplesmente baratas. Evite panelas antiaderentes baratas e as pessoas que as vendem. Na verdade, desconfie de toda panela antiaderente. Mesmo as melhores devem ser limitadas a usos especiais. Quando você precisa de uma panela antiaderente, você quer uma boa e bem conservada. O problema, mesmo com as melhores, é que elas tornam difícil o desenvolvimento de um *fond* em sua comida ou panela, aquele saborosíssimo dourar de proteínas.

Panelas antiaderentes devem ser usadas não quando você não quer que alguma coisa se grude (você quase nunca quer que a comida grude na superfície de cozimento, mas isso não significa que deva sempre usar uma panela antiaderente), mas sim quando precisa cozer alguma coisa suavemente; em temperaturas brandas, algumas comidas se grudam numa panela de aço. Se você quiser cozinhar ovos suavemente, por exemplo, precisa de uma panela antiaderente. Peixe delicado numa panela realmente quente pode não grudar, mas talvez fique cozido demais; peixe delicado numa panela de aço moderadamente quente pode cozinhar perfeitamente, mas pode também grudar, e isso é uma razão para você escolher uma antiaderente.

Uma panela bem grande para fazer muita quantidade de caldo é um item de valor para os que fazem caldo com frequência.

Caçarolas e panelas de cobre podem ser bons recipientes para cozinhar, mas são caros e exigem limpeza intensa para manter o brilho.

Recipientes para cozinhar no vapor podem vir a calhar. Não compre uma panela de banho-maria – tigelas postas em panelas com água em ponto de fervura funcionam igualmente bem. Peças especiais de cozinha são divertidas, mas não necessárias. Uma *wok* é uma boa compra. Uma *tagine* pode ter bons efeitos (mas use a de barro, não as imitações de aço).

Recipientes adicionais numa cozinha adequadamente equipada

Pelo menos uma assadeira espessa. A grande espessura vai assegurar cozimento uniforme: as assadeiras finas tendem a queimar a comida. (Evite pôr assadeiras quentes sob água fria, para assegurar que elas mantenham uma superfície plana.)

Uma boa assadeira funda com grelha vem a calhar, mas uma boa assadeira comum realiza quase as mesmas coisas.

Uma cozinha bem equipada deve ter um ou dois tamanhos de refratários e tigelas. Pyrex é um excelente material para eles, embora não essencial.

Todas as outras decisões relativas a recipientes – uma *marmite*, uma fôrma para rocambole, fôrma para tortas, fôrma de pão – devem ser tomadas pelo cozinheiro.

Utensílios

Ao lado do fogão

Colheres de madeira, pinças resistentes, uma colher perfurada, uma boa colher, uma concha de 50 gramas e uma de 100 ou 200 gramas, um batedor de arame liso (tipo chicote, para molhos) e um batedor de arame em balão (*fouet*, de uso geral), uma espátula antiaderente, uma espátula de metal, uma pequena espátula de confeitaria com degrau, um coador de malha fina, um pequeno recipiente com colheres para provar, um moedor de pimenta que moa finamente. E alguma coisa com que pegar objetos quentes. Cozinheiros caseiros tipicamente usam pegadores de panela para isso, mas esses grandes quadrados almofadados me parecem incômodos. Os chefs têm uma razão para não os usar. Eles usam toalhas de mão. Recomendo encontrar toalhas de mão de ótima qualidade para a cozinha caseira, por causa de sua versatilidade e facilidade de uso. Elas podem também ser penduradas no cinto, para estarem sempre com você.

Em suas gavetas e nas prateleiras

Um termômetro digital de leitura instantânea, balança digital, cronômetro digital, colheres de medição (compre um bom conjunto em metal, não um barato), xícaras para medir (tanto para medidas líquidas em Pyrex quanto para medidas secas), um rolo de macarrão, um pincel de cozinha, uma espátula de borracha, um descascador de vegetais, um conjunto de ramekins (para cozinhar e para *mise en place*), um ralador Microplane, um saca-rolhas profissional, um ralador, recipientes plásticos para armazenagem.

Outros itens que não são estritamente necessários mas podem vir a calhar e são recomendados: moedor de alimentos, mandoline Benriner, almofariz e pilão, espremedor de alho e batedor de carne.

Aparelhos recomendados

Mixer vertical, processador de alimentos, liquidificador, liquidificador de mão, moedor de café para moer especiarias, forno de micro-ondas.

Instrumentos desnecessários, ou instrumentos com que nenhum chef que se preza quer ser visto

Em regra, qualquer instrumento que tem apenas um uso deve ser evitado: exemplos incluem utensílio para limpar e descascar camarão, descaroçador de cereja, descascador manual de frutas com manivela, utensílios especiais para fatiar manteiga, ovos, abacate, manga etc. Tome cuidado também ao comprar conjuntos de objetos; pense no que precisa e compre apenas isso.

Uma cozinha bem equipada é definida por sua eficiência e pela qualidade dos instrumentos que a tornam eficiente. Descobri que as cozinhas mais requintadas, com o maior número de belas frigideiras, panelas e aparelhos, são as menos usadas, e por isso as piores. Espero que a cozinha como símbolo de status seja um fenômeno passageiro.

7. Fontes e agradecimentos (15 bons livros sobre comida e culinária)

Grande parte da informação contida neste livro é resultado direto de meu aprendizado no Culinary Institute of America (CIA), de ter continuado a cozinhar e a passar muito tempo em cozinhas, simplesmente me mantendo nesse meio e depois escrevendo livros sobre comida e culinária. A maior parte é conhecimento básico para cozinheiros profissionais e chefs, embora muitas das opiniões e nuances do fraseado sejam infindavelmente discutíveis.

Há alguns livros, porém, sem os quais eu não teria podido escrever este, ou sem os quais este livro seria terrivelmente incompleto. O que se segue é uma lista dos 15 que estiveram literalmente ao meu lado enquanto eu escrevia, uma descrição deles e as razões pelas quais continuo a considerá-los recursos tão valiosos num mundo inundado de bons livros sobre comida e culinária (veja a Bibliografia, no fim deste volume). Incluo a lista aqui, entre os capítulos, e não num apêndice específico, porque não é importante apenas descrever e dar crédito às fontes, mas porque há muito que aprender a partir dessa lista, que não é em absoluto completa ou definitiva. Ela é excêntrica, e nessa excentricidade o bom cozinheiro pode encontrar algo de útil, à margem de uma discussão sobre o que considero serem os textos básicos, assim como eu aprendo com as excentricidades dos outros e não com as escolhas e crenças convencionais.

Dos 15 livros empilhados e espalhados sobre minha mesa e no chão à minha esquerda, dois foram inestimáveis, aqueles a que recorri com mais frequência. Eles foram de longe os mais influentes para a realização deste livro, que sem eles teria sido consideravelmente prejudicado: o livro do CIA *The Professional Chef* e a obra revista e atualizada de Harold McGee, *On Food and Cooking: The Science and Lore of the Kitchen* (2004).

Começarei com o livro de McGee, porque é o mais importante sobre comida e culinária já escrito, provavelmente em qualquer língua, e provavelmente que jamais será escrito, pelo menos durante a minha vida. É difícil imaginar um livro capaz de superá-lo.

De um ponto de vista puramente informacional, *On Food and Cooking* tem ao mesmo tempo uma amplitude *e* uma profundidade assombrosas.

McGee, que nasceu em 1951 num subúrbio de Chicago e hoje vive em Palo Alto, Califórnia, descreve virtualmente a totalidade do mundo dos alimentos, começando com leite e laticínios, continuando com ovos, carne, peixe, mariscos, plantas comestíveis (frutas e hortaliças) e plantas que usamos para condimentar (ervas, especiarias e as usadas em bebidas), sementes, dois ramos principais nas preparações alimentícias – massas/misturas e molhos –, passando depois para açúcares e doces, álcoois, materiais e métodos de cocção, e concluindo com um manual sobre química básica e a composição fundamental dos alimentos. O livro não é perfeito nem completo (nenhum livro poderia ser), mas a autoridade que McGee confere tanto aos grandes tópicos como aos mais mínimos detalhes é inigualável, e a clareza de sua prosa o torna acessível a todos.

Harold McGee foi o primeiro escritor a tratar das questões da ciência dos alimentos para não cientistas. Ele é o precursor de todo um gênero de escrita científica sobre os alimentos e continua sendo a última palavra em tudo que se refere à razão pela qual os alimentos se comportam como o fazem. Em conferências sobre comida, ele passa através da multidão como o rabino da cidade.

Grande parte de sua influência vem não de sua pesquisa nas estantes das bibliotecas, mas de seu trabalho como escritor original e irresistível – ele tem uma voz literária característica e confere extraordinário equilíbrio e sabedoria ao texto, qualidades que lhe permitem pôr a riqueza de informações em perspectiva. É formado em ciência pelo California Institute of Technology e em literatura por Yale, e aplica ambas as disciplinas a seu trabalho. Além dos fatos sobre creme de leite, como porcentagem de gordura, o modo de a gordura se dispersar em glóbulos muito maiores que os presentes no leite, temperaturas de pasteurização e assim por diante, há também isto: "Apreciamos o creme de leite acima de tudo por sua textura. A cremosidade é uma consistência notável, perfeitamente equilibrada entre solidez e fluidez, entre persistência e esvanecimento. É substancial, mas macia e inconsútil. Demora-se na boca, mas não oferece nenhuma resistência aos dentes ou à língua, nem se torna farinhenta ou gordurosa." Soa como um cientista? Um poeta cientista, mais provavelmente. E afora tudo isso, sei que é um homem de grande generosidade e bondade.

Neste livro, poucos textos além do de McGee são citados diretamente, porque tanto do que ele fez é original. "Veja McGee" aparece muitas vezes, remetendo a esse livro para uma informação completa e detalhada sobre reações químicas e diagramas. Indico também quando usei informação de seu livro que não pude encontrar em nenhum outro lugar tão facilmente – o ponto de fusão do colágeno na carne vermelha, digamos – ou simplesmente informação usada que era interessante, como o fato de que uma panela tampada num forno quente fica cerca de 11°C mais quente que uma panela destampada. Sempre observei que líquido numa panela tampada era mais quente, mas nunca me dei ao trabalho de medir a diferença. McGee o fez. McGee se deu a muito trabalho. Seu livro é um repositório desses detalhes, e me esforcei por deixar claro quando e onde recorri unicamente à sua obra.

O segundo dos dois livros de que mais me vali para referências é *The Professional Chef*, criado por um grupo de chefs, escritores e fotógrafos no Culinary Institute of America, a escola de culinária mais influente do país, que acumulou, organizou e pôs em perspectiva décadas de perícia culinária. Parte de minha afeição por esse livro, ou essa série – possuo a quinta (1991), a sétima (2002) e a oitava (2006) edições, que revelam sucessivo crescimento, a oitava sendo 25% mais longa que a quinta, com mais de 1.200 páginas –, vem do fato de que a quinta edição foi meu primeiro livro de culinária, meu guia através dos fundamentos naquela escola. (Eu era um jornalista, não um cozinheiro, mas aprendi a cozinhar e recebi um diploma honorário em 2006; assim, embora não seja filiado à instituição, continuo sendo em grande medida parte dela.)

Continuo a aludir ao *The Pro Chef* para informação sobre as preparações e métodos fundamentais nos quais toda a culinária se baseia, e o recomendo a todos os estudantes de culinária, quer pretendam se profissionalizar ou não. É precisamente por isso que ele me parece tão valioso. Trata de todos os fundamentos da cozinha, da *mise en place* a caldos, molhos, sopas, várias formas de cozimento de proteínas e vegetais, panificação e confeitaria. Quando quero verificar as especificidades do método das espumas ou as proporções para massa de éclair, esse é o primeiro livro a que recorro.

Ainda prefiro minha quinta edição às posteriores, porque ela vai mais diretamente aos fundamentos, ao passo que as mais recentes são mais elegantes, parecem ter mais receitas, talvez num esforço para serem mais atraentes para o cozinheiro caseiro, bem como para o estudante de culinária e o chef, o que a meu ver distrai a atenção dos fundamentos; mas eles ampliaram os livros para abranger uma paisagem culinária em rápida expansão, com discussões sobre cozinhas internacionais e a cozinha americana regional. Seus caldos básicos – frango, vitela, peixe, *court bouillon* – também incluem agora *brodo*, a palavra italiana para caldo, que usa aves e carne vermelha, e *dashi*, um caldo japonês feito de algas marinhas e lascas de bonito, nenhum dos quais é sequer mencionado em minha honesta quinta edição e muito menos recebe status de "preparação fundamental".

.Mais uma vez, porém, *The Pro Chef* continua valioso não por ter uma receita de *dashi* ou de curry com cabra ao molho de papaia, mas sim por seu foco nas preparações fundamentais e proporções básicas que constituem toda a culinária, independentemente do país ou da região – a essência da culinária.

O CIA publicou muitos livros excelentes, inclusive o equivalente de *The Pro Chef* na pâtisserie, intitulado *Baking and Pastry: Mastering the Art and Craft*, também incluído entre as 15 obras ao meu lado.

Os fundamentos da culinária, sem os quais nada, segundo August Escoffier, *nada*, veja bem, pode ser feito, são infinitamente fascinantes. Estes são os livros a que retornei muitas e muitas vezes para referência e comparação. A obra de Escoffier de 1903, *Le Guide Culinaire*, foi publicada em inglês como *The Complete Guide to the Art of Modern Cookery*. Esse livro não é apenas uma ótima referência, é um instrumento excelente para o jovem cozinheiro; é valioso para se ver o que mudou, o que não mudou e o que retornou em termos de técnica; é também um excelente recurso em termos de combinação de sabores; em geral, é um generoso livro de ideias.

Meu livro favorito sobre preparações fundamentais para um público mais amplo é *La Technique*, de Jacques Pépin. Publicado em 1976, inspirou muitos jovens cozinheiros que se tornariam chefs renomados. E ainda é uma ferramenta imensamente valiosa, para não mencionar sua descrição fascinante de pratos franceses clássicos, como presunto no *aspic* e *vol-au-vent à l'ancienne*. Esse livro, e sua continuação, *La Methode*, estiveram ambos ao meu lado; felizmente foram republicados em brochura num único volume, *Jacques Pepin's Complete Techniques.*

Não o usei muitas vezes aqui, mas *Mastering the Art of French Cooking*, de Julia Child, ficou por perto, também. Simplesmente adoro olhar para ele.

De um ponto de vista americano, mantive *Joy of Cooking* por perto – a edição revista de 1977, chamada *The All New All Purpose Joy of Cooking* – porque, em termos de fundamentos da culinária, é o melhor que há por aí, baseando-se em numerosos especialistas na área, todos influentes em sua própria especialidade. (A mais nova edição, de 2006, reintroduz caçarolas no índice, uma revisão reveladora.)

De tempos em tempos eu consultava *The New Best Recipes*, do pessoal incansável de *Cook's Illustrated*. Esse é um livro básico muito útil, porque vai aos fatos essenciais que explicam por que tal método (seja para um creme inglês, uma massa de torta ou um pão-de-ló) funciona melhor e que variações tentaram para chegar a suas conclusões. É o livro de receitas que comprei para minha filha, então com nove anos, porque queria que ela tivesse uma obra caseira e amistosa que prestasse atenção aos porquês de suas receitas e que se desse ao trabalho de descrevê-los.

Os principais livros de referência culinária que usei, em ordem de frequência, foram *Food Lover's Companion*, de Sharon Tyler Herbst, *The Oxford Companion to Food*, de Alan Davidson, e *Larousse Gastronomique*.

O livro de Herbst, um inestimável dicionário de termos de culinária e alimentos, foi republicado em 2007 como *The New Food Lover's Companion*. Usei esse livro principalmente como um dispositivo de confirmação e verificação adicional, e não como fonte de informação, mas recorri a ele continuamente ao longo de cada dia de escrita. Recomendo-o não tanto para o cozinheiro caseiro; embora ele defina termos de culinária, outros livros de receitas básicos fazem um trabalho mais completo, e esse não é realmente o seu objetivo; o propósito é ser uma referência geral, um dicionário que fornece descrições objetivas e precisas de todas as coisas culinárias, de abalone a *zwieback** – e nisso tem pleno sucesso.

A enciclopédia de Davidson é uma extraordinária obra de erudição culinária. De fato, tentei evitar usar esse livro para verificar informações,

* Torrada especial assada duas vezes; também usado para se referir a alguns biscoitos e torradas bem crocantes. (N.R.T.)

porque cada vez que o abria acabava lendo por meia hora, incapaz de pôr de lado o texto elegante e fascinante.

Larousse, é claro, é a enciclopédia tradicional da culinária publicada pela primeira vez em 1938 (essa edição era parte da biblioteca de culinária de meus pais, que somava ao todo cerca de quatro livros). É uma fonte excelente para todas as coisas classicamente francesas.

Eric Ziebold, um chef de Washington, D.C., que conheci quando ele era subchefe no restaurante The French Laundry, encontrou por acaso um livro de referência em formato de bolso, de capa mole, intitulado *The A-Z of French Food*. A obra define, em inglês, centenas de termos de culinária franceses. Sabendo que seria útil, Eric comprou vários exemplares para o restaurante, um dos quais tive a grande sorte de obter.

A compilação de Marcella Hazan, *Essentials of Classic Italian Cooking*, foi o livro de referência básico para todas as coisas italianas.

Finalmente, dois livros de receitas de chefs me foram sempre valiosos. Primeiro, *The French Laundry Cookbook*. Trata-se de um enorme volume para ser exibido em mesas de centro, da autoria de um chef célebre, repleto de fotografias primorosas e receitas impossivelmente complicadas, que apesar de tudo é um best-seller culinário. Embora a maior parte seja de sofisticadas receitas para pratos elaborados, é um dos melhores livros existentes sobre os procedimentos básicos de um grande restaurante. (O texto foi escrito por mim.)

Depois, *The Zuni Cafe Cookbook*, que é a destilação da carreira culinária de uma chef talentosa e eloquente, Judy Rodgers. Estou por conhecer um chef que preste mais atenção ao modo como os alimentos se comportam e seja tão capaz de transmiti-lo em palavras. O livro está cheio de receitas do restaurante epônimo de São Francisco, mas eu o usei como referência para técnicas culinárias fundamentais e observações sobre elas. É delicioso ler as convicções de Rodgers sobre culinária.

E, é claro, meu exemplar em brochura do livro de Strunk e White, *The Elements of Style*, que comprei na escola secundária por 2,75 dólares, a inspiração para este livro e uma inspiração para minha vida como escritor em geral.

8. Finesse: o maior desafio do cozinheiro e o caminho para as supremas recompensas

Todos que entram e saem da cozinha do restaurante Per Se, em Manhattan, passam por uma definição de finesse. Ela não está simplesmente num cartaz ou emoldurada sobre a parede. Está gravada nos azulejos – é parte da parede:

finesse, s. refinamento e delicadeza de desempenho, execução ou artesania.

A parede do The French Laundry, outro restaurante de Thomas Keller, exibe as mesmas palavras. É um lembrete do chef para que nunca se perca de vista o que é, a seu ver, o elemento mais importante da culinária. Quando ele autografa seu livro, as palavras que costuma usar são "é tudo uma questão de finesse".

Se minha compreensão dos fundamentos da culinária começou com Michael Pardus em "Desenvolvimento de Habilidades I" no Culinary Institute of America, minha compreensão do valor de aperfeiçoar desses fundamentos começou com Keller em The French Laundry, no verão de 1997. Keller não usava a palavra finesse naquela época, mas praticava a sua ética. Não sei ao certo quando ou onde ele topou com a palavra e percebeu que, mais que qualquer outra, ela descrevia o objetivo de seu ofício, mas isso agora está explícito de muitas maneiras. Para os que cozinham como meio de ganhar o pão de cada dia, para os que cozinham a serviço de outros, para os que dominaram os fundamentos de seu ofício, finesse torna-se a suprema compulsão.

A ideia de finesse é simples, mas a prática requer conhecimento, reflexão, zelo e energia. Na culinária, o conceito repousa sobre a convicção de que prestar atenção a alguns pequenos detalhes numa preparação tem enorme impacto sobre o prato pronto e é a gratificação final para o cozinheiro em sua busca de excelência; o nível em que o cozinheiro fica atento a esses detalhes define sua finesse.

Tome uma das preparações básicas da cozinha, um bom caldo de vitela. A finesse nada tem a ver com a reunião dos ingredientes certos; fazer isso, assegurar-se de que são bons ingredientes, aromáticos frescos, certificar-se de que tem a quantidade apropriada de carne e ossos etc., isso tudo é um pressuposto. Finesse é compreender que passos na preparação de um caldo de vitela farão dele o melhor, em vez de simplesmente bom. Na busca de finesse, correto não basta. De fato, os elementos da finesse podem ser definidos como os passos que resultarão num caldo de vitela *superlativo*, em vez de excelente.

Os elementos de finesse num caldo de vitela são estes: preparo dos ossos, temperatura de cozimento, adição dos vegetais aromáticos no momento apropriado e remoção da gordura. Outros passos na preparação são importantes – a duração do cozimento, o modo de coar, sua redução à intensidade adequada –, mas essas são ou questões de gosto pessoal ou parte dos fundamentos óbvios (em contraposição ao aperfeiçoamento desses fundamentos). Escolher uma boa mistura de ossos frescos com muito tecido conjuntivo (resultando em gelatina e portanto dando corpo ao caldo) e carne suficiente (para sabor) é um fundamento óbvio. Se você não fizer isso, nenhum grau de finesse poderá ajudá-lo. Mas o preparo dos ossos não é um fundamento óbvio.

Se você está fazendo um caldo escuro tradicional, deve assar os ossos apropriadamente – o que significa pô-los numa panela do tamanho certo, para que não fiquem apinhados; se ficarem, vão criar vapor e você terá grande quantidade de proteína coagulada cinza se formando, sem gratinar, e não desenvolverá um *fond* em sua panela. Ossos bem assados devem ser apetitosamente dourados e cheirar tão agradavelmente como costeletas de vitela assadas. Para um caldo branco (não assado), a finesse manda que você lave os ossos, removendo primeiro toda a gordura, depois os limpe levando-os a uma fervura para se livrar do sangue e das impurezas que comprometeriam o caldo caso você os removesse simplesmente escumando-os, depois coe-os e enxágue-os cuidadosamente.

Temperatura: você deve cozinhar os ossos em temperaturas abaixo do ponto de pré-fervura, entre 70°C e 88°C. Temperaturas que resultem em água borbulhante agitarão a gordura e as impurezas e as emulsionarão com o caldo, dando um resultado engordurado e turvo.

Adicione os vegetais aromáticos no fim; eles liberam todos os seus sabores de meia a uma hora depois que o caldo retornou à temperatura ambiente. Se você cozinhá-los por tempo demais, começam a se decompor, comprometendo o caldo e reduzindo o rendimento (as partículas presas na sua peneira são como esponjas embebidas de valioso caldo).

O elemento final de finesse é a remoção de gordura. Gordura e impurezas devem ser retiradas continuamente durante todo o processo de elaboração do caldo. Depois que você o coa, deve remover novamente a gordura, coando-o mais uma vez ou gelando-o para que ela coagule na superfície e possa ser facilmente removida. Toda gordura presente no caldo irá emulsionar com a redução.

Esses pontos são o que chamo de elementos de finesse do caldo de vitela (e eles se aplicam mais ou menos a todos os caldos), mas eu não diria que são os únicos ou que são absolutos.

Judy Rodgers, por exemplo, diria que uma das chaves para um caldo excelente é coá-lo assim que estiver perfeitamente cozido. Não deixe caldo pronto esfriar em cima do fogão por ter outras coisas a fazer. "Livre-o dos ossos", diz Judy. Parece fazer sentido.

Finesse nada tem a ver com comidas caras ou preparações de *haute cuisine*. Ovos mexidos têm elementos de finesse igualmente decisivos: fogo baixo (para que fiquem macios e úmidos) e gordura adequada (manteiga). Quer fazer ovos mexidos com *fines herbes* e um pouco de creme de leite? Excelente ideia, mas isso é uma questão de gosto.

A excelência de um humilde creme inglês, seja numa saborosa quiche ou num doce *crème brûlée*, está na textura – uma cremosidade voluptuosa, sedosa. Assim, os elementos de finesse para um creme não são a proporção de ovos para creme de leite ou qualquer outra coisa que você pode adicionar para dar sabor, mas aqueles passos da preparação que proporcionam uma textura perfeita. O primeiro deles é simplesmente reconhecer qual é a meta primordial ao se criar um creme, seguido da aplicação de fogo brando e de um cuidadoso monitoramento do ponto para alcançar essa meta.

Ao saltear, finesse significa salgar a carne com bastante antecedência para que o sal se dissolva e não se desprenda na panela; aquecer a panela até a temperatura certa antes de colocar a carne; certificar-se de que a superfície da carne está livre de excesso de umidade antes de pô-la na panela; e, por fim, controlar o calor.

Mas finesse tem um importante significado secundário, além daquele de aperfeiçoar os fundamentos: pode se referir ao esforço extra que leva alguma coisa além do limiar da excelência. Num braseado (primeiro dourar carne enfarinhada em gordura quente, depois cozinhá-la suavemente em fogo lento, num líquido saboroso), os elementos de finesse são dourar bem –

obter uma bonita crosta castanho-dourada, e para isso você precisa de uma panela do tamanho certo, para que os pedaços não se amontoem – e cozinhar o suficiente para que fique macio ao garfo, mas não tanto que se resseque. O elemento secundário de finesse, porém, poderia ser fazer uma saborosa marinada para a carne antes de dourá-la.

Se você estiver marinando com vinho, o elemento de finesse seria cozinhar o vinho com aromáticos primeiro para reduzir a alta concentração de álcool, impregnar o líquido com a doçura dos vegetais e ervas e intensificar o sabor de fruta da bebida. Outro elemento de finesse seria clarificar a marinada cozendo-a, coando-a e usando-a como sabor adicional ao molho.

Mas cozer a marinada de vinho demanda previsão e tempo, tanto para cozinhá-la e depois esfriá-la antes de usar quanto mais tarde, ao prepará-la, para aquecê-la suavemente de modo que as proteínas se coagulem e ajudem a clarificar o vinho, depois para coá-la e, dependendo do que você marinou, usar esse vinho para iniciar um molho ou adicioná-lo ao *cuisson*, o líquido do cozimento. Você precisa realmente ter todo esse trabalho?

Claro que não. Não se você não quiser. Nem pense mais nisso.

O negociante de vinhos e enólogo Kermit Lynch, de Berkeley, Califórnia, desejando chegar a uma melhor compreensão da palavra finesse aplicada a vinhos – pois os franceses a usam frequentemente, assim como a palavra *terroir* –, escreveu à sua amiga Lulu Peyraud, proprietária do vinhedo provençal Domaine Tempier. Ele escreveu no boletim de sua empresa: "Tive dificuldade para compreender a resposta de Lulu até me dar conta de que ela estava definindo finesse em termos humanos, não de vinho." Ele a cita: "Finesse é o oposto de grosseria ou rudeza. É um leve toque em contraposição a uma mão pesada. É espiritualidade, sutileza e inteligência, dos quais resulta uma aptidão para o conhecimento e a compreensão mais profunda. É também uma questão de sensibilidade, de perceptividade, combinada com uma grande dose de delicadeza em relação a emoções e sentimentos."

Gostaria de sublinhar duas observações na elegante descrição de madame Peyraud em sua relação com a culinária. Finesse é o oposto de grosseria. É próxima ao significado da origem da palavra, fino. Você pode sentir a diferença. Um pedaço lixado, lustrado de cerejeira *versus* uma tora rachada; um purê granuloso ao palato *versus* um perfeitamente acetinado.

Mas, como em tudo, há implicações nessa fineza, tanto para a pessoa que a desfruta como para aquela que a prepara. A fineza – refinamento e delicadeza – tem um impacto sobre os que a encontram. Não importa a forma. Escrevi sobre excelência tanto na cozinha como fora dela. A finesse é uma expressão de excelência – quer esteja na arte, num ofício, nos negócios ou na medicina, seus efeitos são paralelos. Minha primeira experiência ao comer a nova *haute cuisine* americana em seu nível mais elevado me ajudou a ver o trabalho do chef e o mundo em geral com mais clareza. O cirurgião que cuida para que seus pontos, ao reparar o coração de um bebê, sejam espaçados de maneira perfeitamente uniforme para que a tensão sobre os tecidos também o seja está expressando um grau de finesse que tem implicações de vida ou morte. A finesse não deve ser considerada um floreio, um passo final extra, mas algo fundamental em nossas ações.

O segundo ponto é que a prática da finesse resulta em conhecimento para a pessoa que a põe em uso. Os esforços requeridos não são despendidos, mas transformados; lutar com afinco para alcançar a finesse não nos deixa esgotados e vazios, mas preenche-nos. Um construtor de barcos de madeira é uma criatura diferente de alguém que constrói barcos de fibra de vidro. Um cirurgião para quem a finesse é uma segunda natureza compreende o corpo humano, a cura e a deterioração com mais profundidade e clareza que aquele que não tem nenhum senso de finesse. O cozinheiro que tem tanto cuidado ao descascar aspargos quanto ao fazer a finalização de um belo prato terá maior compreensão e apreciação do trabalho da cozinha profissional e do que significa servir pessoas que aquele interessado apenas no resultado final.

Na verdade, é disso que *Elementos da culinária* trata: de um esforço para apreciar o poder e a importância da finesse.

Elementos da Culinária: de A a Z

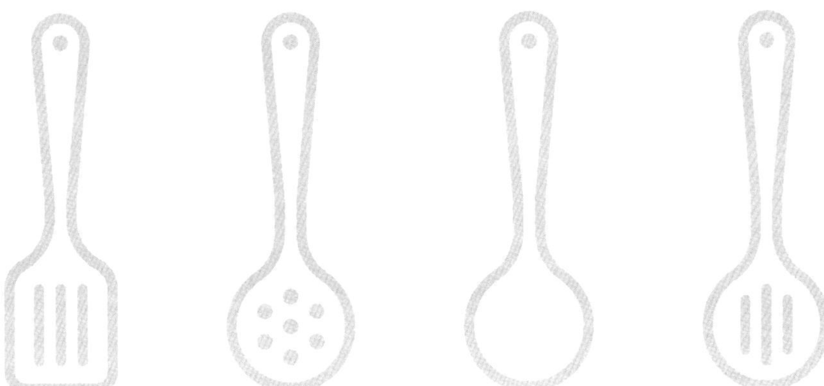

A

À francesa, preparar ossos (*french*): Técnica de preparar ossos de costelas de cordeiro, porco ou, em geral, qualquer osso saliente para que se projete da carne de forma esteticamente atraente. A carne e o tecido conjuntivo sobre uma determinada seção dos ossos e entre eles são cortados e despelados, sendo essa parte raspada até ficar branca e seca. Essa limpeza pode ser feita até a base da carne ou mesmo além do início da peça principal; alguns açougueiros enrolam barbante em torno de cada osso e puxam a carne e o tecido conjuntivo com ela. O efeito é estético e não afeta o cozimento ou o gosto. Os ossos de carré tratados assim são muitas vezes cobertos com papel-alumínio antes de serem cozidos para que não queimem e fiquem descorados.

"A gosto": Muitas receitas instruem o cozinheiro a adicionar um ingrediente "a gosto", em geral sal e pimenta. Isso significa exatamente o que diz: são muitas as variáveis de um prato, e recomendar uma quantidade exata de tempero no final de uma receita é inviável. Assim, cabe ao cozinheiro provar a comida, avaliá-la e adicionar a quantidade apropriada do ingrediente "a gosto". Prove e avalie: a comida precisa de mais sal, de mais acidez ou de aromáticos adicionais? Precisa de mais intensidade de sabor, com um ingrediente *umami* (queijo parmesão ou molho oriental de peixe)? Além disso, seja cuidadoso com ingredientes fortes como pimentas secas, que podem variar amplamente em intensidade e muitas vezes devem ser acrescentadas a gosto. Esta é uma valiosa máxima culinária: provar sempre.

***À la minute*:** A expressão denota "pouco antes de servir" e implica uma preparação rápida. É frequentemente usada em relação a molhos, bem como a cortes pequenos de carne que devem ser servidos assim que cozidos. Um molho *à la minute* em geral é feito na panela em que o alimento foi cozido, muitas vezes usando um caldo ou um *demi-glacé* como base. É comum que se incorpore manteiga. Os molhos tendem a ser mais frescos e límpidos quando finalizados *à la minute*. (Ver o artigo Molho, p.22.)

Ácido: O poder do ácido como tempero perde apenas para o do sal. Normalmente na forma de vinagre ou limão (mas muitas vezes qualquer outro suco), ele adiciona brilho e equilíbrio ao sabor de um prato. Embora tenha ampla gama de efeitos sobre os alimentos (retarda o escurecimento de maçãs e alcachofras, escurece as verduras, intensifica a cor do repolho roxo cozido, desenrola moléculas de proteína) e sobre o cozimento, de ovos a feijões, passando por vegetais, o cozinheiro o utiliza principalmente para realçar o sabor. O ácido pode ser percebido em níveis tão baixos que não sentimos necessariamente o azedume. A acidez de sopas, molhos, estufados – pratos doces ou salgados – deve sempre ser avaliada e ajustada como necessário, e o ácido é um componente desse tempero. Ele é decisivo em um dos molhos mais versáteis, o vinagrete – quer este esteja na forma de um molho de salada ou de um escabeche espanhol. A habilidade para usar o ácido é uma das mais importantes na cozinha.

Ácido ascórbico: Outro nome para vitamina C. É um antioxidante, bom para nosso organismo, e pode ajudar a impedir que frutas e hortaliças escureçam.

Ácido láctico: Ácido produzido por bactérias em laticínios, massas e produtos de carne fermentados, dando a esses itens (iogurte, massa de fermentação natural, salame, *kimchi* e outros picles fermentados) seus sabores característicos – e, em muitos casos, ajudando a conservá-los.

Ácidos graxos ômega-3: São tipos específicos de ácidos graxos que parecem ter numerosos benefícios para o cérebro, os olhos, o coração, o sistema imunológico e o metabolismo em geral. Estão presentes na gordura dos peixes oceânicos de águas frias (gordura animal que deve permanecer fluida a temperaturas próximas do congelamento, explica McGee), hortaliças folhosas verdes e alguns óleos de sementes.

Açúcar: Há muitas formas de açúcar, provenientes de muitas fontes, desde o açúcar de cana e de beterraba ao de bordo ou de milho. O açúcar puro de mesa é uma substância notável e figura ao lado do sal como um dos mais valiosos ingredientes culinários. Dissolva-o em água com um pouco de ácido, aqueça-o, e ele se torna um xarope para adoçar *sorbet*. Cozinhe-o um pouco mais e ele se torna o material para uma entrelaçada cesta de pasta americana. O açúcar pode desaparecer em um prato, de modo que você não perceba seus efeitos, ou criar uma textura mastigável ou quebradiça. Ponha algumas favas de baunilha no açúcar e deixe por alguns dias, e você terá um útil aromatizante e adoçante para creme chantilly.

O gosto final da maioria dos pratos é uma interação dos sabores doce, salgado, ácido e amargo. Quando o componente doce é baixo, uma pitada de açúcar pode ser o suficiente para proporcionar a harmonia que seu paladar espera. Em preparações salgadas, o açúcar é muitas vezes um tempero negligenciado e subestimado.

Quando você quiser adoçar, lembre-se de que há outras opções além do açúcar de mesa puro. Você não precisa adoçar creme de leite batido com ele; açúcares compostos, como o mascavo, lhe darão uma doçura mais complexa. Como você está servindo o creme chantilly? Se for com um doce de limão, pode adoçá-lo com um bom mel. Talvez você queira o atraente amargor do melado numa marinada ou cura para equilibrar o sal. O açúcar de mesa é inegavelmente um instrumento econômico e eficaz no repertório do cozinheiro, mas lembre-se de que não é a única opção.

Açúcar de confeiteiro: Ver AÇÚCAR.

Açúcar de milho: Ver DEXTROSE.

Açúcar granulado: Esse adoçante de múltiplas aplicações, pronto para ser usado, é ótimo para panificação e confeitaria, para adoçar bebidas e contrabalançar os efeitos mais ásperos do sal. A conveniência é sua principal virtude. Mas, por ser tão conveniente, é fácil usá-lo sem pensar; considere a possibilidade de substituí-lo por açúcar mascavo ou mel. O açúcar de mesa é um doce muito simples; quando você o cozinha e ele começa a escurecer, você pode experimentar as crescentes complexidades à medida que as moléculas se transformam. (Ver também AÇÚCAR.)

Aerar: Incorporar ar ou gás a um alimento ou líquido (massas, purês, cremes, molhos); isso pode ser feito com um *fouet* ou um liquidificador, com vapor, ou ainda despejando o conteúdo de um recipiente em outro. A aeração pode aumentar o volume e melhorar a textura. Um zabaione é aerado com *fouet* para ganhar corpo. O dióxido de carbono na água gasosa dá mais leveza à fritura de uma massa líquida. Um creme batido até ficar espumoso pode manter ingredientes suspensos, como numa quiche. Chefs contemporâneos usam técnicas de aeração para criar espumas com gás ou batendo. Na pâtisserie, a aeração é uma das três formas de fermentação (ao lado da química, com fermento em pó, e da orgânica, com fermento biológico); quando a massa de um bolo é aerada – as claras batidas em neve num *angel cake,** por exemplo –, as bolhas de gás dão ao bolo um miolo leve.

Afiador de facas: O melhor instrumento para afiar facas é a pedra de amolar. Aprenda a afiar numa pedra ou mande suas facas para serem profissionalmente afiadas. As pedras têm diferentes graus de aspereza, diferentes qualidades e requerem algum tipo de lubrificação – água ou óleo. Seja como for que você restaura o fio de suas facas, use uma chaira regularmente e não precisará afiá-las com tanta frequência (as chairas não afiam, mas ajudam a manter um fio aguçado).

Ágar-ágar: Carboidrato derivado de algas marinhas usado para gelificar líquidos tanto em pratos salgados quanto doces. Sua qualidade distintiva é que, diferentemente da gelatina baseada em proteína (que vem em pó ou em folhas claras), o ágar não derrete depois de endurecer – a menos que seja submetido a calor muito forte (85°C, ver McGee) –, permitindo ao cozinheiro servir gelatinas quentes que mantêm a forma.

* O *angel cake* é muitas vezes confundido com o pão-de-ló ou o bolo *chiffon*, pela textura leve e aerada. O que o difere dos demais é que ele não leva nenhum tipo de gordura nem gemas em sua composição. (N.R.T.)

Água: Um dos mais importantes ingredientes e instrumentos na cozinha; sua influência está em toda parte. Prestar atenção às propriedades e efeitos da água e saber como utilizá-los – desde o ponto de fervura (que, no nível do mar, é como um termostato fixado em 100°C) até a densidade, capacidade de evaporação e poder refrigerador – é parte fundamental da culinária.

Água destilada: Água que foi destilada para a remoção de minerais e outras impurezas. Pode ser importante usá-la quando se está trabalhando com culturas vivas (ao adicionar culturas secas a linguiças para iniciar a fermentação, por exemplo), caso em que as impurezas da água de torneira poderiam causar dano às bactérias. Por outro lado, a água destilada pode ser prejudicial para a levedura e não deve ser usada em produtos assim fermentados.

Água salgada: "Água salgada" pode significar diferentes concentrações de sal, dependendo do que deverá cozer; não significa a adição de apenas uma pitada. Para macarrão, grãos e legumes, deve-se adicionar sal suficiente para que a água pareça agradavelmente temperada, entre 2 e 3 colheres de sopa de sal kosher para pouco mais de 3,5 litros. Avalie-a exatamente como provaria o tempero de uma sopa; o nível de sal da água serve como espelho da concentração absorvida pela comida. Para cozinhar verduras, água intensamente salgada é recomendável: entre 1/2 e 1 xícara de sal kosher a cada 3,5 litros. A marca é importante somente ao se medir por volume; não é uma questão de qualidade, porém algumas são mais leves que outras. Quando estiver medindo por peso, a marca de sal kosher não é significativa.

Água sanitária: Ter à mão uma solução suave de água sanitária para uso ocasional é uma boa maneira de manter tábuas, bancadas e esponjas estéreis. Recomenda-se a proporção de 1 colher de sopa por litro de água para uma solução destinada à limpeza da cozinha. Como a água sanitária é volátil, faça essa solução regularmente em pequenas quantidades.

***Aïoli*:** Um molho emulsionado – isto é, uma combinação de dois líquidos que não se misturam por si mesmos – semelhante a uma maionese; condimentado com alho e muitas vezes com outros ingredientes aromáticos, é comum na culinária provençal. Use-o como o faria com uma maionese: para mergulhar *crudités* ou mariscos frios; em um sanduíche; como molho para carnes quentes ou frias, peixe e vegetais; como guarnição aromatizante e enriquecedora numa sopa ou num estufado (compare com *rouille*, por exemplo). A maioria dos *aïolis*, mas não todos, é emulsionada ao se bater rapidamente óleo com gema de ovo crua e algumas gotas de água, ácido e temperos (a proporção padrão para fazer maionese é uma gema por xícara de óleo). Originalmente, o *aïoli* era emulsionado num almofariz pesado, usando um pilão – ainda um método excelente, embora árduo –, e algumas fontes dizem que as gemas não eram incluídas.

Aipo, salsão: Uma das hortaliças aromáticas tradicionais no *mirepoix*, juntamente com cebola e cenoura. É usado para realçar todo tipo de caldos, estufados e sopas. Cru, seu principal atributo é ser crocante, embora fique bom também braseado. Seus usos como ingrediente aromático devem ser avaliados pelo cozinheiro – alguns chefs não o incluem no *mirepoix*, julgando que ele dá muito amargor ao sabor do caldo. Pode ser cozido de várias maneiras – seu principal inconveniente são as fibras que percorrem sua extensão. Dependendo do modo como vai usá-lo, você pode querer retirá-las; se não, elas devem ser amaciadas com longa cocção.

Aipo-rábano: Maravilhosa raiz aromática, frequentemente transformada em purê, como – e com – batatas. É delicioso assado, cozido ou escalfado, e um bom ingrediente para sopas. É também excelente como aromatizante em caldos e sopas.

***Al dente*:** A expressão significa comida que oferece alguma resistência ao dente. O termo se refere em geral a macarrão e risoto, mas é importante também em relação a vegetais. Vegetais cozidos *al dente* ainda têm alguma resistência ou crocância. Embora certas pessoas prefiram-nos assim, eles não devem ser considerados inteiramente cozidos se estiverem *al dente*. Um vegetal inteiramente cozido não oferece nenhuma resistência aos dentes.

Albume e albumina: Albume é a clara do ovo, que se compõe de várias proteínas. (A albumina é um grupo de proteínas presente numa variedade de substâncias no sangue, em ovos, músculos, leite e vegetais). O albume é nutritivo e versátil. Pode ser batido em merengue, usado como fermento para bolos e pães, adicionado a caldos para clarificar o líquido (ver CONSOMÊ) e ainda ajuda a firmar cremes. (Para mais sobre seus extraordinários poderes, ver o artigo O OVO, p.34.)

Alcaparra: Esses botões de flor originários do Mediterrâneo, em geral vendidos em salmoura, mas também preservados no sal, são um tempero ácido e salgado usado em vários molhos – desde o *beurre noir* até o *gribiche* frio – ou como guarnição em preparações de carne bovina crua ou salmão curado, por exemplo.

Álcool (cozinhar com): O álcool é um excelente ingrediente culinário, usado pelo sabor e às vezes por seu impacto no aroma de um prato. O vinho, reduzido a um concentrado, é incorporado à manteiga para fazer um molho francês clássico (*beurre blanc* ou *beurre rouge*); frango é braseado no vinho, carne bovina é braseada em vinho ou cerveja (tome cuidado com esta última: se usada em muita quantidade ou se for reduzida demais, o molho pode ficar amargo). Bebidas destiladas são muitas vezes adicionadas a molhos por seu intenso sabor e aroma. Risoto, um prato baseado em grãos, é tipicamente iniciado com vinho. Álcoois crus na forma de vinho ou champanhe podem ser adicionados a frutas e outras preparações de sobremesa. O álcool também dá realce à apresentação de um prato, quando flambado. Vinhos são frequentemente usados em marinadas; embora a maioria dos métodos sugira o uso de álcool cru, a eficácia e o sabor da marinada melhoram substancialmente quando primeiro cozinhamos o vinho para reduzir o teor alcoólico e realçar o sabor (é difícil, se não impossível, eliminar mediante cozimento todo o álcool do vinho, da cerveja ou de destilados). O álcool não amacia a carne, mas "cozinha", por assim dizer, seu exterior, desestruturando a proteína na superfície. Como regra geral, só use na comida álcool que você beberia com prazer. Afinal, você recebe de volta o que põe nela.

Alginato: Como o ágar-ágar, é derivado de algas marinhas. É comumente encontrado na forma de alginato de sódio, e serve para espessar líquidos e géis na presença de cálcio. Se for adicionado a um suco, por exemplo, este, quando misturado a uma solução contendo cálcio, se transformará em gel no exterior, criando uma pequena bola de suco, um líquido encapsulado em si mesmo (técnica que muitas vezes distingue a cozinha de vanguarda).

Alho: Importante ingrediente da despensa, é um bulbo com numerosos usos e diferentes sabores dependendo do modo como é tratado. Alho fresco e alho seco de maneira correta são acentuadamente melhores que alho que passou muito tempo guardado, com seu germe verde e protuberante. Escolha um alho bem duro, que pareça estar prestes a irromper da casca. O melhor é muitas vezes encontrado em mercados de produtores, e é em geral da variedade de núcleo duro (os bulbos arranjados em torno de uma haste central rígida); o alho de armazém costuma ter núcleo mole (não tem haste central). O alho fresco de núcleo duro vale a despesa extra porque seu sabor é muito mais fresco e vívido que o do alho cultivado comercialmente.

Se você prestar atenção ao comportamento do alho, notará que a maneira como o corta é importante; o picado tem gosto diferente do fatiado. Outra opção é amassá-lo. A maioria dos chefs não pensaria nisso, mas é aceitável que você primeiro retire o germe – a parte verde e germinante do alho –, que dá rapidamente cheiro de velho e sabor ruim ao alho amassado. É sempre uma boa ideia retirar o germe do alho que será picado ou cortado em fatias – mas se ele for cozinhar por longo tempo (num caldo ou estufado), não é necessário fazê-lo. Alho pode ser assado em papel-alumínio com um pouco de óleo até ficar macio e ligeiramente caramelizado. Ou pode ser assado no vapor, posto num ramekin com um pouco de água, coberto com papel de alumínio e assado num forno moderado; isso resulta num gosto mais suave, mais limpo, sem os sabores da caramelização, que podem ser abundantes nessa planta rica em açúcar. O alho se queima com relativa facilidade, e fica amargo. Se isso acontecer, jogue-o fora.

Alho-poró: Um dos tesouros da cozinha, usado principalmente por suas qualidades aromáticas e doçura suave. É excelente para dar sabor a caldos. (McGee observa que alhos-porós contêm um carboidrato especial que se gelifica, e por isso dá maior consistência a caldos.) São deliciosos levemente salteados e usados como o início de um molho ou sopa (têm grande afinidade com manteiga e creme de leite). Podem ser cortados em *julienne* e fritos sob imersão, ou usados inteiros em caldos – mas se forem ser comidos, somente a parte branca deve ser usada. Como podem ter muita sujeira presa entre suas camadas, devem ser cortados ao meio no sentido do comprimento, mantendo a ponta da raiz, e lavados por inteiro com água fria.

***Alice* ou aliche:** Filés de anchovas curados em sal e acondicionados em óleo. Com sabor forte e salgado, são usados principalmente como tempero, picados ou amassados em vinagretes ou *tapenades*, por exemplo, ou mesmo inteiros. A qualidade varia consideravelmente; as piores *alici* vêm numa salmoura ou acondicionadas em óleo (em geral rançoso). As melhores tendem a ser envoltas em sal – vale a pena procurá-las, pois podem ser deliciosas mesmo puras; para dessalgá-las, mergulhe-as em leite e enxágue-as. Elas são um ingrediente útil para temperar, por causa de seu efeito *umami*, realçando o sabor sem serem elas próprias reconhecidas. No entanto, são muitas vezes negligenciadas na cozinha caseira. Anchovas frescas podem ser facilmente curadas em casa: limpe-as, envolva-as em sal e guarde-as no refrigerador; estarão prontas para comer depois de alguns dias, e se conservarão no sal durante meses.

***Allumette* ou palito:** Um elegante corte de hortaliças, nomeado segundo seu formato "de palito de fósforo" – oficialmente 3 milímetros quadrados por 5 centímetros de comprimento. Muitas vezes usado para designar batatas: *pommes allumettes* ou batata palito.

Almofariz e pilão: Antigos utensílios culinários que ainda podem ser parte valiosa de qualquer cozinha, o almofariz e o pilão (grandes ou pequenos, e feitos de diversos materiais, como pedra, porcelana ou madeira) são usados para triturar qualquer coisa, de especiarias secas a vegetais frescos, e criar versões incomparáveis de *salsas* e *aïolis*. Embora um moedor possa ser preferível a um almofariz para pulverizar especiarias ou outros ingredientes secos, ingredientes macios ou úmidos (como na *salsa* tradicional) moídos num almofariz produzirão um resultado nitidamente diferente que se transformados em purê num processador de alimentos.

Amaciar (carne): Com poucas exceções, há duas maneiras de amaciar carne: mecanicamente (cortando-a, moendo-a ou batendo-a) e por meio de calor úmido. Marinadas não têm esse efeito (embora as enzimas presentes em algumas frutas possam romper certas proteínas dos peixes). Cortar amacia ao romper longos e duros filamentos de tecido conjuntivo chamados de colágeno, e cozinhar em alguma forma de líquido libera o colágeno e também rompe e coagula a proteína na carne.

Amandine**:** Um clássico molho francês feito de amêndoas salteadas na manteiga até ficarem douradas. É valioso pela simplicidade e versatilidade. É muitas vezes finalizado com suco de limão e salsinha. Vagens e peixes, como trutas, são frequentemente servidos "*amandine*".

Amêndoa: A amêndoa é uma castanha de grande versatilidade tanto na cozinha salgada quanto na doce. Confere crocância como elemento decorativo em vegetais e peixes, e pode ser esmagada para servir de cobertura. As amêndoas são usadas com mais abundância na cozinha doce, cortadas em fatias ou lascas, moídas num pó ou ainda moídas e misturadas com açúcar para formar uma pasta. São por vezes vendidas jovens, quando ainda não endureceram e estão macias e suculentas, sendo chamadas então de amêndoas verdes.

Amido: 1) Amido, um polissacarídeo, é composto de moléculas de açúcar. Para o cozinheiro, é útil especificamente por seu poder de engrossar, que ele exerce absorvendo água e assim expandindo e expelindo moléculas menores de amido (ver McGee para uma descrição detalhada e ilustrações). Os amidos se dividem em duas categorias: os de grãos e os de raízes. Embora se comportem de maneira diferente, para o cozinheiro o que mais importa é se são puros ou não. Amidos puros foram separados de proteínas e outras moléculas – maisena é amido puro; farinha de trigo, não. Quando engrossamos um molho com farinha de trigo, como num *roux*, a manteiga separa os grãos de amido, e as proteínas (como o glúten insolúvel) e outras moléculas precisam ser eliminadas na cocção, ou subir à superfície e serem removidas pelo cozinheiro. Com amidos puros, não se precisa de gordura nem de remover impurezas. 2) Amido é também um termo com que se designam numa refeição tradicional os carboidratos ricos em amido (ao lado de proteína e vegetais).

Amido puro: Amido do qual as proteínas e outros componentes foram removidos é chamado de amido puro. É bom para engrossar líquidos, e a maisena é um bom exemplo (ver PASTA DE AMIDO). Comparados com molhos engrossados com *roux*, feito de farinha, que requerem cozimento e precisam ter a espuma retirada, aqueles engrossados com amido puro são fáceis e rápidos, mas a pasta de amido se decomporá com aquecimentos repetidos ou longos.

***Amuse bouche* ou *amuse gueule*:** Por vezes abreviado como *amuse*, designa um item de cortesia, do tamanho de um canapé, enviado pelo chef no início da refeição. Esse costume de alguns restaurantes, destinado a alegrar os espíritos e surpreender comensais famintos antes mesmo que a refeição comece, pode ter efeito benéfico semelhante num jantar festivo.

Antioxidante: A oxidação dos elementos que constituem nossas células é uma das principais formas de dano que nossos corpos sofrem à medida que vivemos e envelhecemos. As moléculas que evitam tal oxidação (de nosso DNA, de nossas células sanguíneas, de nossos tecidos) são chamadas de antioxidantes. Hortaliças e frutas estão repletas deles. Chocolate, café, chá e sementes também podem ser boas fontes. Nas cozinhas, o termo é genericamente usado para designar ácidos e outros ingredientes que evitam que as superfícies de frutas e vegetais crus escureçam, como suco de limão numa maçã.

Ao ponto e ao ponto para malpassado: Ver TEMPERATURAS DA CARNE.

Aparas: Tenha sempre em mente maneiras de utilizar aparas, sejam elas de vegetais (que podem ser usadas em caldos), de carne (que podem ser usadas para grande número de finalidades, sendo adicionadas a caldos ou moídas para fazer linguiça) ou de gordura (que podem ser derretidas). Não vale a pena guardar algumas aparas, como casca de café, tecidos conjuntivos e cascas de vegetais; estas por vezes são distinguidas das chamadas "aparas usáveis".

***Appareil*:** Termo geral que indica uma preparação ou mistura que se tornará parte de um prato maior – um recheio ou uma massa líquida, por exemplo. Um *duxelles* de cogumelos a ser usado como recheio de ravióli ou de costeleta de porco é chamado de *appareil duxelles*, e creme de leite batido e aromatizado é chamado de *appareil chantilly*. Podemos também dizer: "Fiz o *appareil* para os suflês de queijo", o que designaria a base de bechamel.

Aproveitamento total: É uma ideia e uma atitude culinária que significa, na prática, não jogar nada fora, fazer uso do alimento por inteiro. Um exemplo: você compra um frango para assar; usa o pescoço, a moela e as pontas das asas para fortificar um molho de panela; salteia o fígado e o usa com a salada; reserva os ossos e os utiliza para fazer um caldo que será a base de uma sopa ou do molho de panela para o próximo frango assado. Muitos pratos têm origem nesta ideia, especialmente na charcutaria: *rillettes*, patês e salsichas surgiram como forma de aproveitar "restos".

Aquicultura: Refere-se à criação de peixes. Vem sendo praticada há milênios, mas só se transformou numa indústria internacional a partir da década de 1960. Como qualquer indústria, tem prós e contras. Pode ser uma fonte abundante de peixes numa era atormentada pelo esgotamento das reservas pesqueiras nos oceanos. Mas pode resultar também em poluição ambiental e peixes contaminados. Muitas vezes os peixes criados em cativeiro são menos saborosos e firmes que os silvestres. Apesar dos inconvenientes, a indústria é jovem e continua sendo promissora, com enormes vantagens potenciais.

Araruta: Um amido puro extraído de um tubérculo tropical, usado principalmente para engrossar molhos (ver *LIÉ* e PASTA DE AMIDO). Maisena é um substituto aceitável e mais barato (embora seu poder espessante não seja tão grande e tenda a se decompor mais rapidamente quando mantido quente por longos períodos).

Aroma: É um importante componente do paladar, de modo que é parte fundamental de um prato. Mas é também uma espécie de instrumento ou expediente na cozinha; mais precisamente, usar o olfato, ter consciência dos aromas na cozinha, é parte da culinária. Se você estiver assando ossos para fazer caldo, saberá que eles estão suficientemente cozidos quando tiverem um intenso e penetrante cheiro de assado. Com o tempo, você começará a associar nuances de aromas específicos (quer seja um cheiro em si, quer seja a duração dele) com o ponto de um prato – ao assar biscoitos, torrar castanhas ou dourar uma ave. Seu olfato o ajuda a ser melhor cozinheiro. O aroma é também uma fonte de prazer que não devemos ignorar, mas considerar e apreciar – o cheiro de carne enfarinhada tostando na gordura quente, ou de costelinhas braseando durante horas...

Aromáticos: Vegetais e ervas aromáticas, comumente cebolas, cenouras e aipo (ver *MIREPOIX*), tomilho, salsinha, louro, alho e grãos de pimenta (ver

SACHET D'ÉPICES), ou capim-limão, gengibre e cebolinha verde na cozinha oriental. Os aromáticos podem incluir qualquer coisa adicionada a um caldo ou a um estufado para realçar seu sabor (embora nem tudo seja aromático ou deva ser usado como tal – pimentões, nabos e abobrinha não são aromáticos). Associamos aromáticos a sabores doces e florais, e em geral eles são removidos no fim da preparação, depois que transmitiram seus sabores. O uso abundante deles faz enorme diferença no resultado final, e seria difícil exagerar sua importância. Eles não devem ser relegados a caldos e estufados: salteie cogumelos em óleo numa panela quente; depois faça o mesmo numa panela quente a que alguns talos de tomilho e dentes de alho foram acrescentados, e você saboreará o impacto dos aromáticos.

Arroz: Quer seja de grão curto ou longo, todo arroz é igual no sentido de que seu cozimento é principalmente uma questão de hidratação e de gelatinização do amido. Geralmente requerem-se duas partes de água para uma de arroz; alguns tipos aromáticos, como o *jasmine* e o *basmati*, requerem 25% a menos de água, e arroz japonês requer menos que isso (é mergulhado na água e depois simplesmente cozido no vapor). Pode-se fazer arroz no fogão ou no forno. Variedades especiais, de grão curto – *arborio* ou *carnaroli* –, são usadas para risotos (arroz a que um líquido é adicionado pouco a pouco enquanto o cozinheiro mexe continuamente, criando um molho grosso e cremoso à medida que o amido é liberado). Arroz é um amido notavelmente versátil, que pode ser usado tanto na cozinha salgada quanto na doce. Farinha de arroz é usada para fazer macarrão e massas finas da culinária asiática.

Assadeira: Uma assadeira pequena e uma grande são bons itens para ter na cozinha, mas lembre-se de que pode assar em caçarolas, frigideiras de ferro fundido e panelas. O tamanho do recipiente é importante, dependendo do que se está assando; você pode precisar que os vegetais aromáticos se agrupem em torno da peça principal, e os líquidos e a gordura liberados serão afetados pelo tamanho da assadeira. Assar algo numa panela funda não é uma boa ideia – o item cozinharia no vapor, em vez de assar. Grelhas podem ser dispostas no fundo de assadeiras para impedir que o lado de baixo da carne frite. É sensato gastar dinheiro na compra de bons artigos, feitos de alumínio espesso, que não empenará nem queimará a comida. Uma assadeira pesada conduzirá melhor o calor e permanecerá plana e firme se você não a puser sob água fria quando estiver muito quente. Há versões planas ou com bordas rasas.

Aspic: Caldo claro e gelificado, comumente usado em *haute cuisine*. Pode ser cortado em cubos ou picado e usado como uma saborosa guarnição. É ótimo para manter ingredientes no lugar dentro de uma fôrma – vegetais cortados em cubos (terrine de vegetais), ovos (*oeuf en gelée*), pedaços de carne de porco (em alguns embutidos)... Num patê *en croute*, ele enche o espaço entre o patê e a massa. Alimentos imersos em aspic ganham um acabamento laqueado para uma apresentação decorativa. Certos caldos de carne, especialmente se preparados com mocotó ou pele de porco, conterão gelatina suficiente para endurecer completamente quando gelados. Os aspics podem ser delicados, de tal modo que mantêm sua forma mas são muito macios, quase se desmancham. Ou, se feitos para unir ingredientes numa terrine, podem ser mais firmes, sendo por vezes chamados de aspic de corte. Qualquer líquido claro – consomê, suco de tomate peneirado e transparente (chamado água de tomate) ou caldo de vegetais clarificado – pode ser transformado num aspic. Uma regra geral para líquidos que não contenham gelatina natural é adicionar, para um aspic leve, uma colher de chá de gelatina em pó por xícara de líquido; para um aspic de corte, a medida é uma colher de sopa. Se você não tiver certeza quanto à firmeza de um aspic de caldo de carne, derrame algumas colheradas num prato e gele-o rapidamente para avaliar sua consistência.

Assar: Método de cozimento com calor seco normalmente feito no forno, com temperatura de quente a muito quente, e em geral com a peça descoberta (para evitar que seja impregnada por vapor). Resulta nos chamados sabores "dourados", os sabores ricos e intensos das carnes douradas e dos vegetais caramelizados. Costuma-se usar essa técnica e esse termo para cortes grandes de carne e aves inteiras.

Assar na fumaça: Método de cozimento por calor seco que combina temperaturas elevadas e fumaça, usado para realçar o sabor da carne com fumaça enquanto ela assa. É definido por uma temperatura de 150°C ou mais dentro do defumador. Pode ser feito sobre o tampo do fogão (usando um defumador de fogão e boa ventilação), num defumador tradicional ou numa grelha de churrasco.

Audição: Ouvir a comida é uma habilidade importante, mais do que em geral reconhecemos. Ouça em sua mente o som de vegetais cozinhando em fogo lento com um pouco de manteiga e água. O chiado passará de suave a crepitante à medida que a água evapora, indicando que os vegetais estão começando a caramelizar. Quando você está misturando uma massa, ela fará um som diferente contra o lado da tigela à medida que se unifica, ajudando-o a saber por mais quanto tempo deve misturá-la. Preste atenção ao som de sua comida enquanto cozinha.

Aves: Ver FRANGO, PATO e PERU.

Azeite de oliva: Distingue-se dos outros óleos pelo sabor intenso e por ser sobretudo uma gordura monoinsaturada, tendo baixo teor de gordura saturada. Pode ser usado como aromatizante ou como meio de cozimento. Azeites de oliva muito bons, aqueles da primeira prensagem das azeitonas, que não são cozidos nem filtrados, são melhores para a primeira função. Os refinados são melhores para cozinhar, mas são mais caros que outros óleos de cozinha e deveriam ser usados especificamente quando você quer seu sabor particular.

Azeitonas: Outrora vendidas basicamente em duas variedades, verdes e pretas (e relegadas respectivamente ao martíni e à pizza). Hoje há muitas variedades disponíveis nos supermercados. Embora boas para serem comidas sozinhas, as azeitonas destinadas a aperitivos podem ser melhoradas se você criar sua própria marinada com ervas e ingredientes aromáticos, casca de cítricos e especiarias a seu gosto. Para o cozinheiro, as azeitonas salgadas, ácidas e saborosas são um excelente ingrediente para uso geral, como uma guarnição com efeitos do sabor *umami*. Inteiras, fatiadas, picadas ou amassadas, podem funcionar de modo muito semelhante a um molho; dão também excelente intensidade e complexidade a estufados e braseados.

B

Bacalhau: Provavelmente o peixe mais importante na história dos esforços humanos, principalmente por poder ser preservado tão facilmente (ver BACALHAU SALGADO). De fato, tornou-se tão popular que corre o risco de ser extinto. É um peixe de grande versatilidade; de sabor suave, casa muito bem com grande número de molhos e guarnições. Sua carne é firme, abundante e nutritiva. O bacalhau deve ser apreciado e venerado.

Bacalhau salgado: O bacalhau é um dos alimentos mais importantes na história da civilização ocidental porque sua carne se conserva muito bem, em geral com sal. Bacalhau salgado e seco é um ingrediente versátil nas cozinhas contemporâneas. Um dos mais antigos alimentos comumente conservados, continua sendo um item popular na dieta de várias regiões e é incluído em muitas preparações, seja como a proteína principal ou como ingrediente. A qualidade varia; se ele ficar muito tempo guardado pode absorver sabores ruins. O melhor é aquele que você mesmo conserva (acondicionado em sal por um dia, depois enxaguado e posto para secar no refrigerador até ficar inteiramente rígido). Pode ser cozido inteiro, escalfado ou frito, comido com um molho simples, desfiado e misturado com creme de leite, alho e batatas para uma *brandade*, ou adicionado a um estufado de peixe. Pode também ser comido cru, cortado em fatias finas como presunto cru. Todo bacalhau salgado deve ser reidratado e dessalgado antes do uso, sendo deixado de molho por um ou dois dias em água fria trocada regularmente.

Bacon: O sabor intenso e a consistência crocante fazem do toucinho curado e defumado não só um alimento básico americano, mas um dos ingredientes mais poderosos na cozinha. Ele pode temperar, enriquecer e intensificar o sabor de inúmeros pratos em qualquer categoria – salada, hortaliças, massas, arroz, carne, peixe e até preparações doces. É difícil exagerar sobre a versatilidade e o poder desse ingrediente.

Na França, o toucinho curado é chamado de *lard* e não é defumado. Na Itália tampouco costuma sê-lo; é curado com saborosos aromáticos, enrolado e chamado de *pancetta*. O melhor bacon, nos Estados Unidos, é aquele curado a seco com sal, nitrito de sódio, açúcar e temperos, depois defumado sobre madeira de lei ou de árvores frutíferas. Toucinho pode ser facilmente curado em casa e resulta num excelente bacon.

O bacon comercial é feito com injeção de salmoura no toucinho, o que satura a carne e a cura muito rapidamente; o sabor e a textura não são os mesmos do bacon curado à maneira tradicional. Este tende a ser mais rico em sabor, mais salgado, menos aquoso e de textura mais densa. O comercial, em razão de seu grande conteúdo de água, cozinha bem em micro-ondas; é muito macio e por isso bom em sanduíches de tomate e alface. Ambas as formas têm seu espaço na cozinha, mas é importante distingui-las.

O bacon pode ser comprado em peças inteiras, o que permite cortá-lo nas dimensões apropriadas ao prato que você está fazendo – em tiras para uma salada *frisée*, em nacos para um estufado de carne com vinho, ou assado ou grelhado inteiro e servido em fatias.

O bom bacon deve quase sempre ser cozido lentamente sobre fogo baixo para que a carne dura amacie e solte sua gordura copiosa (para dissolvê-la, pode-se iniciar o processo numa pequena quantidade de água). Para cozinhar tiras de bacon em grandes quantidades, disponha-as numa assadeira e asse-as em forno quente; para tiras uniformes, planas, ponha um Silpat* ou uma segunda assadeira por cima. Graças a seu alto teor de gordura, o bacon congela bem.

Bacon canadense: Lombo de porco curado e defumado. É um bom substituto para presunto (não para bacon), um corte magro que é fácil de curar em casa.

Bacon em manta: É útil para o cozinheiro porque ele pode determinar o corte conforme necessário: nacos para estufados, *lardons* para salada... A manta pode também, em vez de cortada, ser assada inteira e depois fatiada.

Bactérias: Em sua maior parte, as bactérias são inofensivas, e algumas geram ácidos que melhoram certos alimentos (pão, vegetais em conserva e iogurtes, por exemplo). Nossa saúde depende de algumas bactérias; nosso aparelho digestivo está cheio delas. Outras bactérias, porém, podem nos fazer adoecer, e em alguns casos nos matar.

---

* Marca de placa de silicone própria para levar ao forno. (N.R.T.)

Bactérias, sejam boas ou más, florescem à temperatura ambiente e no calor. Uma pequena colônia latente num peito de frango gelado se multiplicará depressa à temperatura ambiente. Devemos supor que há uma grande quantidade de bactérias em nossa comida e levar isso em conta na maneira de tratar alimentos específicos. Mantendo-os frios e limpando bem as superfícies de trabalho, reduzimos a oportunidade das bactérias de se multiplicar a níveis nocivos. O ponto mais infestado de nossa cozinha tende a ser a esponja, aquele instrumento de limpeza úmido e que permanece à temperatura ambiente. As esponjas devem ser limpas regularmente com fervura, banho em solução de água sanitária ou sendo aquecidas molhadas no forno de microondas.

As bactérias mais perigosas em nossa comida são a salmonela, a forma mortífera da *E. coli* e as que causam botulismo. A forma perigosa de *E. coli*, presente na pele e no trato digestivo de vacas, é problemática quando moída num hambúrguer. É importante lembrar que ela não infesta o interior de um músculo. Por isso você pode comer um sangrento bife malpassado cozido em fogo alto sem medo de envenenamento por *E. coli*, mas existe esse risco ao comer hambúrgueres malpassados cozidos da mesma forma – é prudente cozinhá-los a uma temperatura interna de 70°C para crianças, que são especialmente vulneráveis às bactérias.

Como salmonela e *E. coli* podem contaminar frutas e hortaliças, é prudente, por razões de segurança alimentar (e por uma questão de gosto também), lavar toda fruta ou hortaliça que vá ser servida crua, mesmo que descascada; deve-se então refrigerá-la ou servi-la imediatamente.

A bactéria que causa botulismo, *Clostridium botulinum*, é anaeróbica e só pode crescer numa ambiente quente, de baixa acidez e livre de oxigênio, como no frasco de alho em azeite de oliva na prateleira da sua despensa, na conserva de feijões que você fez no verão passado, ou dentro de uma linguiça mal curada deixada à temperatura ambiente. É possível prevenir isso, com rigoroso processo de esterilização (nas conservas caseiras) e com nitrito ou nitrato de sódio (nas linguiças defumadas ou curadas a seco), que dificulta a proliferação de bactérias. Um ambiente ácido também desestimula esse crescimento, e bactérias benéficas em linguiças curadas a seco geram esse ácido. As bactérias também não crescerão de maneira significativa a temperaturas de geladeira (abaixo de 3,3°C). Para mais informação sobre a natureza de bactérias específicas, acesse http://www.cdc.gov/ncidod/dbmd/diseaseinfo.

Balança: Uma boa balança digital é um importante instrumento culinário porque permite medir ingredientes de maneira mais precisa, o que é especialmente decisivo na confeitaria e na panificação. Uma colher de sopa de diferentes marcas de sal tem pesos diferentes, mas 25 gramas de sal terão o mesmo impacto, seja qual for o tipo ou a marca. Farinha e outros ingredientes finamente pulverizados medidos pela xícara seca podem variar de peso também. Uma balança é recomendada para qualquer cozinha séria.

Banha de porco: É gordura de porco derretida, um requintado meio de cozimento e um ingrediente outrora comum, mas hoje quase obsoleto nas cozinhas. Derretida de maneira adequada, é excelente para saltear, fritar na frigideira, fritar por imersão e fazer *confits*. É sólida, mas macia à temperatura ambiente, constituindo um excelente amaciante de massas para panificação e confeitaria (diferentemente da manteiga, que é comumente usada em pâtisseries, não contém água, que estimula a formação de glúten – por isso é um amaciante poderoso).

Banho de gelo: Água com grande quantidade de gelo é usada para esfriar a comida rapidamente. Um bom banho de gelo tem cerca de 50% de gelo e 50% de água; não significa gelo boiando na superfície. Vegetais são geralmente mergulhados em banho de gelo para que seu cozimento cesse, muitas vezes de modo que possam ser conservados e reaquecidos mais tarde. Líquidos quentes podem ser mexidos quando a panela que os contém está num banho de gelo para que sua temperatura baixe rapidamente. Quando estiver esfriando algo num banho de gelo, é uma boa ideia agitá-lo para se assegurar de que ele está sempre cercado pela água gelada.

Banho-maria: É um banho em recipiente com água quente. Em restaurantes, é usado para manter molhos e outras preparações quentes durante o serviço. Itens que devem cozer suavemente, como cremes de ovos e patês *en terrine*, são cozidos no forno em banho-maria; a água mantém uma temperatura baixa em torno do recipiente. Para itens que devem ser derretidos suave e uniformemente, como chocolate, o banho-maria é frequentemente usado. Uma panela banho-maria pode ser usada para esse cozimento suave. Utensílios para cozinhar a vapor ou recipientes que podem ser postos na água quente são muitas vezes também chamados genericamente de banho-maria.

Barba (de mexilhões): Os mexilhões desenvolvem filamentos duros, chamados de barba, para se agarrar a objetos estacionários nas áreas de maré. É preciso remover essas fibras escuras, que se originam de dentro do mexilhão, puxando-as suavemente com a mão.

Barbante de açougueiro: O barbante de açougueiro, de algodão, é um valioso instrumento culinário, usado principalmente para costurar aves e amarrar carne, o que ajuda a cozer de maneira mais uniforme, mantém a forma do que está sendo cozido e resulta num produto final com melhor aparência. Não é difícil aprender a usar barbante de açougueiro, e o esforço vale a pena. Ele tem numerosos empregos, desde atar *bouquets garnis* e *sachets d'épices* a manter *roulades* e amarrar fieiras de salsichas.

Bardear: Cobrir uma peça de carne com uma camada de gordura (normalmente de porco) enquanto ela assa. O processo é usado em cortes magros cuja superfície poderia se ressecar durante uma longa cocção, mais ou menos como envolver carne magra com redanho (ver também TRIPAS) para assá-la. Embora acrescentar gordura a um prato ou usá-la como o meio de cozimento raramente seja má ideia, bardear, como lardear, não é mais uma técnica comum. É especialmente útil para carne de caça, que tende a ser naturalmente magra.

Bastonete: Um tipo de corte de vegetais, também chamado bastão ou pelo nome francês, *bâtonnet*. É tipicamente usado em tubérculos e raízes duras, e sua forma tradicional é a de um retângulo com 5 centímetros de comprimento e cerca de 0,7 centímetro de grossura.

Batata: Embora haja as mais diversas variedades de batatas, a principal distinção é feita pela casca. As de casca áspera e grossa (*russets*, batatas de assar) têm alto teor de amido se comparadas às de pele lisa e fina (de cozer). Você pode cozinhar todas as batatas da maneira que queira, mas haverá diferenças no resultado. Em regra, as batatas de assar ficam melhores se cozidas com calor seco (assadas, fritas), enquanto as de pele fina e baixo teor de amido funcionam melhor em calor úmido. As primeiras ficarão leves e fofas quando assadas, enquanto as segundas ficarão mais densas. Você pode cozer batatas de assar, que são boas para um purê fofo, mas elas não serão tão firmes quando fatiadas. Já as de cozer são preferíveis se forem ser cozidas mas não amassadas (batatas tipo *fingerlings** fatiadas, por exemplo, ou outras batatas com baixo teor de amido para salada de batata), pois, nesse caso, elas ficarão pegajosas. É melhor cozinhar batatas de assar com a pele (começando com água fria); isso impede que o exterior fique cozido demais e se descame antes que elas estejam inteiramente cozidas. Além disso, a água não deve estar em ebulição intensa; uma leve fervura é suficiente.

Batedor de arame: Ver FOUET.

Batedor de ovos (*egg beaters*): Instrumento de cozinha conveniente, mas não recomendado por ter usos limitados. Você pode fazer muito mais com um *fouet*, e deve aprender a usar bem esse valioso instrumento. Egg Beaters é também a marca de um produto comercial, um substituto para ovos com baixo teor de gordura; também não são recomendados – use a coisa verdadeira.

Batedor plano: Acessório largo de batedeiras usado para bater massas como *patê a choux* ou patês; distingue-se do gancho e do batedor de claras, os dois outros acessórios comuns desse aparelho.

Bater: O cozinheiro pode bater alimentos à mão ou numa batedeira vertical com o acessório apropriado. Não se bate algo apenas para combinar ingredientes, mas também para emulsionar, aerar e criar volume.

Bater em creme: Em confeitaria, significa combinar açúcar e gordura numa mistura uniforme. O processo resulta numa textura fina em bolos (de biscoitos a *muffins*, passando por bolo *quatre-quarts*). Bater em creme é tão fundamental que essas preparações podem ser definidas pelo método segundo o qual ele foi batido (ver também BOLO). Manteiga batida com açúcar deve parecer brilhante e leve. Muitas vezes ovos são acrescentados um de cada vez, segundo o estágio de formação do creme. Por vezes, a expressão pode se referir a combinar gemas de ovo e açúcar, batendo até que este se disperse uniformemente.

---

* Variedade de batata de formato fino e alongado, semelhante a um dedo. (N.R.T.)

Baunilha: Um dos sabores mais apreciados e influentes em sobremesas (e em algumas preparações salgadas), a baunilha pode ser dividida em duas categorias: a fava e a baunilha líquida (extrato puro ou artificial). Não há substituto para a primeira, a vagem fermentada de uma orquídea tropical, cultivada principalmente em Madagascar. Ao usá-la em cremes, geralmente racha-se a vagem e deixa-se que ela se encharque de creme (seu sabor é solúvel na gordura), depois ralam-se as sementes dentro dele e joga-se fora a vagem. Vagens usadas podem ser adicionadas ao açúcar, ao qual impregnam com sabor – um bom uso secundário para esse caro produto. O efeito é um limpo e forte gosto de baunilha. Para preparações em que a baunilha é um sabor ou tempero de fundo, como bolos, biscoitos e inúmeras outras, usa-se alguma forma líquida, de uso mais fácil e menos cara que a fava. Extrato puro e essências artificiais, sintetizadas a partir de vários subprodutos industriais, são comumente disponíveis e têm impacto semelhante sobre o sabor.

***Bavaroise*:** Molho de baunilha (*crème anglaise*) a que são adicionados gelatina e creme de leite levemente batido (e por vezes claras de ovos); a gelatina o endurece e o creme de leite o torna mais leve. A *bavaroise* pode ser servida pura, como sobremesa (quase como um flan ou uma mousse), ou como recheio de pratos mais elaborados, em pâtisseries ou bolos. A mistura pode ser condimentada de muitas maneiras: aromatizantes, extratos, licores. A *bavaroise* não aparece em muitos livros de culinária atuais como uma receita básica, o que é curioso, porque é mais leve que *panna cotta, pot de crème* ou *crème brûlée,* pode ser facilmente elaborada com antecedência e é bem adequada à cozinha caseira.

Bechamel: O bechamel é um molho branco para uso geral que se faz espessando leite com um *roux* e cozendo-o suavemente com aromáticos. É frequentemente caluniado como emblemático da comida francesa pesada, antiquada; cuidadosamente preparado, porém, é não apenas delicado e refinado como pouco dispendioso (leite, farinha, aromáticos), rápido e muito mais fácil de fazer que os molhos-mãe à base de caldo ou molhos de redução. Pode ser usado como ingrediente num prato – uma lasanha ou um macarrão cremoso ou gratinado, por exemplo – ou outros ingredientes podem ser adicionados a ele para afiná-lo, transformando-o num grande número de molhos derivados (pode-se adicionar queijo para fazer um molho Mornay, caldo de lagostins para fazer um molho Nantua, ou cebolas cozidas para um Soubise). O método básico é suar cebola picada na manteiga, acrescentar farinha (1 a 2 colheres de sopa por xícara de leite), cozinhá-la com a cebola e a manteiga até que ela perca seu aroma cru, depois adicionar o leite e os aromáticos (um pouco de noz-moscada ralada, talvez uma folha de louro – *oignon piqué* é também um tempero clássico) e cozinhar por cerca de 45 minutos, escumando a superfície constantemente, até que a textura granulosa da farinha e o gosto cru desapareçam; depois coe e use-o ou refrigere-o. (Ver também MOLHOS-MÃE.)

Bem passado: É uma temperatura, usualmente estipulada em 65,5°C ou mais, usada para descrever a carne pronta. Convém notar que carnes braseadas não estão prontas quando ficam bem passadas, apenas quando ficam macias. (Ver também TEMPERATURAS DA CARNE.)

***Beurre blanc* e *beurre rouge*:** Esses molhos de manteiga simples e versáteis, temperados com vinho e aromáticos, são fáceis porque a manteiga já é uma emulsão, e por isso um molho quase perfeito por si só – o vinho simplesmente lhe dá sabor. O método básico é combinar echalotas picadas e ingredientes aromáticos com um delicioso vinho branco ou tinto e reduzir até que fique quase seco, depois bater manualmente com manteiga, um naco por vez, temperar a gosto e pronto. Outros ácidos como vinagre ou limão podem ser adicionados à redução, assim como outros aromáticos, como pimenta ou ervas; pode-se acrescentar creme de leite para enriquecê-lo e deixá-lo mais macio; pode-se coar o molho para um efeito mais elegante, e finalizá-lo adicionando ervas frescas para lhe dar sabor e cor (ingredientes voláteis como ervas ou frutas vermelhas devem ser adicionados *à la minute*) – mas ele é realmente tão simples quanto parece, manteiga derretida e batida incorporada a redução de vinho. Como têm sabor delicado, tanto o molho de manteiga branco quanto o vermelho costumam ser servidos com peixe ou outras preparações magras, suaves, tenras.

***Beurre composé*:** Ver MANTEIGA COMPOSTA.

***Beurre fondue*:** Ver *BEURRE MONTÉ* e *FONDUE*.

***Beurre maître d'hôtel*:** Manteiga composta contendo sal, pimenta, limão e salsinha – um excelente molho para uso geral ou acompanhamento para inúmeras preparações de peixe, carne, amido ou vegetais.

***Beurre manié*:** Manteiga em que igual volume de farinha foi esfregado e amassado torna-se uma maneira fácil e eficaz de engrossar pequenas quantidades de molho, enriquecendo-as. Pastas de amido (amido puro e água) podem ser de uso mais rápido e difundido, mas não enriquecem nem acrescentam sabor – a manteiga o faz. A *beurre manié* é especialmente adequada para engrossar sucos e resíduos da fôrma de assados, estufados de carne e de peixe e o líquido em que um peixe foi escalfado (por vezes chamado *cuisson*; ver também ESCALFAMENTO RASO). Ela deve ser usada *à la minute*, quase na hora de servir.

***Beurre monté*:** Expressão usada em restaurantes para designar manteiga emulsionada com um pouco de água, depois conservada para uso durante todo o serviço a fim de enriquecer molhos, reaquecer vegetais e regar carnes. Deriva da expressão *monter au beurre* – incorporar (derretendo e batendo rapidamente) manteiga num molho. Por vezes chamada *beurre fondue*.

***Beurre noir* e *beurre noisette*:** São denominações relativas à manteiga queimada, e são por vezes trocadas uma pela outra. A primeira significa manteiga preta, e muitas vezes designa um molho feito com manteiga queimada (*beurre noisette*), suco de limão, alcaparras e salsinha (de fato, um delicado vinagrete, muitas vezes servido sobre peixe branco e magro salteado). O *beurre noir* nunca deve ser cozido até ficar realmente preto. *Beurre noisette* refere-se à manteiga cozida até que os sólidos nela contidos fiquem dourados e ela desenvolva aroma e sabor de castanhas (daí seu nome, avelã). O truque no preparo do molho de manteiga queimada é reconhecer a cor e o aroma intensos e em seguida parar o cozimento acrescentando o ácido que esfria a gordura quente. A manteiga queimada é uma preparação versátil, quer como molho *beurre noir* ou *meunière*, quer como um tipo de tempero para vegetais, macarrão, batatas ou até preparações doces, como cremes e bolos.

Bexiga (de porco): Esse saco robusto é um extraordinário recipiente em que se cozinhar (é o que cobre, por exemplo, o frango recheado no prato *poulet en vessie*) e uma prova a mais da elegante eficiência do porco.

Bicarbonato de sódio: É um fermento químico, que reage com o ácido presente em massas líquidas ou massas firmes não elásticas liberando gás rapidamente – por isso deve ser usado em conjunção com alguma forma de ácido. É ele que torna as panquecas de leite fofas em vez de chatas e densas. O bicarbonato de sódio que não reagiu pode deixar um gosto de sabão e produto químico na comida; é preciso haver ácido suficiente para neutralizá-lo, portanto meça-o cuidadosamente. Fermentos químicos podem por vezes ser substituídos por fermentos naturais, como clara de ovo. O bicarbonato de sódio tem efeitos secundários sobre as proteínas da farinha, enfraquecendo a estrutura do glúten, intensificando as reações de Maillard e abaixando as temperaturas de caramelização.

Biscoito: Os componentes que definem um biscoito são, com algumas exceções, farinha, açúcar e gordura, e o modo como variamos esses componentes e o que lhes adicionamos definem os biscoitos específicos. A farinha dá estrutura; o açúcar dá tanto estrutura quanto doçura, e por vezes crocância; a gordura amacia a massa e dá untuosidade, leveza, sabor. A maneira de temperar e fermentar, o método de misturar, de moldar, tudo isso afeta um biscoito, e os três componentes básicos podem ser alterados ou até substituídos – amêndoas podem substituir parte da farinha num biscoito doce, ovos criam a estrutura num *macaroon*.* Estes são floreios: gotas de chocolate, ovos, farinha de aveia e passas, cítricos e sementes de papoula, especiarias doces, formatos divertidos, decoração colorida... Floreios benéficos e necessários, certamente; mas são a tinta, e não a tela.

Bisque: Sopa grossa e cremosa à base de crustáceos. As bisques eram outrora engrossadas com pão, mas hoje isso é mais comumente feito com *roux*. Alguns restaurantes e livros de receita contemporâneos usam a palavra para de-

* *Macaroon* é um pequeno biscoito de massa muito leve, à base de claras de ovos, farinha de amêndoas e açúcar. É crocante por fora e macio por dentro, tem formato arredondado e é típico da região francesa da Provença. A versão mais comum é feita com dois pequenos discos de massa colados por um recheio cremoso de baunilha, limão, amêndoas ou chocolate. Sua origem é atribuída aos italianos (*maccherone* significa massa fina), mas foram os franceses que oficializaram os ingredientes e o formato e divulgaram essa iguaria pelo mundo. Atualmente, os japoneses são especialistas em criar cores e sabores diferentes. Nos Estados Unidos, é muito comum encontrar *macaroon* de coco, o que deve ter dado origem aos "makrons" encontrados nas padarias brasileiras, mas que nada têm a ver com o original francês. (N.R.T.)

signar sopas ou cremes que não são feitos de mariscos, como purês de vegetais, por exemplo. Esse uso é o que H.W. Fowler, um respeitado comentador do uso da língua, teria chamado de "extensão desleixada": quando "bisque" torna-se simplesmente sinônimo de "grosso e cremoso", seu significado é diminuído; purês de vegetais grossos e cremosos devem ser chamados de purês; sopas de mariscos grossas e cremosas devem ser chamadas de bisques.

Bistrô: Palavra que se tornou praticamente sinônimo de "informal" quando aplicada a estilos de restaurante, e por isso quase perdeu o sentido. Deveria identificar um estilo de restaurante que se originou em Paris no início do século XIX. Um bistrô era então, e continua sendo até hoje, um lugar que serve comida francesa correta e econômica, inclusive sanduíches, ovos, sopas, estufados, assados e pratos de preparo rápido usando ingredientes baratos (pratos que podem ser agrupados de maneira significativa sob o nome *bistrot cuisine*).

Bivalves: Os bivalves – mariscos, mexilhões, ostras – podem ser comidos crus ou cozidos. Mariscos e mexilhões são melhores simplesmente cozidos no vapor até que se abram, muitas vezes com um pouco de vinho branco, alho e tomilho. As ostras são apreciadas como alimento cru (talvez seja o único animal que costumamos comer enquanto ainda está vivo), mas podem ser gratinadas, assadas, fritas ou usadas como componentes de inúmeros pratos. Todos os bivalves se alimentam filtrando plâncton, e muitas vezes capturam toxinas: é prudente saber de onde provêm e como foram manipulados; depois de comprá-los, mantenha-os refrigerados e coma-os frescos. Com todos os bivalves, o frescor é primordial – quanto mais cedo você os comprar depois que tiverem saído da água, melhor.

***Blanquette*:** É um estufado claro, muitas vezes de vitela, em que a carne é primeiro branqueada para evitar que impurezas comprometam o líquido de cozimento. É notável por sua elegância e refinamento. Um fricassê, ao contrário, é um estufado claro em que a carne foi salteada sem dourar para começar a preparação.

***Blind bake*:** Significa assar uma massa ou fundo de torta antes de recheá-la. Quando o recheio for uma mistura líquida (em quiches, por exemplo) ou algo que não será cozido, a massa deve ser assada primeiro. Para impedir que o fundo empene, algum tipo de peso é posto sobre ele para mantê-lo plano enquanto assa. Existem pesos de torta feitos expressamente para esse fim, e eles são convenientes, mas um quilo de feijão seco sobre um pedaço de papel-manteiga ou de papel-alumínio funcionará igualmente bem.

Bochecha (carne de): A carne de bochecha bovina é um corte suculento e saboroso; como são músculos muito usados (e por isso duros), devem ser braseados. Alguns peixes, como bacalhau e linguado gigante, têm excelente carne de bochecha, sem ossos e compacta, que é cozida como o próprio peixe. Ver também QUEIXADA, um excepcional corte de carne de porco, muitas vezes curado e usado como *pancetta*.

Bolinhos fritos (*fritter*): Massa líquida ou crua recheada com uma guarnição – qualquer coisa, de fruta a peixe, passando por vegetais – e frita por imersão até ficar tostada. Dão ótimos aperitivos, excelentes guarnições para um prato principal e, quando doces, deliciosas sobremesas. Se não tiverem recheio, são chamados de *doughnuts*. Se não forem fritos, são *dumplings*. Como a maioria das comidas fritas por imersão, os *fritters* são melhores se comidos quando ainda sob o calor do óleo, por isso planeje servi-los à medida que ficarem prontos. Massa éclair presta-se esplendidamente para *fritters* doces. Uma farinha com baixo teor de glúten ou uma combinada com amido puro, como maisena, pode resultar num bolinho mais leve e macio.

Bolo: Os bolos, uma das principais categorias de preparações na cozinha doce (embora coisas como pão de milho e pães de minuto sejam tipos de bolo, também), são classificados segundo a proporção de ovo, açúcar, farinha e gordura, a forma como esses ingredientes são combinados e o tipo de fermento usado. Pode-se dizer que o método pelo qual se faz a mistura é o principal determinante da categoria e do tipo de bolo resultante. Pode-se *misturar diretamente* todos os ingredientes, ao mesmo tempo, em geral fermentando-os quimicamente (panquecas, *muffins*, pães rápidos); há o *método de bater em creme*, em que o açúcar e a gordura são misturados juntos numa massa cremosa, isto é, mecanicamente fermentada (o que é muitas vezes seguido pela adição de ovos, um de cada vez), e depois os ingredientes restantes são adicionados (*brownies, quatre-quarts, cheesecakes*); e o *método* *espumante*, em que ovos são batidos (por vezes com o açúcar) até que seu volume tenha aumentado substancialmente (mais uma vez, fermentação mecânica), e os demais ingredientes são misturados lentamente – uma estratégia que tira partido da extraordinária capacidade do ovo de reter ar e assim resultar numa massa leve e delicada. Há subcategorias desse método espumante. O *angel cake* é feito batendo-se apenas as claras, adicionando-se parte do açúcar para fazer um merengue, depois misturando-se lentamente a farinha (nenhuma gema, nenhuma gordura) – a farinha simplesmente dá sustentação à estrutura do merengue. Nos bolos *chiffon*, gemas e claras são separadas, uma massa é criada a partir de todos os ingredientes menos as claras, estas são batidas em neve e lentamente misturadas por fim. Os pães-de-ló combinam ovos inteiros e açúcar batidos sobre calor até ficarem em neve, e depois os demais ingredientes secos são misturados lentamente.

As misturas para bolo em caixa tornaram o preparo de bolos quase obsoleto nas cozinhas caseiras, uma circunstância lamentável, dado que essas misturas tendem a ser insípidas e secas em relação ao sabor e a rica textura que você pode dar a um bolo feito com os ingredientes básicos: ovo, açúcar, farinha e gordura.

Bom senso: Uma máxima valiosa na cozinha é que cozinhamos com nossos sentidos: avaliamos a aparência da comida, tocamos nela, ouvimos o volume do chiado na panela ou o som da massa girando no gancho da batedeira; nosso olfato nos ajuda a determinar se a comida está no ponto, e devemos sempre prová-la enquanto cozinhamos. Mas o bom senso deve ser incluído na lista de sentidos importantes na cozinha. Ele significa: pense sobre o que seus outros sentidos estão lhe dizendo. Significa descobrir por você mesmo. O bom senso é distribuído desigualmente entre nós quando nascemos, assim como os outros sentidos. Mas ele se desenvolve num cozinheiro por tentativa e erro, repetição pura. E também pela atenção prestada aos efeitos da temperatura e do tempo sobre a comida, e a como reagem os utensílios de cozinha. Você deve manter os olhos abertos, registrando e lembrando de tudo o que vê.

Botulismo: Tipo grave de intoxicação alimentar causado por uma toxina liberada pela bactéria *Clostridium botulinum*, que só cresce em ambientes quentes, livres de oxigênio e de baixa acidez – como latas, alimentos conservados em frascos de vidro com óleo e salsichas curadas a seco ou defumadas. É evitado pela esterilização rigorosa dos recipientes e, nos alimentos, pelo nitrito de sódio. Estas são as três partes importantes da equação do botulismo: os esporos de botulismo, abundantes no solo, não são tóxicos nem fáceis de matar; em um meio livre de oxigênio e à temperatura ambiente – feijões enlatados, uma salsicha pendurada –, os esporos podem produzir as bactérias, que não são perigosas em si mesmas. Mas se dermos às bactérias condições e tempo para se multiplicarem, elas produzirão a toxina mortífera, que só é imobilizada a temperaturas elevadas. Ver também BACTÉRIAS.

***Boudin blanc* e *boudin noir*:** Tipos especiais de linguiça, de textura delicada – semelhante à de um pudim, daí o nome *boudin*. O *blanc*, tipicamente feito com porco e uma abundância de ovos e creme de leite, é temperado com *quatre épices* e é distinto do *boudin blanc cajun*, que é temperado de maneira diferente e muitas vezes contém arroz. O principal ingrediente do *boudin noir* é sangue de porco, que se solidifica e aglutina os componentes em seu interior – como cebola, maçã e toucinho branqueado cortado em cubos.

***Bouillon*:** Palavra francesa para o caldo destinado a ser servido como é, em contraposição àqueles que servem de base para outras preparações. Por isso, um *bouillon* deve ter um sabor intenso da carne e dos aromáticos usados e ser bem temperado.

***Bouquet garni*:** Maço de ervas aromáticas amarrado com barbante de açougueiro, para ser facilmente retirado da comida, como um *sachet d'épices*, depois de tê-la condimentado. Costuma incluir salsinha, tomilho, louro, alho-poró, aipo ou outros aromáticos.

***Brandade*:** Ver BACALHAU SALGADO.

Branquear: Palavra com vários sentidos, dependendo de quem a usa, de modo que quase sempre requer alguma especificação ou explicação. Tecnicamente, branquear significa mergulhar uma fruta em água fervente por um minuto ou menos para que fique mais fácil descascá-la (tomates ou pêssegos, por exemplo), ou fazê-lo com uma verdura para "firmar" sua cor – mudar de verde descorado para verde vívido –, mantendo-a crua. Em algumas cozinhas, usa-se a palavra com o significado de aferventar, cozer parcialmente um vegetal e depois submetê-lo a choque térmico de modo que possa ser finalizado mais tarde. Batatas fritas são muitas vezes branqueadas em óleo a baixa temperatura para poderem mais tarde ser tostadas rapidamente em óleo quente. Muitos chefs usam o termo com o sentido de mergulhar um vegetal em água muito salgada sob ebulição intensa (uma xícara de sal kosher por galão, ou 3,78 litros, é uma boa proporção), cozendo-o inteiramente, depois removendo-o para um banho de água com gelo (ver CHOQUE TÉRMICO). Branquear pode significar também cobrir ossos com água fria e levá-los ao ponto de fervura, depois coá-los e enxaguá-los a fim de limpá-los para um caldo branco.

Brasear, braseado: Brasear significa bronzear a carne em gordura quente, depois submergi-la em líquido e cozê-la lenta e suavemente. O método é usado para cortes duros, quartos dianteiros e pernas – músculos com muito tecido conjuntivo que devem ser lentamente dissolvidos em gelatina antes de a carne ficar macia. É por vezes chamado de método de cozimento de combinação, usando calor seco (isto é, gordura muito quente) seguido por calor úmido (temperaturas inferiores à de fervura). Compare com estufar, que não implica necessariamente tostar e se refere em geral ao cozimento de pedaços menores de carne.

Os fatores-chave para a excelência do braseado são: a carne é tostada para ganhar sabor, cor, textura e para garantir a limpidez do líquido de cozimento. Carne crua cozida em líquido liberará sangue e proteínas numa espécie de espuma cinza. A carne pode ser branqueada (como numa *blanquette*) ou tostada; ambos os métodos diminuem a quantidade de impurezas que aparecem no ensopado pronto. A carne deve ser primeiro temperada com sal e pimenta, passada na farinha, depois tostada numa panela grande o bastante para dar lugar a ela e que possa reter calor suficiente para dourá-la. Caso se use uma panela pequena demais, a carne ficará comprimida, a umidade será capturada e esfriará a panela, levando a carne a cozer no vapor em vez de tostar. O segundo passo é combinar carne, caldo e aromáticos, levar o líquido a uma fervura branda no fogão, depois tapar parcialmente com uma tampa ou com papel-manteiga (o que permite alguma redução do caldo, ao mesmo tempo que impede o líquido de ferver vigorosamente; uma panela tampada ao forno ficará cerca de 11°C mais quente que uma destampada; ver McGee) e pô-la no forno a não mais que 150°C. O líquido não deve ferver – a temperatura ideal é em torno de 82°C. Deve-se cozer a carne até que fique macia ao garfo (braseados ficam cozidos demais quando o líquido absorve todo o sabor da carne e esta fica seca e fibrosa), depois deixá-la esfriar ainda submersa em líquido. Por fim, deve-se remover a gordura do líquido de cozimento, seja retirando-a imediatamente ou resfriando o braseado e permitindo que a gordura coagule, o que torna mais fácil removê-la. Braseados devem ser reaquecidos suavemente e sempre servidos muito quentes. (Ver também ESTUFADO.)

Brigada: O sistema de brigadas, descrito pelo chef francês Auguste Escoffier, organiza a cozinha profissional em termos de tarefas; a cada chef é atribuída uma tarefa particular – um é encarregado da preparação e cozimento de peixes (*poissonier*), outro dos molhos (*saucier*), outro de preparações gerais (*commis*) etc. Dessa forma, o trabalho se torna mais eficiente.

***Brûlé*:** Palavra francesa para queimado; aplica-se usualmente a uma camada de açúcar que foi finalizada sob a salamandra ou com um maçarico, para transformá-la numa dura casca caramelizada (*crème brûlée* é o exemplo mais comum).

***Brunoise*:** É um corte decorativo de vegetais, um pequeno cubo de 15 a 30 milímetros. Cozinhas de restaurante frequentemente os preparam cortando vegetais em *julienne* com um mandoline japonês e depois dividindo em cubos.

Bucho, dobradinha: O revestimento do estômago bovino requer um longo cozimento, idealmente num caldo saboroso repleto de ingredientes aromáticos. Tem aroma, sabor e textura peculiares.

Bufê: Estilo de serviço em que as pessoas se servem sozinhas; por conseguinte, determina um tipo específico de cozinha: comida que pode ser servida à temperatura ambiente – charcutaria, vegetais *à la grecque*, saladas de verduras e legumes, cremes e tortas –, ou comidas quentes que resistem bem, como carnes assadas e braseados. Um bufê não é apropriado para pratos que ficam melhores se concluídos *à la minute*: peixe magro, risoto, hortaliças verdes quentes.

Buttercream **(creme de manteiga):** Preparação em que açúcar (muitas vezes um xarope quente), ovos inteiros ou apenas as claras batidas e manteiga são combinados para fazer um rico e exuberante creme, muito usado como cobertura ou recheio para bolos. Os métodos de preparo são determinados pelo modo como o creme será usado, e variam segundo a proporção de gemas para claras e a maneira como o açúcar é manipulado. Uma parte de manteiga amolecida adicionada a duas partes de creme de confeiteiro (ver *CRÈME PÂTISSIÈRE*) dará uma forma versátil e variada dessa preparação.

Butterscotch **(caramelo em calda):** Um molho e sabor que se distingue do caramelo pelo uso de açúcar mascavo em vez de açúcar branco e pela adição de baunilha. Talvez por ter sido extensivamente adotado em misturas para pudins em caixa, tornou-se, lamentavelmente, uma preparação incomum. É mais complexo e rico que caramelo e é realçado quando se usa vinagre de sidra ou suco de limão como tempero para equilibrar a doçura intensa.

C

Cabeça: Cabeças de animais muitas vezes contêm carne e colágeno que darão sabor e gelatina a um caldo. Por vezes, podem ser adicionadas a outros ossos como parte do caldo, mas com mais frequência são um meio para um fim em si mesmo (*headcheese* e *tête de veau*, por exemplo). Cabeças maiores contêm cortes inteiros de carne (queixada de porco e bochecha bovina) que ficam excelentes braseados. São uma parte valiosa do animal e não devem ser desprezadas.

Caçarola: Embora possa se referir tanto a um refratário com tampa para assar em calor seco quanto à comida que é cozida e servida nela, "caçarola" denota um prato assado (e não um braseado) e remete à cozinha americana das décadas de 1950, 60 e 70, quando ele estava na moda; hoje o termo é menos comum. O *Joy of Cooking* original lista uma coluna inteira de pratos sob o título "caçarolas"; na edição revista e ampliada de 1997, o termo não é listado, mas ele reaparece na edição de 2006, talvez sugerindo uma espécie de ressurgimento.

Café: Além de uma esplêndida bebida, o café é também um tempero eficaz a ser usado em molhos e estufados. O sabor complexo, em especial o irresistível amargor, é um equilíbrio perfeito para a acidez de tomates concentrados – num molho de tomates ou baseado neles, como o *barbecue*, para não mencionar o "*red-eye gravy*" (molho cuja base é formada, normalmente, usando-se café em vez de vinho ou caldo para deglaçar uma panela). Pode também ser usado para condimentar cremes e bolos. Sabores de café concentrados, como extratos de expresso ou pó de expresso instantâneo dissolvido numa parte igual de água fervente, também são usados. Se um molho ou creme impregnado com sabor de café for ser coado, podem-se usar grãos de café recém-moídos ou picados; caso contrário, deve-se usar café passado na hora. O sabor do café é especialmente volátil. Atinge seu máximo e depois se dissipa. É fácil cozer o café em excesso. Ele pode ser delicioso muito quente ou muito frio, mas é intragável entre uma coisa e outra. Um instrumento poderoso e inusitado na cozinha.

Caipira (estilo): O termo caipira, quando aplicado a comida, pretende sugerir simplicidade ou não refinamento da textura dos ingredientes. Segundo alguns, a palavra conota rusticidade, autenticidade; para outros, é irremediavelmente vaga, até depreciativa em sua sugestão de ingredientes de qualidade inferior ou de preparação menos cuidadosa, devendo por isso ser evitada. É melhor usar os adjetivos colonial ou *de campagne*. Ver CAMPAGNE.

Caldeirão: Uma panela espessa com capacidade para pelo menos 5,5 litros, geralmente mais alta que larga. É adequada para consomês, caldos ou estufados, que exigem longo cozimento com menor evaporação. Deve ser parte de uma cozinha bem equipada. Panelas com capacidade ainda maior são úteis não só para fazer maiores quantidades de caldo como para outros usos, como deixar cortes maiores de carne ou aves inteiras na salmoura.

Caldo: Líquido saboroso para ser usado na preparação de outros pratos, feito aquecendo-se suavemente vegetais, ingredientes aromáticos, ossos e carne. Os dois fatores fundamentais que afetam um caldo são, em primeiro lugar, a qualidade dos ingredientes, e em segundo, a manutenção de calor suave (entre 70°C e 82°C) durante um tempo apropriado (ossos requerem longo tempo de cozimento; vegetais cozidos por tempo igualmente longo começarão a se decompor e comprometerão o sabor e o rendimento). Embora você deva se sentir tranquilo medindo "no olho", uma proporção comum para caldo de carne é 3,5 quilos de ossos em 7,5 litros de água e 450 gramas de *mirepoix*, que renderão pouco mais que 3,5 litros de caldo. O uso de menos água e/ou mais ossos e vegetais resultará em sabor mais intenso. Além do tradicional *mirepoix*, outros ingredientes aromáticos apropriados incluem alhos-porós, tomates e ingredientes em sachê, como salsa, tomilho, louro e grãos de pimenta. Use apenas ingredientes florais ou doces; sua panela de caldo não é uma lata de lixo. Se for comprar caldo pronto, evite produtos com muito sódio e lembre-se de que há grande variação de qualidade, o que produz um impacto igualmente grande sobre o prato final. A qualidade dos caldos que você mesmo faz é muito superior à dos que você pode comprar. Se não tiver caldo e a receita pedir um, muitas vezes água é preferível a *bouillons* em lata. (Ver o artigo CALDO, p.11.)

Caldo branco: Caldo feito de ossos não tostados e vegetais aromáticos não caramelizados, para se manter claro e sutil. (Caldos escuros têm o aroma, a cor e os sabores complexos dos assados e a doçura intensa da caramelização dos vegetais.) Se os ossos para um caldo branco não forem escaldados primeiro – o que melhora enormemente a limpidez do caldo finalizado –, o cozinheiro deve escumar cuidadosamente logo depois que ele chega ao ponto de fervura, removendo as proteínas coaguladas e as impurezas que sobem à superfície.

Caldo de panela: O líquido deixado numa panela depois que você cozinha carne ou vegetais é muitas vezes um caldo saboroso e nutritivo, e pode ser adicionado ao prato que você está preparando para dar sabor e umidade. Para ainda mais refinamento e força, pode-se fortificar alguns caldos de panela coando-os para uma panela menor e reduzindo-os.

Caldo de peixe: Valiosa preparação básica para pratos de peixe, de sopas a molhos, um caldo para o qual não há substituto ou equivalente comum vendido em lojas. O caldo de peixe deve ser feito com ossos de peixe branco e deve ser cozido suave e brevemente. (Ver o artigo CALDO, especificamente a p.12, para notas sobre a preparação básica.)

Caldo de vitela: Seja escuro ou claro (isto é, de carne e ossos assados ou não), é o mais versátil e útil caldo na cozinha por causa de sua abundante gelatina e sabor neutro. (Ver o artigo CALDO, p.11.)

Caldo escuro: É feito com ossos que foram assados; pele, ossos e carne dourados no forno ou na panela dão aos molhos cor dourada, sabor e complexo aroma de assado. Geralmente o *mirepoix* é dourado antes de ser adicionado ao caldo, para dar sabor e cor ainda mais intensos. Em restaurantes, caldo escuro significa muitas vezes caldo escuro de vitela. Algumas cozinhas que querem introduzir elementos assados *depois* que o caldo básico está feito colorem-no com alguma forma de tomate (usualmente extrato), mas em geral caldo escuro significa aquele feito com ossos assados.

Calor direto: Refere-se a cozer sobre brasas, diretamente sobre elas, e não com a comida afastada para o lado (caso em que se utiliza calor indireto). É o equivalente, na grelha, ao salteado – fogo alto, calor seco, usado para desenvolver uma superfície saborosa num item naturalmente macio. Para comidas que precisam de mais tempo a temperaturas mais suaves, deve-se usar calor indireto. Exceto para itens que requerem muito pouco cozimento, uma combinação de calor direto (para sabor) e indireto (para cozimento uniforme) é o melhor.

Calor: Níveis de calor são decisivos para uma excelente culinária, e têm infinita extensão. Os níveis de calor para saltear variam de acordo com o que está sendo cozido. Cozinheiros caseiros sentem-se por vezes inseguros quanto ao que calor baixo ou calor médio realmente significam. Quando em dúvida, deve-se considerar o que está sendo cozido e qual o resultado pretendido: uma superfície caramelizada ou um lento derretimento da gordura e algum amaciamento? O item a ser cozido é duro (requerendo fogo baixo) ou naturalmente macio (fogo alto)? Fogo baixo no tampo do fogão é aquele em que a comida pode passar muito tempo na panela, o que você pode querer, digamos, para bacon ou linguiça. Fogo alto geralmente significa levar o óleo de cozimento a fumegar, ou quase isso, e não apenas doura a comida como tem o efeito secundário de impedir que ela grude na superfície de cozimento. Ao determinar o nível de calor ou decifrar o sentido de uma receita, pense sobre a comida e use seu bom senso.

Calor seco: Refere-se às maneiras de cozer sem água – saltear, grelhar, assar sobre brasas e fritar – e implica temperaturas elevadas, normalmente a partir de 180°C, nas quais o excesso de água terá evaporado. (Ver CALOR ÚMIDO, sua contrapartida.)

Calor úmido: Calor, definido basicamente pelo fato de estar ou não abaixo do ponto de ebulição da água, 100°C, é um dos principais métodos de cozimento. Brasear, escalfar e cozer no vapor são métodos de cozimento em calor úmido, usados para cortes duros cozidos por longos períodos ou para tipos muito macios de carne cozidos rapidamente, bem como para vegetais; braseamos um pernil duro de cordeiro e vitela por longo tempo em líquido para decompor seu tecido conjuntivo e amaciar a carne de uma maneira que não a resseque; escalfamos peixes e os cozemos no vapor. Compare com cozimento em calor seco. Calor úmido pode ser usado em conjunção com cozimento em calor seco, como no caso de um braseado em que a carne é tostada antes de ser imersa no líquido, o que é chamado na escola de culinária de cocção por calor combinado.

Câmara fria: Sala refrigerada (em contraposição a um refrigerador ou balcão refrigerado).

Cambuza: Refere-se à parte do *garde-manger*, isto é, à estação de comidas frias da cozinha de um restaurante, onde são elaborados saladas, sanduíches e outros itens que não precisam ser aquecidos para servir.

***Campagne* (estilo):** Palavra francesa para campo, este termo sugere uma preparação rústica ou simples, e denota cortes grosseiros, texturas ásperas, sabores robustos e ingredientes baratos. É muito usado para indicar um patê grosseiramente moído e que inclui um pouco de fígado, por exemplo, ou um pão grande e massudo, com crosta grossa (*pâté* ou *pain de campagne*). É útil para estabelecer expectativas com relação a um prato, mas "rústico" não deve sugerir falta de qualidade ou de cuidado.*

Canapé: Tecnicamente, é uma preparação salgada servida sobre um pequeno pedaço de torrada com tamanho para ir à boca de uma só vez, mas o sentido se alargou para incluir qualquer forma de alimento com tamanho pequeno, de uma só mordida, servidos em porções individuais antes do jantar. Compare com *hors d'oeuvre*: pratos servidos antes da refeição que não vêm em porções individuais (azeitonas e nozes ou um prato de frios, por exemplo). Canapés devem ser criados com imaginação – praticamente qualquer coisa pode ser transformada num canapé, desde os comuns (feitos como minissanduíches abertos) até os mais elaborados (sopa, por exemplo, servida em xícaras de cafezinho).

Capão: Designa um frango capado. Atualmente são raros nos mercados, mas são apreciados pelo fato de que, embora cresçam muito, chegando a mais de 3,5 quilos, são aves tenras e delicadas. Excelentes para assar.

Capsaicina: Substância química concentrada na polpa branca interior das pimentas em fruto (chilis), responsável pela "ardência". Para reduzir o ardor, remova a polpa branca e as sementes antes de usar. Se você estiver trabalhando com muitas pimentas, é uma boa ideia usar luvas de látex; é difícil tirar a substância química dos dedos e ela pode facilmente ir parar nos olhos. Se um molho estiver ardido demais, você pode fazer uma quantidade adicional sem as pimentas portadoras da capsaicina e adicioná-la ao original; a ardência pode ser um pouco mitigada também pela adição de um amido (como batata) ou uma gordura (manteiga).

Caramelizar: Tecnicamente, a caramelização é o nome que se dá ao que acontece com moléculas de açúcar quando elas se aquecem, se decompõem e começam a formar novos compostos. Quando caramelizamos açúcar simples, este ganha diferentes matizes e sabores complexos. Muitas vezes

* Em português, dependendo de a que se refere, podemos chamar esse estilo de colonial, do colono, do campo, rústico, do sítio... (N.R.T.)

nos referimos ao douramento e adoçamento de cebolas e outros vegetais (e, de fato, a quase qualquer coisa que fique dourada ao cozer) como "caramelização". Na maioria dos casos, porém, o douramento é provavelmente o resultado da reação de Maillard (a reação de proteínas e carboidratos ao calor), não uma verdadeira caramelização. Mas esta continua sendo uma palavra significativa e menos desajeitada para descrever o douramento de frutas e hortaliças durante o cozimento que a incômoda expressão "reação de Maillard".

Carboidrato: Uma ampla categoria de alimentos que inclui açúcares, amido, celulose, pectinas e gomas – praticamente tudo o que comemos, exceto proteínas e gorduras. Frutas e hortaliças (de fato, todas as plantas) são compostas fundamentalmente de carboidratos. Nós, seres humanos, transformamos a maior parte dos carboidratos que comemos em açúcares, que convertemos em energia. Não digerimos celulose (fibra), a substância que fornece estrutura às plantas. (Ver McGee para descrições detalhadas.) Vários tipos de carboidratos, de batatas a algas marinhas, são usados para espessar e gelificar líquidos.

Carne: Refere-se normalmente a músculo animal. Para informação geral sobre o cozimento de proteína animal. (Ver CARNE BOVINA, FRANGO, CARNE DE CORDEIRO e CARNE DE PORCO.)

Carne bovina: Este texto defende o uso de carne de gado que tenha sido criado naturalmente, sem receber hormônios de crescimento, antibióticos ou subprodutos de carne. Ela pode ser adquirida na internet, mas também, cada vez mais, e menos dispendiosamente, em supermercados americanos.*

Ao pensar em carne bovina genericamente, costumamos dividi-la em três categorias: os músculos macios, que são deliciosos quando levemente salteados, assados na panela ou na brasa (filé e alcatra, por exemplo, dos quais obtemos o filé mignon e o contrafilé); músculos duros, bem marmorizados como o peito e o músculo, cortes que é melhor brasear para de-

* No Brasil, esse tipo de carne não é tão fácil de encontrar. Chamada de "orgânica", é vendida apenas em casas especializadas e redes de supermercado de grandes centros urbanos, ou diretamente pelos produtores. Representa ainda uma parte muito pequena da produção, se comparada à carne comum. (N.R.T.)

compor o tecido conjuntivo (ou moer, para amaciá-lo mecanicamente); e os grandes e muito usados músculos que não são nem extremamente macios, nem bem marmorizados, nem especialmente saborosos, como os cortes arredondados (coxão duro, coxão mole e lagarto). Estes últimos podem, entretanto, ser uma escolha econômica e são tão saborosos quanto os cortes mais caros quando preparados cuidadosamente (moídos para um *steak tartare*, por exemplo, ou rapidamente salteados e servidos com um molho à base de gordura).

A carne bovina pode ser comida crua (*tartare*, carpaccio), mas a que é comercialmente moída pode conter patógenos, mais comumente a perigosa bactéria *E. coli*, que existe no exterior da carne e não dentro do músculo. Crianças e todos que têm a saúde comprometida devem evitar hambúrguer de carne crua moída comercialmente. Ao fazer preparações com carne crua, é aconselhável comprar cortes inteiros, enxaguá-los e salgá-los, depois cortá-los e moê-los você mesmo.

Carne de caça: Animais e aves silvestres, caçados e cozidos, são diferentes de seus irmãos domesticados. Tendem a ser mais magros, em consequência de sua própria atividade de caça na natureza, e sua carne tende a ter sabores mais fortes, mais intensos e associados com sangue e vísceras, em razão de seus esforços e de uma dieta obtida em seus ambientes próprios. As categorias de carne de caça incluem carne de veado (alce, cervo, caribu, antílope, alce americano), urso, exóticos (porco, carneiro e bode selvagens), animais pequenos de pelo e de penas, e répteis. Há cuidados com alguns animais silvestres que não se aplicam aos de criação doméstica. Porcos e ursos silvestres, que comem tudo que encontram pela frente, inclusive coisas como aves mortas, podem transmitir triquinose (que você dificilmente encontraria num porco doméstico). E os especialistas recomendam manter distância do tecido espinhal e cerebral de veados. No entanto, as questões de segurança alimentar em geral dizem respeito ao cuidado com que o animal foi eviscerado; se ele foi limpo e preparado por um especialista, a maior parte dos cortes pode ser comida mal cozida ou malpassada. Isto é importante porque a carne de caça tende a ser muito magra. Lardear e bardear são boas técnicas para aumentar a suculência; para aqueles preocupados com gordura, escalfar suavemente em caldo é outra opção.

Carne de cordeiro: Como a carne de outros animais terrestres, a de cordeiro é dividida em duas categorias amplas: dura e macia. Ela é muito saborosa, especialmente a dos animais criados naturalmente e alimentados no pasto (os cordeiros são ruminantes). Cortes macios podem ser comidos muito malpassados, mas a maioria dos chefs acredita que mesmo estes são mais saborosos ligeiramente acima de malpassados. Perna de cordeiro pode ser dura, mas os músculos propriamente ditos são macios e podem ser separados do tecido conjuntivo que os liga e cozidos como outros cortes macios. Quanto mais jovem, mais macio o cordeiro – os filhotes que ainda não começaram a se alimentar de capim especialmente.

Carne de órgãos: Ver MIÚDOS.

Carne de panela: Tipicamente, refere-se a carnes lentamente cozidas até ficarem muito macias, rasgando-se facilmente, depois misturadas com um pouco de sua gordura, um pouco do líquido de cozimento e alguns temperos, e deixadas para esfriar. Podem ser comidas informalmente com pão e mostarda e fazem um aperitivo perfeito. *Rillettes* – em geral de porco, mas pato, coelho e salmão são comuns também – são a forma mais literal das preparações com carne de panela, mas *confit* e até patê se incluem nessa categoria. Originalmente um método para conservar alimento, continua sendo uma ótima maneira de transformar carne dura e barata numa comida deliciosa.

Carne de porco: Os músculos do porco, abundantes e saborosos, prestam-se a uma ampla série de usos culinários, como braseados, salteados ou curas. Trata-se de uma carne inigualável no mundo animal, por sua versatilidade. Músculos macios como o lombo e o lombinho ficam melhores salteados ou assados rapidamente e servidos suculentos. O Departamento de Agricultura dos Estados Unidos recomenda que a carne de porco seja cozida à temperatura de 65°C para matar as triquinas, outrora comuns nesses animais. No entanto, a maioria dos chefs não cozinha cortes macios além de ao ponto, se tanto, e isso é perfeitamente aceitável, porque as larvas não são mais um problema na carne de porco comercializada (além disso, as triquinas são mortas a 59°C, e podem ser eliminadas também por congelamento; ver McGee). Os músculos muito trabalhados, como as pernas, e a barriga devem ser cozidos lentamente para ficar macios. A paleta de porcos criados naturalmente tem uma proporção de cerca de 70:30 de carne para gordura, e é perfeita para ser moída como recheio de linguiça.

Carne de porco salgada: Geralmente feita com nacos da barriga e da paleta, é conservada unicamente com sal e usada como tempero em sopas, estufados e legumes. Raramente é preparada como prato principal. É muito fácil curá-la em casa: cubra aparas de carne de porco ou pedaços de paleta com sal, tampe e refrigere por uma semana, cubra novamente com sal e tampe uma segunda vez, depois enxágue e seque com pano ou toalha de papel. Bem embalada, essa carne durará muitas semanas no refrigerador e, é claro, indefinidamente no freezer.

Carolinas: Ver *PATÊ A CHOUX*.

Carpaccio: O termo é muitas vezes utilizado para designar qualquer carne crua finamente fatiada, mas sua forma original – carne bovina fatiada e batida – é a mais valiosa. Trata-se de um método excelente para servir um corte não dispendioso (lagarto é o melhor, preferível a filé, que pode esmagar quando batido) de maneira elegante. Use carne bovina orgânica ou de bois criados no pasto se puder encontrá-la, e tome cuidado com os clichês potenciais. "Carpaccio, um termo culinário popular que promete um prato forrado com carne finamente fatiada, ou peixe, ou qualquer outra coisa a que o cozinheiro pretenda dar glamour, sofreu em decorrência do excesso de exposição, mas isso não obscurece o lustre do brilhante prato original", escreve Judy Rodgers em *The Zuni Cafe Cookbook*. "Fácil de ofuscar, o carpaccio aparece melhor num contraponto contido, com contrastes cuidadosos de sabor, textura e temperatura."

Carretilha de massa: Cortadores usados para longos pedaços de massa, disponíveis em vários tamanhos. A roda pode ser simples ou, para bordas decorativas, estriadas – o que pode adicionar um toque significativo a bordas de massas.

Cartilagem: A cartilagem compõe-se principalmente de tecido conjuntivo, colágeno, o qual, quando cozido suavemente num caldo ou estufado, dissolve-se parcialmente em gelatina. É isso que dá corpo ao líquido. Uma boa proporção de juntas em relação à quantidade de carne e osso garante um caldo de excelente corpo.

Casca: As cascas das frutas e dos vegetais raramente são usadas na culinária porque tendem a ser duras e sem sabor. No entanto, parte da casca de frutas cítricas é frequentemente usada por seu sabor vívido e refrescante.

Casca de limão-taiti: Tem o sabor do fruto, sem a sua acidez; um excelente tempero. A mesma regra válida para os outros cítricos aplica-se a ele: use apenas a casca, removendo a camada branca, escalde-a e depois mergulhe-a em água com gelo para remover o amargor.

Castanha de caju: Além de serem excelentes para comer assadas, são valiosas na cozinha por seu sabor doce e sua capacidade, quando moídas, de engrossar e condimentar molhos graças a seu alto teor de amido – mais notável em pratos indianos.

Castanhas: Há muitas variedades delas, mas são sempre sementes comestíveis, de frutos de semente única, de casca dura, provenientes de diversos tipos de árvores e arbustos. Assadas e salgadas, são um excelente petisco, é claro, mas também um bom companheiro para o cozinheiro: adicionam sabor, crocância e por vezes doçura a inúmeros pratos salgados ou doces. Podem ser usadas simplesmente como guarnição – quer sejam amêndoas sobre vagens ou em biscoitos, quer sejam castanhas de caju em saladas ou amendoim com frango – ou como o componente fundamental de um prato. São quase sempre torradas para liberar seu sabor e endurecer a textura. Podem ser confeitadas e/ou condimentadas para acrescentar sabor. Castanhas são também uma maneira excelente de engrossar e aromatizar molhos – amêndoas num molho *romesco* ou castanhas de caju misturadas com creme de leite para uma base de molho indiano, por exemplo.

Cebola: Um dos mais importantes ingredientes da cozinha salgada, talvez até o mais importante em matéria de aromáticos (*os* ingredientes mais importantes são água e sal, mas eles não são, estritamente falando, comida). As cebolas são usadas continuamente no processo de cozimento –

sua importância para o caldo é fundamental, elas condimentam a comida durante todo o cozimento, e são deliciosas cozidas e servidas sozinhas ou como acompanhamento. Fornecem uma série de sabores, dependendo do modo como são cortadas e cozidas: picante, sulfuroso ou com um fundo adocicado. Sua doçura aromática é a chave dessa versatilidade. As cebolas espanholas são as melhores para uso geral, porque são baratas, grandes e sempre disponíveis. Mas não despreze as cebolas roxas – são excelentes e podem ser usadas também para múltiplos fins. Cebolas doces como *Vidalia* e *Wala Wala* são ótimas para cozinhar, mas, como são mais caras, devem ser usadas para preparações cruas que tiram partido do fato de que contêm menos dos compostos de enxofre que tornam outras cebolas mais pungentes. Cebolas cruas para saladas podem ser postas de molho em água salgada ou maceradas num ácido para que suas qualidades acres sejam substancialmente reduzidas. (Ver também ALHO-PORÓ; ECHALOTA.)

Ceder ao garfo: Termo usado pra indicar que carnes duras braseadas ou estufadas estão prontas. Significa que, quando um garfo é empurrado na carne, ela não oferece resistência aos dentes, ou que um pedaço de carne cairia do garfo por força do próprio peso.

Celulose: É um material estrutural das plantas, uma fibra, substância que não digerimos, mas que apesar disso é benéfica para o trato digestivo. Em pratos muito refinados, a celulose é em geral removida – molhos e sopas de vegetais coados num chinois, por exemplo.

Cenoura: Vegetal aromático fundamental, usado num sem-número de preparações por sua doçura. Compõe um quarto do *mirepoix* tradicional e pode ser usada como base na maioria dos caldos, estufados e sopas. É difícil imaginar um caldo ou estufado que não se beneficie com cenouras. Se você for usá-las como ingrediente básico – fazem uma excelente sopa quando batidas e são excelentes caramelizadas, grelhadas e assadas –, deve comprá-las em rama, ainda com as folhas; essas são em geral mais frescas e de melhor qualidade (mas nem sempre) que as ensacadas.

Cerâmica: Recipientes para cozinhar feitos de argila são especialmente adequados para o cozimento longo e suave de estufados e braseados: aquecem-se e esfriam lentamente e são não reativos. Como podem rachar, não são tipicamente usados em fogo alto direto, mas podem ser usados com cuidado no fogão (a *tagine*, um prato raso de cerâmica com tampa cônica, é geralmente usada no tampo do fogão). Por conservarem calor tão bem e assim manterem a comida quente, são recipientes excelentes também para servir. Muitos braseados asiáticos são ditos "cozidos numa panela de argila". Também dignas de nota, quer o recipiente esteja em uso ou não, são a aparência e a textura da própria argila, especialmente se for feita à mão; há uma atraente simetria em preparar comida numa panela feita à mão.

Ceviche: Preparação em que fatias cruas de peixe ou mariscos são cobertas com um ácido (muitas vezes suco de limão), juntamente com outros aromatizantes, por curto tempo antes de serem servidas. O ácido coagula as proteínas na superfície, firma a carne e a tempera sem ofuscar o sabor da peça crua. Só se deve usar peixe muito fresco (experimente uma fatia crua para avaliar a qualidade); os mais adequados são os das águas tropicais em torno da América do Sul, onde sua preparação teve origem – vermelho, linguado, atum, salmão e camarão.

Chá: Embora seja uma bebida muito apreciada em todas as suas variedades, o chá pode ser usado também como tempero, uma fonte de sabor adicional, seja líquido, gelificado ou através da fumaça de suas folhas. O verdadeiro chá é feito de uma planta específica, mas a palavra passou a designar qualquer tipo de folha em infusão.

Chaira: Instrumento de cozinha usado para amolar facas, não para afiá-las. A lâmina de uma faca é composta de dentes microscópicos, e perde o fio quando estes saem do alinhamento; uma chaira funciona alinhando esses dentes. Não se pode afiar facas numa chaira, mas o uso regular dela ajuda a manter um gume afiado.

Champanhe: Vinho branco espumante feito na região epônima da França. Embora o nome por si só seja uma marca de qualidade, há muitos vinhos brancos espumantes excelentes que não provêm dessa região. Champanhes e vinhos brancos espumantes de qualidade podem ser usados com bom efeito em molhos.

Chapa (de fogão): Enquanto alguns fogões usam queimadores, outros usam chapas, pesados painéis de aço ou ferro fundido aquecidos a partir de baixo que ficam muito quentes e assim permanecem. Funcionam tão bem quanto queimadores a gás se o fundo das panelas for plano (panelas que costumam ser postas fumegantes sob água corrente podem acabar ficando empenadas e serão menos eficientes numa chapa). Muitos chefs atualmente preferem a chamada chapa graduada, que é aquecida no centro, de modo que o cozinheiro pode ajustar a temperatura sob a panela movendo-a para mais perto ou mais longe desse ponto.

Chapa de ferro: Grande superfície lisa de ferro fundido para cozimento, que fica muito quente e conserva o calor, e em que se pode cozinhar diretamente. Na gíria de cozinha, usa-se o verbo "chapear" para se referir ao método de cozimento. Propriamente mantidas, essas chapas desenvolvem excelente superfície antiaderente.

Charcutaria: Refere-se a carnes cozidas, principalmente de porco, incluindo linguiças, patês, linguiças curadas a seco e presuntos, bem como *confits* e *rillettes* de carne bovina e de carneiro. Charcutaria (termo derivado das palavras francesas para carne e cozido) designava outrora apenas produtos de porco, mas o sentido se ampliou para incluir todo tipo de alimento curado e em conserva, de salmão defumado a carne-seca e vegetais. A palavra pode se referir também às lojas onde esses produtos são vendidos.

***Chaud-froid*:** Preparação em que carne cozida e esfriada (as palavras significam quente-frio em francês) é coberta com um molho espesso – normalmente um molho branco rico em gelatina que endurece quando esfria – e depois glaceada com aspic. Por vezes as porções recebem uma decoração sobre o molho branco endurecido e são então glaceadas com aspic claro. Além de vistoso num bufê, é uma maneira conveniente de servir a carne com dois molhos diferentes montados no prato. Um clássico *chaud-froid* é frango com molho de estragão. O frango é escalfado e esfriado, depois coberto com um *velouté* de frango com infusão de estragão fortemente temperado, porque será comido frio. Depois que o molho endurece sobre o frango, um consomê de frango com adição de gelatina é derramado sobre os pedaços, conferindo-lhes um brilho laqueado.

Chef: Significa líder. *Chef de cuisine* é o chefe da cozinha. Um chef que não cozinha mais em seu restaurante deve ser chamado de *chef-restaurateur.* A expressão "chef executivo" designa tipicamente alguém que supervisiona uma cozinha ou todo o processo do alimento.

***Chiffon*:** Tipo de bolo em que se combina uma massa líquida (usando óleo vegetal em vez de gordura sólida) com merengue para uma consistência leve e esponjosa.

***Chiffonade*:** Um corte elegante, como um *julienne,* usado principalmente com ervas que farão parte da guarnição de um prato. Para cortar manjericão, sálvia ou qualquer outra folha em *chiffonade,* empilhe-as, enrole-as num feixe apertado e fatie-as perpendicularmente em tiras muito finas.

Chili: Designa um tipo de fruto pungente. Uma ampla variedade encontra-se disponível nos mercados, tanto de frutos frescos quanto secos (e por vezes enlatados, como os *chipotles* em molho *adobo**). Todos têm seus próprios sabores e níveis de ardência. São extraordinariamente versáteis e adicionam excelentes sabores e vivacidade a um sem-número de pratos. A ardência dos chilis (capsaicina) reside na polpa branca a que as sementes estão presas; esta, juntamente com as sementes, é normalmente removida e jogada fora quando se preparam chilis frescos. Estes – *poblanos, jalapeños, serranos* e *habaneros* são os mais comuns – costumam ter seus talos e sementes retirados. Os chilis secos – *ancho, chipotle, guajillo* e *cascabel,* por exemplo – são melhores se ligeiramente assados para que fiquem completamente desidratados e tenham o sabor realçado. Os talos e sementes são então removidos e essas pimentas podem ser picadas ou, mais comumente, transformadas em pó num moinho de especiarias ou moedor de café. Como alternativa, podem ser reidratadas em água quente e, depois de terem os talos e as sementes removidos, picadas e usadas em molhos. O falecido historiador dos alimentos Alan Davidson usa a palavra nativa para esse importante fruto em seu *Oxford Companion to Food,* e seu colega Harold McGee une-se a ele, usando o termo exclusivamente para as pimentas em fruto. "Dadas as muitas

---

* Molho para conserva, à base de vinagre, cebola, ketchup e alho, comum em vários países latinos. (N.R.T.)

possibilidades de confusão", escreve McGee em *On Food and Cooking*, "concordo com Alan Davidson e outros que devemos nos referir aos *capsicums* pungentes com o inequívoco nome em náuatle: *chili*."

Chinois: Coador cônico de metal. Pode ser grosso, de chapa perfurada, sendo usado para coar ingredientes maiores ou que precisam ser espremidos para extrair o máximo de sabor possível, como cascas de lagosta e camarão. Ou pode ser fino, de tela ou malha, sendo inestimável para coar caldos, molhos e sopas. É um instrumento de refinamento; receberá um molho áspero e grosso ou uma sopa em forma de purê e lhes dará uma textura aveludada. Vegetais crus transformados em purê num liquidificador podem ser transferidos para um chinois e apertados contra a malha para que apenas seu suco seja coado. Para um refinamento final, quando estiver coando molhos, bata no aro do chinois para fazer o líquido passar pela malha. Não calque uma concha no fundo; espremer os sólidos dessa maneira empurrará as minúsculas fibras que você está tentando remover através da malha e as levará de volta para o molho.

Chocolate: Substância notável pela complexidade do sabor e a opulência da textura. Nunca antes os cozinheiros tiveram a sua disposição chocolate de tão boa qualidade para cozinhar e assar. Ele é também uma substância com que é fácil trabalhar, mais ou menos um produto pronto que você acrescenta à sua preparação para lhe dar sabor e textura. A mais simples de todas as preparações de chocolate é o *ganache*, também conhecido como molho de chocolate. Pique 225 gramas de chocolate, derrame 225 gramas de creme de leite quente sobre ele, espere alguns minutos e mexa. A qualidade do resultado depende basicamente da qualidade do chocolate. Para cozinhar e assar, costuma-se usar chocolate meio-amargo ou amargo. A qualidade é muitas vezes indicada pela porcentagem de chocolate real (sólidos de cacau, o sabor, e manteiga de cacau, a gordura) na barra. O chocolate meio-amargo ou amargo padrão contém cerca de 55% de chocolate real (o resto é basicamente açúcar). Chocolates com 60% a 70% de cacau são agora comumente disponíveis, e podem ter sabor mais complexo e vigoroso. Em regra, a qualidade depende do preço. Experimente e compare as marcas. Se a confecção que você está planejando depende do sabor do chocolate, escolha um com alta porcentagem de cacau que você aprecie.

Choque térmico: Alimentos podem ser mergulhados em água com gelo para que seu cozimento seja detido. Verduras são comumente cozidas em água salgada e imediatamente submetidas a choque térmico.

***Chowder*:** Tipo de sopa que pode ser concebido como um método de preparação. Tradicionalmente, os *chowders* são baseados em frutos do mar e batatas, contêm porco salgado para dar sabor e são repletos de ingredientes, quase como um estufado. Podem ser feitos com uma base de água ou caldo e por vezes são engrossados em creme com um *roux*. Hoje, porém, *chowder* – quer seja com tomates (Manhattan-style), creme de leite (New England-style) ou vegetais (*corn chowder*) – denota uma sopa grossa, repleta de ingredientes.

Chutney: Mais comumente considerado um condimento, é uma mistura de frutas, vegetais ou ervas temperada com ácidos e especiarias de gosto forte, cozida para concentrar os líquidos e os sabores – uma mistura agridoce por vezes fortemente picante, muito associada à cozinha indiana. Vários chefs, porém, usam esse termo para designar qualquer tipo de molho grosso contendo pedacinhos, e é útil pensar nele dessa maneira quando você está planejando um cardápio e considerando o que combinar com carne ou peixe. Assim ele não é muito diferente da *salsa*, a palavra espanhola para molho que, aqui, conota um saboroso molho à base de vegetais em pedaços. Tanto o chutney quanto a *salsa* devem fazer parte do arsenal de molhos de um cozinheiro.

Cítricos: Na cozinha, a palavra designa um grupo de ácidos salutares que conferem excelente sabor, frescor e vibração a grande número de preparações. É uma categoria fundamental de tempero. Sucos cítricos podem também formar a base de vinagretes, e podem ser reduzidos e usados como fundo para molhos doces ou salgados.

Clara de ovo: Ver ALBUME.

Clarificação: Processo em que uma mistura de clara de ovo é usada para remover partículas de um caldo, vinho, suco ou qualquer líquido que deva ser servido perfeitamente límpido (ver CONSOMÊ). A mistura de clara de ovo, que pode também conter carne moída, *mirepoix*, tomate e casca de ovo, é adicionada crua a um líquido que é em seguida aquecido; à medida que coagula, a clara forma o que é chamado de nata, o estágio final da clarificação: um disco ou tapete de carne e clara de ovo coagulados que é de fato uma rede de proteínas que recolhe as partículas responsáveis por tornar o caldo opaco. Depois de cozinhar em fogo lento por cerca de uma hora (suavemente, de modo a não destruir a nata), o caldo é retirado da panela com uma concha (ou, em grandes quantidades, é escoado com um sifão) e passado por um filtro de café. É possível clarificar caldo usando apenas claras, mas, como a rede de proteína dilui um pouco o sabor do caldo, é importante incluir carne e ingredientes aromáticos adicionais à mistura.

Clorofila: Pode-se liberar e concentrar eficazmente o pigmento verde das plantas moendo suas folhas (espinafre, salsinha e agrião, por exemplo), mergulhando-as em água, cozendo-as em fogo lento e coando-as. A pasta resultante pode ser adicionada a molhos e outras preparações para um visual intensamente verde.

***Clostridium botulinum*:** Ver BOTULISMO.

Coador: Em relação à variedade de coadores disponíveis, a principal consideração é a fineza da malha. Um coador de malha fina é muitas vezes chamado de chinois, e é usado para coar caldos e molhos. Coadores para uso geral na cozinha e *chinois tamis* têm malha mais larga e são usados mais para permitir que um líquido flua através deles que para capturar impurezas, o que é o principal objetivo do chinois.

Coagular, coagulação: As proteínas coagulam, o que significa que se emaranham, em algumas circunstâncias específicas. As proteínas da carne e do peixe coagulam quando cozidas, resultando em carne mais dura; as proteínas dos laticínios coagulam para formar coalhos, e as dos ovos formam ovos mexidos e cremes. Sal e ácido fazem algumas proteínas coagularem, mas o principal mecanismo coagulante é o calor. A coagulação se dá a diferentes temperaturas, de 48°C a 82°C (ver McGee para proteínas específicas). Sua intensidade aumenta à medida que a temperatura se eleva: um emaranhado delicado pode se grumar num novelo apertado, ovos mexidos podem se tornar borrachudos, um creme pode coalhar, carne e peixe podem ficar secos. A coagulação de proteína é onipresente na culinária, um conceito importante e de muitas nuances, cuja compreensão é útil para o cozinheiro.

Coalhar: O ato de proteínas se unirem em grumos, coagularem, ou, de maneira mais generalizada, a separação de qualquer mistura homogênea em grumos e líquido. Por vezes essa coagulação é desejada (queijo), por vezes não, como no caso de um creme cozido demais ou de um molho *hollandaise* que se decompõe. (Ver também TALHAR.)

Coalho: Quando ácido é adicionado ao leite ou se desenvolve nele, proteínas específicas chamadas caseínas se aglutinam em grumos; estes são chamados de coalhos. São eles que nos dão os queijos, e é a ação de coalhar que torna iogurte e *crème fraîche* espessos. (Ver também RENINA; ver McGee para uma descrição completa do coalho e de sua formação.)

Cobertura para bolo: Tipicamente compostas de açúcar e manteiga, e por vezes ovo, as coberturas são muitas vezes uma guarnição importante para bolos e biscoitos. As mais simples são feitas com açúcar de confeiteiro e manteiga (na proporção de 4:1 por peso, ajustando a consistência com líquido, como creme de leite). *Buttercreams*, entretanto, são mais complexos e enriquecidos com ovo (inteiro, gema ou clara), que é cozido – o açúcar é geralmente cozido também. Manteiga é batida na mistura cozida de ovo e açúcar para completar o *buttercream*.

Cobre (frigideiras, panelas e tigelas): Panelas e frigideiras de cobre são apreciadas por conduzirem o calor muito bem e de maneira uniforme. Além disso, são bonitas. Mas são caras e é uma amolação mantê-las brilhando. Tigelas de cobre ajudam a estabilizar claras de ovo batidas (ver McGee).

Cocção por calor combinado: Modo de cozinhar que usa duas diferentes formas de calor, frequentemente o seco e o úmido. É usado em braseados tradicionais, em que a carne é tostada em gordura quente e depois cozida em líquido até amaciar. Um equipamento chamado forno combinado usa mais de uma forma de calor, frequentemente vapor e ar quente, para cozimento muito rápido e eficaz.

Coco: A menos que você more onde crescem coqueiros, provavelmente não os usa com frequência, embora, em razão de sua durabilidade, eles viajem bem e possam ser facilmente encontrados. A polpa do coco tem um doce sabor de castanha. Uma vez removida a casca de madeira e retirada sua pele, ela pode ser processada junto com sua água para fazer leite de coco. É também boa para comer e para cozinhar. O leite, com alto teor de gordura, constitui um excelente complemento para molhos salgados ou doces, e é um magnífico líquido para escalfar. A gordura de coco, que tem ponto de derretimento semelhante ao da manteiga e do chocolate, é encontrada em mercados asiáticos e pode ser usada em preparações, substituindo ou junto com manteiga ou manteiga de cacau.

***Coddle*:** Significa cozer suavemente, e refere-se quase sempre a ovos em sua casca, num ramekin ou num recipiente fechado, cozidos em banho-maria até que a clara comece a endurecer.

Coelho: Pode ser uma carne muito saborosa, especialmente se for criado com uma dieta especial (coelho criado comercialmente pode ser insípido). O lombo é macio e deve ser cozido brevemente. Mas alguns coelhos criados em fazendas são tão tenros que as pernas traseiras podem ser grelhadas também. Os quartos dianteiros e as pernas dianteiras são usualmente braseados, mas podem também ser desossados e ter a carne usada para linguiças ou um recheio a ser cozido com o coelho. As vísceras do animal – fígado, coração, rim – são excelentes para grelhar, saltear ou para *confit*.

***Cognac*:** É o conhaque feito na área da cidade epônima no oeste da França, e está entre os melhores. É excelente para temperar. (Ver CONHAQUE e ÁLCOOL.)

Cogumelos: Uma variedade de cogumelos, como *morels* e *chanterelles*, pode ser encontrada hoje além dos tipos mais comuns, branco e marrom. Isso oferece mais opções de texturas e melhores sabores. Os cogumelos podem ser cozidos de várias maneiras, e em geral se beneficiam de técnicas de calor seco que os ajudam a desenvolver sabor – salteados, assados ou mesmo grelhados. Seu gosto apetitoso, carnudo, espalha-se bem pela gordura, razão por que funcionam tão bem em sopas e molhos cremosos. Quando saltear cogumelos (especialmente os suaves e brancos cogumelos paris), é melhor deixar a panela o mais quente possível, para obter os sabores complexos do douramento antes que eles comecem a soltar umidade (tornando impossível continuar a dourar).

Colágeno: Proteína que dá estrutura e estabilidade a músculos; tecido conjuntivo que constitui peles, tendões e cartilagens. Quando aquecido na presença de água, o colágeno se dissolve ou se decompõe, resultando em gelatina que dá corpo a caldos e molhos; em concentração suficiente, cria gelatina de carne, por vezes chamada de aspic. O colágeno em peixes é muito mais delicado e decompõe-se facilmente, dissolvendo-se a temperaturas entre 50°C e 55°C, em contraposição ao da carne, que se dissolve a partir de 60°C (ver McGee).

Colesterol: A palavra tem conotações negativas porque níveis elevados em nosso sangue estão associados a doença cardíaca. Mas é importante distinguir entre colesterol no sangue e colesterol nos alimentos. Embora os efeitos do colesterol sanguíneo elevado sejam indiscutíveis, lembre-se de que o colesterol nos alimentos que consumimos (ovos, carne) não eleva necessariamente nosso colesterol sanguíneo; a gordura saturada é com mais frequência o culpado nesse caso. Tecnicamente, colesterol é um lipídio, uma substância relacionada à gordura e que está entre os componentes estruturais básicos das células.

Colher boleadora: Instrumento especial para moldar alimentos em forma de esferas. Não é essencial, embora o vejamos em muitos kits de instrumentos de chefs. Pode ter vários tamanhos (*parisienne, noisette, royal*) e é frequentemente usada com frutas e vegetais, para dar formatos atraentes e uniformes a melões, cenouras ou abobrinhas.

Colher de chá: Corresponde a cerca de 5 mililitros. Três colheres de chá equivalem a uma colher de sopa.

Colher de pau: Instrumento culinário inestimável; é suave tanto com as panelas quanto com a comida. Uma colher de pau de ponta chata, que possa deslizar pelo fundo e pelos cantos das panelas, é um item essencial.

Colher de sopa: Corresponde a cerca de 15 mililitros. Três colheres de chá equivalem a uma de sopa.

Colher perfurada: Uma colher com ranhuras ou perfurada, permitindo que o líquido escorra, é um utensílio essencial para cozinhar e servir.

Comandar, cantar, marchar a comanda: Gírias de restaurante para o ato de receber os pedidos do salão, organizá-los em sequência e dar a ordem de preparo (cantar), a ordem em que os pedidos serão executados (marcha) pela brigada e depois enviados ao salão. O chef é quem "canta" as comandas.

***Commis*:** Palavra francesa para empregado ou auxiliar. É a categoria inicial de um cozinheiro ao ingressar em cozinhas profissionais; usada com mais frequência em cozinhas sofisticadas e francesas.

Compota: Termo vago que denota fruta cozida com açúcar e muitas vezes um agente gelificante, como pectina. Uma compota pode usar frutas frescas ou secas; a doçura pode estar na forma de açúcar branco ou mascavo, mel, condimentos e ingredientes aromáticos que podem incluir vinho e ervas. Pode ser servida sozinha ou acompanhando uma sobremesa, podendo servir de molho para ela; pode também acompanhar pratos salgados, como carnes grelhadas ou assadas e carne de caça, ou ainda guarnecer pratos de queijos ou frios. É um ótimo exemplo do fato de que fazer conservas de alimentos pode transformá-los em algo tanto durável quanto delicioso.

***Concassé*:** Significa "triturado" em francês, mas no linguajar da cozinha o termo designa o tomate descascado, com as sementes retiradas e picado. Tomate *concassé* é usado para finalizar grande número de molhos ou pratos, adicionando cor e sabor.

Concha: Conchas são utensílios de cozinha importantes. Muitas permitem medir volumes e são especialmente jeitosas para servir porções uniformes de molhos ou sopas. É útil ter conchas com capacidade para 60, 120 e 240 mililitros.

Condimento: Um molho servido não sobre o prato, mas juntamente com ele, ao lado – quer seja mostarda servida com um prato de embutidos, chutney com pratos indianos, pimentas em molho de peixe com pratos tailandeses, ou ketchup com hambúrguer. Os condimentos (nome derivado da palavra latina que significa tornar picante) estão associados a um intenso equilíbrio de sabores doces, amargos, ácidos e picantes.

Cone: Ver CORNET.

Confeitar: Técnica tipicamente aplicada a itens salgados, para lhes dar um contraponto doce e, por vezes, crocância adicional. Nozes são frequentemente açucaradas sendo cozidas num leve glacê de manteiga, açúcar e temperos, depois tostadas, ou ligeiramente revestidas com um amido, açúcar e temperos, e fritas. O processo muitas vezes sugere que se usou açúcar para criar uma superfície crocante. Por vezes se adicionam açúcares a amidos como batatas e inhames, e pode-se dizer que esses itens estão confeitados.*

Confit: A palavra francesa para "conservado" designa uma técnica de cozimento em que a carne é primeiro salgada por um dia ou mais, depois enxaguada e cozida suavemente em gordura até amaciar, em seguida esfriada e gelada na gordura de cozimento. Para ser servida, a carne é retirada da gordura e reaquecida. A técnica originou-se da necessidade de preservação: carne corretamente salgada, cozida e esfriada dessa maneira podia ser mantida numa adega fresca por meses sem estragar; de fato, tendia a melhorar com o tempo. Embora não precisemos mais cozer alimentos desse modo para preservá-los, a técnica continua a ser valiosa por resultar num sabor tão bom. Pato e ganso são muitas vezes conservados em sua própria gordura, mas carne de porco é excelente cozida assim; qualquer carne que se beneficie de um cozimento lento pode receber esse preparo. O *confit* resulta numa carne muito untuosa, suculenta e macia e numa pele que, se adequadamente reaquecida, fica crocante e gostosa. De maneira geral, tudo

* "Confeitar" também é usado com o sentido de fazer coberturas de bolos com base de açúcar. E há ainda o termo "cristalizar", que se refere a alimentos cobertos de açúcar em calda e depois secos. (N.R.T.)

que chamamos de *confit* – limão *confit* é simplesmente limão em conserva de sal – foi feito em conserva.

***Confit* de limão siciliano:** Limão siciliano conservado em sal, também chamado de conserva de limão. É um tempero sedutor para os mais variados pratos, de saladas a frangos assados ou estufados, e por vezes tem um papel importante na cozinha do Oriente Médio e do norte da África. É muito fácil conservar limões, e como eles são um instrumento de tempero tão interessante e se conservam indefinidamente, vale a pena incluir *confit* de limão em sua despensa. Parta os limões ao meio, envolva-os em sal num recipiente refratário e cubra. Eles ficarão curados em um mês; jogue fora a polpa e a camada branca, que devem ser raspadas da casca, depois corte a casca em *julienne* ou pique-a. Se for usá-la crua, escalde-a brevemente para remover parte do sal.

***Confiture*:** Palavra francesa para geleias e frutas em conserva, que vem da palavra que designa conservar. Pode ser usada para designar qualquer fruta cozida em açúcar e esfriada, um processo que, em diferentes temperaturas, conservará a matéria-prima. Fazer uma *confiture* é uma excelente estratégia quando você se vê com uma abundância de frutas maduras demais, sob risco de estragarem.

Conhaque: Bebida alcoólica destilada do vinho; o melhor tende a ser das regiões de Cognac e Armagnac, na França. O conhaque é um poderoso artifício para temperar, podendo ser não apenas adicionado a cremes e flambado sobre crepes doces, mas também usado em preparações salgadas, como num patê *campagne*. Como no caso de qualquer álcool usado na cozinha, a qualidade importa. Use na comida apenas álcool excelente para ser tomado puro.

Conservar, em conserva: Alimento tratado com sal ou outras técnicas de alteração da proteína (como secagem e cozimento) é chamado de conservado ou curado. Outrora um conjunto de habilidades fundamentais para a saúde das comunidades, a conservação de alimentos não é mais um requisito em nossa era de refrigeração e congelamento fáceis e oferta abundante. Apesar disso, ainda o fazemos porque esses métodos, desenvolvidos ao longo de centenas ou mesmo milhares de anos, resultam em comidas deliciosas: bacon e presunto, salame, chucrute e *kimchi*, salmão defumado, *confit* de pato... Como o cozimento mata os micro-organismos que causam a deterioração, ele é de fato uma forma de conservação, e assim até patês são uma espécie de comida em conserva, incluídos na arte da charcutaria. Conservar alimentos, de carne de porco a limões, deveria ser parte do repertório da maioria dos cozinheiros.

Consistência: A espessura (ou falta dela) de um molho ou sopa é uma qualidade em que tendemos a pensar depois que acertamos o tempero e o sabor, porque podemos ajustá-la, engrossando com uma pasta de amido ou afinando com caldo ou água. No entanto, é útil que você pense sobre a consistência de seus líquidos em todos os estágios do cozimento. De fato, alguns chefs consideram a necessidade desses ajustamentos um indício de erro no cozimento de um molho. A consistência apropriada de um molho tem exatamente a mesma importância que o sabor e o tempero. E muitas vezes ela nos avisa quando algo está no ponto, em especial no caso de molhos à base de ovos.

Consomê: Tecnicamente, é uma sopa ou *bouillon* claro, e um "consomê duplo" é aquele que foi clarificado com claras de ovo e fortificado com carne e aromáticos adicionais. Em geral, porém, consomê designa apenas um caldo clarificado. A palavra francesa *consommé* (como a palavra portuguesa "consumado") tem um atraente duplo sentido: pode tanto significar concluído, completo (um caldo pronto) quanto de alto nível, perfeito; assim, podemos pensar em consomê como um caldo levado ao último estágio de limpidez e sabor, um caldo aperfeiçoado. Ele deve ser cristalino, claro como um líquido destilado. Qualquer caldo claro (que não foi turvado por um cozimento excessivamente vigoroso) pode ser clarificado usando-se o método do consomê: uma clarificação – preferencialmente incluindo *mirepoix*, aromáticos e uma carne magra moída em adição a claras de ovo – é combinada com caldo numa panela e levada ao fogo, sendo continuamente mexida (para impedir que a clara se grude no fundo) até que a nata se forme. A sopa é cozida em fogo lento por cerca de uma hora, depois cuidadosamente coada num filtro de café para uma panela ou recipiente limpos. Em geral ela pode ser esfriada e reaquecida sem perder a limpidez. As guarnições variam desde um creme de ovos em cubos e vegetais em *julienne* a grãos e macarrão, e até Parmigiano-Reggiano (ver Escoffier, que arrola quase 150 variações de consomê), embora se deva tomar cuidado para evitar que a guarnição turve o *bouillon* cristalino. Consomê pode também ser servido frio (muitas vezes na forma gelatinizada).

Contaminação cruzada: Evitar contaminação cruzada – a transferência de bactérias nocivas de um alimento a outro, ou de uma superfície a outra (de uma embalagem de papelão para uma tábua de cortar, por exemplo) – é sobretudo uma questão de bom senso na cozinha doméstica: lave cuidadosamente as tábuas de cortar, não guarde carne crua na prateleira acima da salada no refrigerador... Certamente não é algo que deva ser ignorado, e é um lema em cozinhas profissionais movimentadas.

Coração: Talvez seja o órgão interno que menos se enquadra na categoria de miúdos. É um músculo, e portanto assemelha-se a outros músculos que nos dão cortes como bifes e costeletas, em contraposição a órgãos como rim ou fígado. Tende a ser muito magro e de sabor intenso. Como trabalhava muito, pode ser duro; é excelente para dar sabor a caldos (e é uma ótima escolha acrescentá-lo à clarificação de um consomê), mas pode também ser finamente fatiado (uma forma de amaciamento) e brevemente cozido como qualquer outro músculo magro.

***Corned beef*:** Ver CARNES CURADAS.

***Cornet*:** Palavra francesa para corneta, o cone (também chamado de casquinha ou canudinho) é um formato, ou instrumento, conveniente para se servir a comida. A maioria de nós está acostumada a encher os seus com sorvete, mas a massa *tuile* pode ser moldada em forma cônica como um tipo de base para canapé. Preparações francesas clássicas incluem presunto e salmão curado cortados em fatias finas usando um molde desse tipo, e preparações doces incluem massa folhada amanteigada embrulhada em torno do molde, assada e recheada com alguma forma de creme.

Cornichon: Pepinos franceses, pequenos e elegantes, curados (conservados em vinagre ou salmoura) e temperados com estragão. São azedos e crocantes, e excelentes como condimento para patês e carnes curadas; são também ótimos picados e adicionados a molhos frios como *gribiche* ou *rémoulade*. São normalmente preferíveis à versão americana, chamada *gherkins*, que tende a ser mais agridoce que elegante e azedo.

Corpo: O que temos em mente ao dizer que um líquido tem corpo é que ele tem certo grau de peso e textura ao paladar. O corpo não reflete sabor. Pense em água como a marca zero – água tem corpo zero. Se o líquido causa quase a mesma impressão que a água, não tem muito corpo. Se parece mais substancial, digamos um rico caldo de galinha, dizemos que tem corpo.

Corte borboleta: Uma técnica de açougueiro que consiste em abrir um músculo inteiro de modo que ele se espalhe, fique plano. É usada muitas vezes para remover um osso, como de pernil de cordeiro. A carne cortada em borboleta pode ser cozida desdobrada, mas, de uma maneira mais interessante, o cozinheiro pode temperar ou rechear o interior de uma peça aberta e depois amarrá-la, fechando-a de novo em seu formato original com barbante de açougueiro, uma maneira de manipular o interior de um corte de carne antes de cozê-lo.

Corte oblíquo: Corte usado em vegetais longos pelo apelo visual de um formato irregular, anguloso. Cenouras, se cozidas e servidas desacompanhadas, podem receber um corte oblíquo para ganhar complexidade visual, por exemplo. Corte o vegetal na diagonal e depois de lhe dar um quarto de volta corte-o na diagonal mais uma vez, rode-o de novo etc.

Cortes decorativos: Ver HACHURAS.

***Coulis*:** É um molho de consistência macia e grossa, normalmente de frutas. Definições mais antigas o descrevem como um suco de vegetais e mariscos, e outras incluem suco de carne. Escoffier dá uma receita de *coulis* de cebola. O termo entrou em moda no auge da *nouvelle cuisine*, quando *coulis* de framboesa era um item presente em todos os cardápios. Embora chefs que buscam diversificar termos do cardápio possam aplicá-lo a qualquer tipo de purê usado como molho, hoje a palavra descreve melhor um molho de fruta crua ou cozida processada e depois coada (embora alguns discutam se um molho pode ser identificado como *coulis* se for cozido).

***Court bouillon*:** Literalmente caldo curto ou rápido, é feito aquecendo-se ervas aromáticas e vegetais em água acidulada com vinagre, vinho ou um cítrico para criar um meio de cozimento saboroso, mais comumente usado para peixes. Água, ácido, *mirepoix* e um *sachet d'épices* farão um *court bouillon* tradicional, mas a técnica pode ser variada dependendo do que está sendo cozido e do efeito desejado. Pimentas e raspas de limão podem ser adicionadas à água usada para escalfar camarões, por exemplo; para um sabor bem diferente, use alho, cebolinha verde e gengibre.

Couve-flor: Um excelente portador de guarnições e molhos. É deliciosa assada (carameliza bem, especialmente quando regada com manteiga enquanto assa), ou fervida e servida com um molho emulsionado (embora molho de queijo seja tradicional), ou ainda cozida no vapor e finalizada ao forno com uma guarnição. Crua, é crocante e gostosa; quando assada, tem sabores delicados que, semelhantes a nozes, lembram alcachofra. Seu gosto sutil, parecido com o do repolho, pode ser um bom contraste como guarnição para frutos do mar de sabor forte, como camarão e lagosta, ou para alimentos com sabores intensos de terra, como trufa. Também pode ser processada para fazer sopas e molhos.

Cozimento a vapor (na panela): Método de cozer vegetais rapidamente numa panela tampada. A técnica consiste em aquecer uma panela até ela fumegar, adicionar os vegetais e água apenas em quantidade suficiente para cozê-los no vapor e tampar bem. Use a técnica com vegetais (usualmente hortaliças verdes) que já são muito macios e por isso precisam de pouco cozimento, como vagens e ervilhas jovens. Uma pequena quantidade de manteiga pode ser adicionada enquanto a água está evaporando para formar uma espécie de glacê rápido sobre o vegetal.

Cozimento em descanso: Uma ideia fundamental e um fato inegável na cozinha quente. A comida não para de cozinhar quando a retiramos do forno ou de cima da chama – ela dispara. Grandes assados ficam mais quentes por dentro. A manteiga queimada pode passar de primorosa a escura e amarga num instante, a menos que seja despejada da panela ou que você a refresque com algumas gotas de suco de limão. Uma *crème brûlée* em banho-maria, se tiver chegado ao ponto exato no forno, pode ficar cozida em excesso porque o descanso a levará além da perfeição. Castanhas postas para assar, com seu alto teor de gordura, devem ser retiradas do forno um pouco antes que pareçam estar prontas. O descanso é uma consideração tão importante quanto a cor, o aroma e o toque quando se avalia se alguma coisa está adequadamente cozida. A regra geral é esperar uma elevação de cerca de 5,5°C na temperatura depois que o item é retirado do calor. Mas muitos fatores podem influenciar o tempo de descanso. Qual é o tamanho do item, qual é seu teor de gordura e de água, qual é a temperatura ambiente e por quanto tempo ele descansará? O cozimento em descanso pode variar de 2,7°C a 16°C, dependendo das circunstâncias: quanto maior o corte, mais ele tende a cozinhar. (Ver também REPOUSO.)

Cozimento longo e lento: Uma abordagem culinária que privilegia baixas temperaturas por muito tempo, ou simplesmente "*low and slow*" ("baixo e lento" ou "devagar e sempre"). Pratos braseados ou cozidos a temperaturas inferiores a 150°C, muitas vezes um pouco menos, chegando a apenas 50°C, entram nessa categoria. Normalmente, carnes que requerem os efeitos amaciantes do cozimento longo e lento, por períodos de 2 a 72 horas, dependendo da temperatura, são submetidas a esse processo, mas qualquer item, de ovo a peixe ou hortaliças e carnes, *pode* ser cozido dessa maneira com diferentes resultados, especialmente no cozimento *sous vide*.

Cozinha ou culinária de vanguarda: Estilo difundido nos primeiros anos do século XXI pelo chef espanhol Ferran Adrià, caracterizado pela desconstrução de combinações clássicas, uso de espumas, alginato, ágar-ágar, gelatina, *sous vide* e métodos não convencionais de servir. Por vezes chamada de gastronomia molecular.

Cozinha regional americana: Pratos e métodos nativos de partes específicas dos Estados Unidos – os *chowders* da Nova Inglaterra, o *jambalaya* da Louisiana, os *burgoos* do Kentucky, as preparações de salmão do noroeste do Pacífico – refletem paisagens, climas, culturas e histórias específicas, e continuam sendo uma parte vibrante da prática culinária em restaurantes. Embora ingredientes outrora disponíveis apenas regionalmente sejam agora encontrados por todo o país – pimentas *poblano* em

Wisconsin, lagostas do Maine no Kansas –, a cozinha regional continua sendo uma expressão significativa para os cozinheiros domésticos, devido à confiança que depositam na estação, deixando-a ditar o que deve ser preparado (em geral, produtos cultivados ou produzidos nas proximidades). Pensar regionalmente é uma estratégia valiosa. Diante do grande número de ingredientes disponíveis em todo o país, é possível, e bom, cozinhar tendo em vista culinárias regionais específicas. Hoje algo tão comum que chega a parecer óbvio, o impulso para explorar a cozinha regional já foi bem menos forte. Paul Phrudhomme abriu o K-Paul's, em Nova Orleans, em 1979; ganhou aclamação nacional e fez do *blackened fish*, um prato local, um precursor da moda da comida regional. Mas foi só no início da década de 1980 que os restaurantes começaram a explorar isso. O American Bounty Restaurant, inaugurado em 1982 no Culinary Institute of America, e o An American Place, que abriu em 1983 em Manhattan, foram dois outros importantes restaurantes que se dedicaram a preparações caracteristicamente americanas.

Cozinhar no vapor: Técnica de cocção por calor úmido que é suave, uniforme e obviamente não transmite seus próprios sabores ao que está sendo cozido, como a cocção a temperaturas mais elevadas pode fazer. É comumente usada para peixes, cortes tenros de carne e vegetais.

Cozinheiro: Alguém que cozinha, simplesmente, mas isso também inclui chefs que cozinham (ver CHEF). Todo chef digno desse nome é, antes de mais nada e acima de tudo, um cozinheiro. Homens e mulheres que trabalham em cozinhas são cozinheiros; os responsáveis pelas seções da brigada são chefs – líderes – de sua área.

Cozinheiro de brigada, chef de *partie*: Também chamado de primeiro cozinheiro, é o profissional que administra uma praça quente ou fria durante o serviço. Esse cargo é geralmente um dos mais estressantes e fisicamente exigentes (e menos bem pagos) num restaurante, tanto que tem seu ethos e subcultura característicos. Os cozinheiros de brigada são o esteio e a espinha dorsal da cozinha de restaurante, e os melhores são uma estirpe especial, um grupo à parte.

Crécy: Na cozinha clássica francesa, o termo indica que cenouras são um componente essencial no prato ou a principal guarnição. (Ver os termos relacionados *Du Barry* e *Florentine*.)

Crème anglaise: Creme inglês – molho de baunilha, molho de creme de ovos ou simplesmente *anglaise* – é o pau para toda obra entre os molhos, mas não há nada de prosaico nele quando corretamente preparado. Delicioso desacompanhado, servido quente ou frio, pode ser tratado como um molho-mãe e aromatizado com qualquer coisa, desde manteiga queimada até especiarias doces ou bebidas destiladas; pode ser a base de inúmeras sobremesas, ou acompanhá-las. Sirva-o quente com um suflê ou como o molho de uma torta de maçãs, ou frio sobre frutas vermelhas. Congele-o, e terá sorvete de baunilha. Cozinhe-o em banho-maria, e terá *crème brûlée*. Adicione manteiga e açúcar, e ele se tornará um delicioso creme de manteiga para recheio. Engrossado com amido, será um consistente creme de confeiteiro. Não poderia ser mais básico: leite ou creme de leite, gemas, açúcar e baunilha (preferivelmente uma fava fresca, mas o extrato servirá). A proporção básica, embora podendo variar a gosto, é uma xícara de líquido para três gemas e um quarto de xícara de açúcar. O método é padrão: bata em creme metade do açúcar com os ovos enquanto o líquido e o açúcar restante são aquecidos numa caçarola (com a fava de baunilha, se ela estiver sendo usada); adicione um pouco do líquido quente à mistura de gema e açúcar para estabilizar as gemas, depois adicione as gemas ao leite ou creme de leite, e mexa continuamente enquanto a mistura cozinha e engrossa. Quando ela atingir uma consistência *nappé*, coe-a e gele-a. O extrato de baunilha e outros temperos, dependendo de quais forem, podem ser adicionados durante o cozimento ou depois (especiarias ou aromatizantes que precisam de tempo para impregnar devem ser adicionados quando o leite ou creme de leite está sendo aquecido). Creme inglês é uma das preparações fundamentais da cozinha doce, mas, se deixado sem açúcar, pode ser usado para preparações salgadas.

Crème brûlée, crème caramel: Cremes de sobremesa guarnecidos com açúcar caramelizado, *crème brûlée* e *crème caramel* são *crème anglaise* cozido em banho-maria. A textura, seu grande encanto, deve ser opulenta e aveludada. No primeiro, o creme cozido é coberto com açúcar e queimado com maçarico até que o açúcar forme uma crosta castanho-dourada; no segundo, o caramelo é cozido primeiro e adicionado ao recipiente de cozimento; depois que esfria, a mistura do creme é adicionada, cozida, esfriada e tirada da fôrma.

Creme de leite: Nata – isto é, o creme de leite com teor de gordura entre 36 e 40%, chamado creme fresco ou creme para chantilly (o creme UHT tem a metade da gordura e não baterá tão bem) – é um enriquecedor para uso geral. Adiciona gordura a inúmeras preparações, sem adicionar sabor ou oleosidade significativos. Sua consistência espessa cria uma textura primorosa. De pratos salgados a doces, de molhos e sopas a risotos, massas e batatas, passando por todos os tipos de vegetais, estufados, molhos de sobremesa e cremes, a maioria dos pratos pode ser melhorada com um pouquinho de creme de leite. Se quando você avalia um molho ou um prato ele não lhe parece inteiramente satisfatório, pergunte a si mesmo se há ou não gordura suficiente nele; se não, será o creme de leite uma maneira apropriada de resolver isso? Creme fresco pode ser suavemente cozido e reduzido a cerca da metade para fazer o chamado creme duplo (*crème double*), um concentrado usado para finalizar molhos *à la minute*. Se você tiver creme fresco em excesso e não for usá-lo, pode batê-lo no processador de alimentos até que a gordura e a água se separem. Você ficará com o que equivale a manteiga e água; a manteiga durará muito mais que o creme, podendo também ser congelada.

O creme de leite pode ser batido para ficar com maior volume e textura mais leve. Quanto mais frio estiver, mais fácil batê-lo. Creme de leite batido é frequentemente adoçado e usado como guarnição para sobremesas, mas pode ser usado também em pratos salgados, temperado com aromatizantes, especiarias, ácido e/ou ervas. Se o prato que ele está enriquecendo for quente, ele retornará rapidamente a seu estado líquido.

Se adoçado, o creme de leite é praticamente uma sobremesa de preparo instantâneo, e assim há inúmeros doces que são exatamente isso: creme de leite e açúcar combinados com algum tipo de procedimento espessante (gemas cozidas, claras em neve, gelatina, maisena). Pense no creme de leite como uma espécie de molho-mãe das sobremesas.

Creme de leite batido: Pode ser uma guarnição para uso geral em pratos salgados ou doces, dependendo do modo como esteja temperado. É um enriquecedor que pode ser salgado, ácido, apimentado ou doce (creme chantilly). (Ver também CREME DE LEITE.)

Creme de limão: Creme de limão – suco de limão, açúcar, ovos e usualmente manteiga, cozidos até que a mistura fique grossa – é um excelente *appareil* de uso geral para sobremesa, como recheio, cobertura, guarnição ou item de destaque (como numa torta de limão). Tradicionalmente, faz-se o creme batendo gemas, açúcar e limão sobre um recipiente com água que cozinha em fogo brando, para cozer os ovos. Depois bate-se com a manteiga, acrescentada pouco a pouco. Mas há variações – pode ser feito no micro-ondas, por exemplo.

Creme de ovos: A definição mais básica de creme é simplesmente líquido engrossado com ovos, uma preparação fundamental para pratos salgados e doces. Cremes de ovos nos dão algumas de nossas melhores iguarias – quiches, *crème brûlée* e *crème anglaise*. Por serem tão comuns em sobremesas, tendemos a pensar neles como doces, embora a técnica padrão de preparo – líquido, ovos e tempero misturados e assados em banho-maria – possa ser aplicada a praticamente qualquer sabor a que queiramos dar a textura de creme. Um creme de ovos com ervas para guarnecer uma sopa salgada, creme de ovos com azeite de oliva e vegetais *à la grecque*, estragão ou tutano de osso com carne bovina. Escoffier acrescentava um creme de ovos em cubos (chamado *royale*) ao consomê. O líquido pode ser em parte suco de vegetais ou de frutas, embora a gordura tenha um grande papel na textura excepcional do creme de ovos e não deva ser totalmente evitada.

Creme duplo: O creme de leite com teor de gordura entre 36 e 40% que foi reduzido pela metade é chamado de creme duplo, ou *crème double*. É feito para poupar tempo: pode ser adicionado a molhos no último minuto para enriquecê-los, e então eles não exigirão muita redução adicional. O creme duplo é essencialmente repasteurizado; por causa desse cozimento e de seu teor reduzido de água, pode se conservar por mais tempo que o creme fresco.

***Crème fraîche*, coalhada:** É um creme de leite coalhado – isto é, um creme fresco em que bactérias geradoras de ácidos foram introduzidas para criar um creme espesso e azedo. É mais encorpado que *sour cream* e tem um azedume mais delicado, bem como uma sugestão de doçura. Sua textura e sabor fazem dele um excelente enriquecedor para uso geral, especialmente para preparações quentes, sopas e molhos, porque pode ser aquecido sem se decompor. *Crème fraîche* é hoje amplamente disponível, mas pode ser feito em casa: combine duas partes de creme de leite fresco com uma parte de coalho e deixe descansar numa cozinha fresca de um a três dias, até que a consistência certa seja alcançada.

Creme fresco: Sinônimo de creme de leite fresco ou nata. Procure evitar creme de leite "ultrapasteurizado" se pretende batê-lo, e lembre-se de que quanto mais frio ele estiver, mais fácil será batê-lo (esfrie a tigela também). (Ver também CREME DE LEITE.)

Creme inglês: Ver *CRÈME ANGLAISE*.

***Crème pâtissière*:** Também chamado creme de confeiteiro, é essencialmente creme inglês (molho de baunilha) engrossado com amido – antigamente se usava farinha, mas maisena é mais comum atualmente – de modo que tenha considerável corpo para uso como recheio de doces em geral (bolos, bombas, tortas de fruta). O método é quase igual ao usado para creme inglês: adiciona-se cerca de duas colheres de sopa de maisena por xícara de líquido à mistura de açúcar e ovo e cozinha-se até ficar muito grosso, espesso demais para coar. Em alguns casos, usam-se ovos inteiros em vez de gemas, ou somente leite e nenhum creme de leite, e é geralmente temperado com extrato de baunilha e não com a fava. Sabores adicionais podem ser acrescentados imediatamente após o cozimento.

Cremor tártaro: Subproduto da fabricação do vinho, o cremor tártaro é de fato um ácido em pó. Por vezes é adicionado a claras de ovos para ajudar a estabilizar um merengue (suco de limão tem o mesmo efeito), e a preparações que usam bicarbonato de sódio como fermento.

***Crepinette*:** Salsicha envolta em redanho e assada, em geral como um bolinho redondo (mas Escoffier recomenda moldá-la em retângulos). Pense na *crepinette* como uma técnica, uma maneira de servir a massa da linguiça sem invólucro de modo elegante. Com frequência, ervas ou outras guarnições são postas sobre a massa debaixo do redanho, que fica transparente após o cozimento.

Crescer a massa: Significa deixar que a levedura em massas se alimente e, assim, libere gás para fermentar e condimentar o pão.

Croûton: Literalmente, pedacinho de crosta. Tendemos a pensar em *croûtons* como cubos crocantes de pão numa salada, mas eles podem ser uma fatia de pão aquecida até ficar inteiramente torrada, como a usada na tradicional sopa de cebola. *Croûtons* comprados em lojas são quase sempre pálidos e/ou versões mal temperadas dos artigos verdadeiros, com muito pouco sabor e ervas rançosas. Se o *croûton* for importante para o prato, é melhor você mesmo fazê-lo. Corte um pão saboroso; se desejar, tempere-o com uma gordura saborosa, como azeite de oliva, e sal, ou deixe-o seco. Ponha para torrar num forno muito baixo. Para evitar queimá-lo, mantenha a temperatura em cerca de 135°C ou menos. Pão fresco pode também ser salteado numa frigideira em óleo ou manteiga até ficar dourado e crocante.

Crudité: Vegetais crus, geralmente servidos como *hors d'oeuvres*, são apreciados por atingirem alta pontuação em todos os requisitos para um alimento oferecido antes da refeição: tamanho de uma ou duas mordidas, bom apelo visual e variedade de sabores e texturas; saudáveis, não saciam e são fáceis de preparar. O frescor é decisivo, assim como um bom molho, ou uma variedade deles, geralmente baseados em gordura para vegetais leves. Vinagretes funcionam bem, mas pode ser simplesmente uma boa manteiga com rabanetes e sal grosso.

Cubas: Panelas retangulares de aço, de tamanhos variados, do tipo que se encaixa nos bufês a vapor padronizados ou que contém a *mise en place* de uma estação da linha de montagem na cozinha profissional. São recipientes úteis para uso geral; servem para cozinhar, conservar e armazenar alguns alimentos.

Cubos: Os alimentos podem ser cortados em cubos de tamanhos variados, para uso geral. Segundo o Culinary Institute of America, cubos grandes têm 2 centímetros quadrados; os médios têm 1,2 centímetro quadrado e os pequenos, 6 milímetros quadrados. Cubos grandes – atarracados e deselegantes – são tipicamente usados para caldos de vegetais ou preparações em que serão cozidos por longo tempo e depois descartados; são adequados para um estufado ou no preparo de raízes para assar. Os menores cubos são *brunoise*, de 3 milímetros quadrados, e *brunoise* fino, de 1,5 milímetro quadrado. Estes últimos são feitos tipicamente cortando-se os vegetais em *julienne* num mandoline japonês e subdividindo-os em cubos, e são usados como uma elegante e saborosa guarnição.

Cuisson: Significa literalmente processo de cozimento, ou cocção – *cuisson à la ficelle* é o cozimento de um item pendurado num barbante (ver FICELLE, À LA), *cuisson à la vapeur* é cozimento ao vapor. Pode designar também o líquido de cozimento – o molho em que um braseado cozinha, por exemplo. Em algumas cozinhas, porém, o termo tem uma útil extensão desse significado secundário: o líquido de cozimento, depois que fez seu trabalho, é reduzido para se tornar parte do molho finalizado para o item ali cozido. É mais comumente usado como parte da técnica de escalfamento em pouco líquido; depois que o peixe foi escalfado, é removido da panela e o cozinheiro reduz esse *cuisson*, adicionando-lhe ervas e manteiga, com um pouco de amido para engrossá-lo, para fazer um molho *à la minute*.

Cultura (de bactérias): Usado para se referir a bactérias vivas que podem ser adicionadas a (ou desenvolvidas em) leite, salsicha, massa ou salmoura para iniciar a fermentação. Um produto cultivado, como *crème fraîche* ou iogurte, recebeu a adição de bactérias benéficas; estas alimentam-se de açúcares presentes no alimento e geram ácido como resultado, o que não só dá um sabor agradável ao alimento como ajuda a conservá-lo.

Cura com sal: Ver CURA (quase toda cura envolve sal).

Cura seca: Uma mistura de sal, açúcar e temperos usada na carne e no peixe para conservá-los e realçar seu sabor e textura. Ver também CURAR, SAL DE CURA e SALMOURA.

Curar, cura: 1) Curar significa conservar. Quase sempre, é sal que cura alimentos, muitas vezes seguido por um tratamento secundário – cozimento ou secagem. (Ver BACALHAU SALGADO, BACON, PRESUNTO CRU.) 2) Cura é a mistura de sal usada para curar carnes; pode conter nitrito de sódio, açúcar e outros temperos. As curas podem ser secas (sal e temperos) ou úmidas (também chamadas de salmoura). Uma cura "seca" não deve ser confundida com cura a seco, que indica que um alimento foi curado com sal e depois pendurado para secar.

Curar a seco: Curar carne a seco significa permitir que ela seque de modo a se conservar. Normalmente, carnes e linguiças curadas a seco não são cozidas, mas cortadas em fatias finas pouco antes de serem servidas, sendo densas e intensamente condimentadas (salame e presunto cru, por exemplo). Antes da refrigeração onipresente e fácil, técnicas de cura a seco podiam assegurar o uso eficiente da provisão de alimentos de uma comunidade. Continuamos a fazê-lo atualmente em razão do ótimo gosto dos itens assim tratados. Hoje, curar alimentos a seco é considerada uma habilidade artesanal de grande valor. A carne e a linguiça a serem curadas são quase sempre salgadas primeiro para iniciar o processo de desidratação e criar um ambiente inóspito às bactérias que causam a deterioração. Muitas vezes alguma forma de nitrito ou nitrato de sódio é também incluída na cura, para prevenir contaminação por botulismo.

Curry: Derivado da palavra para molho, é um termo genérico que designa uma série de pratos comuns da Índia e do Sudeste Asiático, geralmente especificados como curry indiano ou curry tailandês. Denota um molho perfumado com abundância de especiarias, frequentemente muito picante.

Curry em pó: Também chamado pó de caril, é uma mistura de especiarias moídas usada para condimentar molhos, normalmente associada a comidas indianas. Misturas de alta qualidade compradas prontas são aceitáveis se forem muito frescas; com o tempo, ficam insípidas. É melhor encontrar uma receita de que você goste e fazer seu próprio pó fresco, a seu gosto. As especiarias comuns nos curries em pó incluem cominho, pimentas em fruto, coentro, cardamomo, canela, noz-moscada, gengibre moído e açafrão-da-terra, que dá a cor amarelo-neon associada aos curries indianos.

Cuscuz: Ver PASTA.

Cutelaria: Ver FACAS e o artigo UTENSÍLIOS, p.50.

D

***Dacquoise*:** Um merengue aromatizado com castanhas, usualmente amêndoas, e batido até ficar quebradiço, ou uma sobremesa em que ele tem papel de destaque. (Ver também MERENGUE.)

***Daube*:** Carne bovina braseada com vinho tinto e vegetais é uma preparação chamada *daube de boeuf.* Originalmente feito num recipiente específico chamado *daubière* (mais ou menos como o *chowder* da Nova Inglaterra é cozido numa *chaudière*), o prato se distinguia pelos vegetais regionais da Provença e o modo como estes eram dispostos em camadas. *Daubes* podem ser servidas quentes ou frias; neste caso, o líquido é gelatinizado e o prato é chamado *daube en gelée.*

***Dauphinoise*:** Cortar batatas em fatias e assá-las com creme de leite, temperos e queijo – batatas *au gratin* – não é apenas uma maneira antiga e apreciada de preparar esse alimento. É também uma excelente estratégia para cozinhá-lo muito antes de servir: cozidas, esfriadas e reaquecidas, as batatas ficam tão boas quanto ao ser originalmente cozidas. Além disso, é extremamente versátil; outros ingredientes como cogumelos salteados, pimenta ou alho-poró podem ser adicionados para dar sabor e um toque sazonal a essa preparação para uso geral. (A *dauphinoise* não deve ser confundida com batatas *dauphine,* que se assemelham a croquetes, sendo amassadas e misturadas com ovo ou com *pâte à choux* e fritas.)

Decantar: Verter suavemente o vinho de uma garrafa para outro recipiente, um decanter. Pode-se decantar qualquer líquido para separá-lo de seu sedimento (como o óleo da erva que esteve em infusão nele). O vinho é decantado por essa razão, mas também porque isso pode melhorar, por oxidação, seu sabor e aroma. Embora seja associada a vinhos tintos antigos e caros, a decantação pode surtir bom efeito também em grandes tintos jovens (Zinfandel, por exemplo); inversamente, pode piorar vinhos cujas qualidades são particularmente voláteis (Pinot Noir, por exemplo).

Decoração no recheio: Tipo de guarnição interior que acrescenta apelo visual e sabor a um prato, geralmente a terrines (embora ocasionalmente em massas ou bolos). O item é normalmente usado inteiro – um filé num patê de carne, cauda de lagosta ou vieiras numa terrine de frutos do mar, linguiça num brioche.

Defumação rápida (no fogão): Dado um bom exaustor, é possível defumar alimentos usando uma churrasqueira para fogão. Elas estão disponíveis na maioria das lojas de utensílios para cozinha, ou podem ser improvisadas usando-se uma pequena panela com tampa e grelha ou grade para vapor que encaixe bem. Defumar sobre o fogão funciona melhor para itens que não precisam de muita fumaça, que tenham gosto suave – como peixe, e não bacon. Por outro lado, a fumaça é forte, e um pouco já é suficiente para lombinho de porco. Além disso, como o calor é direto (a chama do fogão aquece os pedaços de madeira ou a serragem), o interior pode ficar muito quente e cozinhar o item. Assim, defumar na panela deve ser feito cuidadosamente; fumaça e calor demais podem estragar um prato.

Defumador: Uma variedade de recipientes e equipamentos são usados para defumar alimentos. Eles são classificados sobretudo pelo tipo de fumaça que fornecem. Os tipos mais comuns no mercado são grandes caldeirões em que o combustível queima no fundo e coze lentamente o alimento à medida que o defuma. Defumadores em que a fonte de fumaça é separada do recipiente que a contém, chamado de caixa de fumaça, permitem maior controle da temperatura, de modo que você pode defumar itens como bacon e presunto durante muitas horas, se desejar, ou mesmo defumar peixe a frio. Para uso dentro de casa, há defumadores de fogão – panelas tampadas postas sobre um queimador que aquece lascas de madeira ou serragem, para defumar e aromatizar a comida. Churrasqueiras portáteis com tampa podem também ser usadas para esse fim.

Defumar, defumação: Defumamos alimentos para lhes dar sabor e cor adicionais. Como observa McGee, a fumaça de madeira, criada quando o calor decompõe tecidos vegetais, é um aromatizante constituído por alguns dos mesmos compostos presentes nas especiarias. A defumação se enquadra em algumas categorias diferentes, determinadas principalmente pelo nível de calor. A forma mais comum destina-se a alimentos curados, como bacon, presunto e linguiças, os quais são suavemente cozidos à medida que são defumados em temperaturas entre 65°C e 95°C. Isso é chamado de defumação a quente. A defumação a frio é usada para alimentos que não queremos que cozinhem enquanto são defumados, como salmão ou queijo, e significa fazê-lo a temperaturas de 32°C ou menos (quanto mais baixa melhor). A defumação a temperaturas superiores a 150°C é chamada de assar na fumaça. A defumação é feita também em cozinhas, no fogão, mas por períodos menores (defumadores de fogão são amplamente disponíveis; é melhor ter boa ventilação se você pretende usar um deles). Madeiras rijas como hicória e bordo, ou de árvores frutíferas como macieira, são excelentes para defumação, assim como o chá (evite pinho e outras madeiras macias, que produzirão uma fumaça acre, de resina). A fumaça é um meio aromatizante que pode ser usado com peixes, carnes, vegetais e castanhas. Pode ter um efeito muito forte, por isso use-a criteriosamente.

Defumar a frio: Defumar alimentos sem cozê-los. Isso significa defumar carne, peixe ou queijo a temperaturas inferiores a 32°C. Salmão é tipicamente defumado a frio. Alguns itens, como queijo, são muitas vezes defumados a temperaturas de refrigeração, abaixo de 4°C.

Defumar a quente: Significa cozer o alimento e defumá-lo ao mesmo tempo, mas a temperatura baixa, entre 65°C e 95°C aproximadamente, de modo que o item seja suave e uniformemente cozido ao mesmo tempo em que ganha intenso sabor defumado. Salsichas e bacon são normalmente defumados a quente. (Compare com defumar a frio, defumação combinada com calor seco, defumar ao forno e defumar na panela.)

Deglaçar: Adicionar líquido a uma assadeira quente incrustada com sucos, vegetais escurecidos e saborosos pedacinhos de carne e pele. O líquido usado – que pode ser qualquer coisa, de água a vinho, passando por caldo

– aquece e remove o saboroso *fond*, fragmentos e partículas do que foi assado, extraindo seu sabor e criando molhos que acompanharão o item a ser servido.

***Demi-glacé*:** Caldo escuro – normalmente de vitela, mas pode ser feito com qualquer carne e ossos assados, e até com vegetais caramelizados – substancialmente reduzido. É usado como base para uma miríade de molhos *à la minute*, ou para fortificá-los. Na cozinha francesa clássica, o *demi-glacé*, por vezes chamado simplesmente *demi*, é uma redução de caldo escuro de vitela e molho *espagnole*, que tem a mesma finalidade. (Ver também MOLHOS-MÃE e MOLHOS DERIVADOS.)

Descascador de frutas e vegetais: Um bom descascador é um instrumento importante na cozinha; evite os muito baratos e muito inovadores. Observe a grossura da casca; alguns descascadores cortam tão profundamente que você acaba por desperdiçar mais do alimento que o necessário.

Descascar: Em regra, descasque as frutas e vegetais para obter melhor sabor e aparência, seja qual for a preparação que está fazendo. Isso é obrigatório em restaurantes, mas não tanto em casa. As cascas de frutas são duras e têm pouco sabor; as de vegetais, embora nutritivas, em geral são sujas. Em casa, use seu julgamento: pergunte a si mesmo se a comida terá pior aparência ou gosto se você decidir não descascar uma fruta ou vegetal. Para frutas e vegetais que serão comidos crus, a higiene pode ser um problema, mas não há porque ser paranoico a esse respeito. Sempre lave-os para remover bactérias potenciais, mesmo que o item vá ser descascado (o ato de descascar pode deixar bactérias na polpa da fruta).

Desenformar: Significa tirar uma preparação de uma fôrma. Quando o que você está desenformando é mantido coeso por gordura ou gelatina, é útil pôr a fôrma em água quente para derreter um pouco esse elemento e facilitar o processo.

Desengordurar: Remover a gordura de um caldo, sopa ou molho é importante para a limpidez, a textura e o sabor do líquido final, e pode ser feito de várias maneiras. Caldos são desengordurados usando-se uma concha;

o fundo é usado para empurrar a gordura clara para as bordas da panela, depois a concha é mergulhada apenas o suficiente para colher a gordura e tão pouco caldo quanto possível. Faça isso no processo inicial de cozimento: o pouco de caldo removido com a gordura estará menos concentrado, sendo portanto menos valioso. Além disso, removendo a gordura cedo você lhe dá menos chance de emulsionar o caldo. Quando há apenas alguns discos de gordura boiando sobre um consomê, pode-se desengordurá-lo arrastando uma toalha de papel pela superfície. Pratos braseados quase sempre precisam ser desengordurados; como eles tendem a melhorar após serem gelados, é mais eficiente remover a gordura depois que ela coagulou.

Despensa: A coleção de itens alimentares não perecíveis que você possui é uma faceta decisiva de sua cozinha e de sua capacidade de cozinhar bem, especialmente de maneira instintiva. Uma boa despensa incluirá uma série de farinhas, vegetais secos, vinagres básicos, óleos, condimentos, vários tipos de tomate em lata, especiarias frescas, ervas secas etc.

***Devil*:** De maneira geral, significa tornar picante (com mostarda) e muito condimentado, mas atualmente o termo é usado sobretudo para designar uma preparação de ovo cozido duro ou de presunto moído, embora sobras de ossos em que resta muita carne (como de uma costela de carne bovina assada, por exemplo) possam ser cobertas com especiarias e mostarda – *deviled*, "endiabradas" –, grelhadas para se reaquecer e comidas como estão.

Dextrose: Esse açúcar derivado do milho é vendido em pó e usado principalmente em carnes fermentadas (linguiças curadas a seco), porque acredita-se que ele se decompõe mais rapidamente, ficando disponível para as bactérias que causam a fermentação. O impacto da dextrose é menos intenso que o do açúcar de mesa, embora em geral possa substituí-lo.

Difusor de calor: Algumas preparações requerem fogo baixo por longo tempo. Difusores de calor abrandam mesmo os fogos mais baixos. Podem ser muito úteis, mas se você não tiver um, um anel de alumínio para elevar a panela acima do fogo é uma alternativa adequada.*

* No Brasil, são as populares chapas de amianto. (N.R.T.)

Disco (extrusor, moedor de carne): Um disco é a placa através da qual a carne é moída. Embora moedores profissionais venham com discos de diferentes tamanhos, a maioria dos moedores para uso doméstico vem com apenas dois, grande e pequeno, com 9 e 3 milímetros. O disco grande mói grosseiramente; o pequeno é o mais frequentemente usado. Quando a carne precisa ser finamente moída, para um patê refinado ou uma linguiça emulsionada, por exemplo, pode ser útil moê-la duas vezes, primeiro com o disco grande, depois com o pequeno. Lave e enxugue discos e lâminas à mão e guarde-os bem para que não percam o fio. Eles devem ser profissionalmente afiados de forma periódica.

***Double-boiler*:** Uma tigela dentro de uma panela que permite cozinhar sobre vapor. É usado para cozimento suave. *Double-boilers* ou instrumentos semelhantes são úteis para processos que se beneficiam de fogo brando, como derreter chocolates e cozer gemas para molhos de manteiga emulsionados. Você pode comprar uma panela dupla com um acessório acoplado, mas uma tigela de aço ou de vidro que repouse parcialmente dentro de uma caçarola funciona igualmente bem.

Dourar: Douramos alimentos para realçar o sabor (ver também TOSTAR). Cabe fazer uma distinção entre dourar e caramelizar, que se refere à transformação de açúcares em fogo alto. O douramento se refere à transformação de tudo que não é açúcar, processo também conhecido como reação de Maillard. Essa reação, que diz respeito sobretudo a proteínas e carboidratos, é responsável pelas marcas de um bife grelhado, a pele castanho-dourada de um frango assado ou a crosta do pão, e resulta em todo tipo de sabores complexos. A simples visão dessa cor dourada é apetitosa. Para dourar é necessário fogo alto, muito acima do ponto de fervura da água, por isso o douramento não acontecerá se você tiver água ou suco em sua panela, ou mesmo se as bordas da panela forem altas demais e reunirem muito vapor em torno da carne.

***Du Barry*:** Na cozinha francesa clássica, o termo denota que couve-flor é o principal componente ou a principal guarnição do prato. (Ver os termos relacionados *CRÉCY* e *FLORENTINE*.)

***Dumpling*:** Tipicamente, massa líquida ou firme cozida em algum líquido. Pode ser salgada ou doce. Em método e efeito, *dumplings* são semelhantes a massas frescas (o termo francês para eles é *pâte cuite*, massa cozida) e podem ser assim considerados. *Spaetzle*, uma massa crua ou massa líquida rala, é um tipo de *dumpling*, e se assemelha mais a uma massa de macarrão (muitas vezes é salteado depois de cozido para desenvolver mais sabor); nhoque é mais um *dumpling* que massa de macarrão. *Dumplings* chineses são mais parecidos com raviólis do que com o que entendemos por *dumplings*; os *guiozas* são de fato escalfados e depois fritos. (Davidson, em The *Oxford Companion to Food*, critica a tradução da técnica chinesa por "*dumpling*" como "uma extensão abominável".) Os *dumplings* americanos são em geral massas simples de farinha e água que incluem algum fermento e são cozidos em estufados; parecem-se mais com pãezinhos de minuto cozidos que as formas europeias e asiáticas, semelhantes a massa de macarrão. Por vezes a massa inclui batata cozida ou ovo, e pode também ser recheada. As formas podem variar – de pequenas bolinhas a grandes esferas, ou como delicados invólucros para recheios elaborados –, e o *dumpling* pode ser cozido e adicionado a um prato, cozido *com* o prato ou comido separadamente. Mas ele sempre oferece uma versátil estratégia para introduzir sabores e ingredientes adicionais numa refeição, de maneira intrigante e satisfatória.

***Dutch oven* (braseadeira com tampa):** É uma panela funda com tampa, muitas vezes feita de ferro fundido esmaltado, usada para estufar e brasear. Seus atributos importantes são o material pesado, que facilita o cozimento uniforme, e a tampa. É a melhor escolha para brasear, permitindo ao cozinheiro tostar a carne e cozê-la na mesma panela. Um instrumento culinário valioso, mas não, estritamente falando, essencial. Uma panela espessa com tampa fará o mesmo trabalho.

***Duxelles*:** Cogumelos salteados e picados. É um *appareil* valioso e versátil que adiciona sabor e textura a inúmeros pratos. Funciona como excelente recheio para ravióli, carne, peixe ou hortaliças, ou, de forma mais simples, como um elegante e saboroso leito ou guarnição para praticamente qualquer carne ou peixe suave. Vinho branco e caldo de vitela podem ser acrescentados para criar um excelente molho de cogumelo; cozido em fogo lento com um pouco de creme de leite e misturado, o *duxelles* se transformará numa simples e deliciosa sopa de cogumelo. A chave para que fique saboroso é tostar bem os cogumelos picados antes que comecem a soltar sua água. Use uma panela de fundo espesso, assegure-se de que ela está bem quente, não poupe óleo de cozinha e não coloque muitos cogumelos ao mesmo tempo (eles criarão vapor em vez de dourar). Echalota fatiada é um excelente aromatizante a ser usado (adicionada depois que os cogumelos começaram a cozinhar, para evitar que se queime), assim como salsa picada, junto com um uso agressivo de sal e pimenta. Depois que os cogumelos foram refogados, a panela pode ser deglaçada com vinho branco para adicionar mais sabor (a maior parte do líquido deve secar; *duxelles* é tipicamente muito úmido, mas não líquido). O *duxelles* pode ser usado imediatamente ou espalhado numa bandeja ou prato para esfriar antes de ser reutilizado. Se for reaquecê-lo, faça-o suavemente com um pouco de manteiga; algumas gotas de suco de limão realçarão suas características peculiares. Qualquer tipo de cogumelo pode ser usado, mas como eles são finamente picados, o barato cogumelo paris é a escolha mais comum.

E

***Eau-de-vie*:** Um destilado de fruta fresca fermentada, é uma bebida clara, de sabor intenso. As *eaux-de-vie* não são envelhecidas (como os conhaques, vinhos destilados) e pretendem transmitir o sabor da fruta. Por causa de seu custo e alto teor alcoólico, não são usadas frequentemente na cozinha, mas podem, como o conhaque, ser empregadas como tempero, especialmente para finalizar molhos de sobremesa, sorvetes e *sorbets*. Exemplos de *eaux-de-vie* incluem *kirsh* (cereja), Poire William (pera) e *framboise* (framboesa).

Echalota: Uma das mais poderosas cebolas na despensa de um cozinheiro, porque é suave, doce e saborosa quando cozida. Essa doçura é especialmente valiosa em molhos; as echalotas (por vezes chamadas de "chalotas") podem ser usadas cozidas em molhos quentes ou cruas em vinagretes e maioneses, embora nesse caso devam ser usadas com prudência. Pode-se eliminar seus efeitos mais ásperos macerando-as em vinagre; echalotas cruas são voláteis, por isso devem ser cortadas e incorporadas à comida no dia em que você for servi-la (isto é, não as acrescente a um vinagrete que ficará guardado por vários dias no refrigerador). Elas são também maravilhosas salteadas e usadas como guarnição, fritas com bastante gordura, assadas inteiras ou glaceadas.

Empanar: Significa cobrir um item uniformemente com uma cobertura seca, usualmente arrastando-o e apertando-o contra ela para assegurar uma camada plana. Implica um revestimento concentrado, aplicado com vigor. O procedimento para empanar comida que deve ser frita é simples: passe o item na farinha de trigo até que fique completamente seco, mergulhe-o no ovo, que adere à farinha, depois passe na farinha de rosca, que adere ao ovo. Embora a ordem e a lógica do processo raramente mudem, os detalhes podem variar enormemente. A farinha pode ser de trigo comum, integral, de amêndoa ou um amido puro como maisena. O ovo pode ser suavizado com água ou temperado. A farinha de rosca também pode ser temperada; pode ser mole ou dura (ver PANKO), ou pode ser substituída por outro cereal ou qualquer tipo de castanha moída. A partir do procedimento padrão, empanar fica aberto à imaginação.

Empratar: Em restaurantes, significa arrumar o alimento no prato. O alimento é empratado quando está pronto para ser servido.

Emulsificante: Dado poder mecânico suficiente, quaisquer duas substâncias podem ser emulsionadas, mas o cozinheiro com seu *fouet*, liquidificador ou mixer pode fazer uso de emulsificantes, substâncias que impedem dois líquidos opostos de se separar. A lecitina, presente na gema do ovo, é muito usada. Mostarda ajuda a manter a emulsão de um vinagrete. Amidos adicionais e proteínas também podem ter esse efeito. (Ver McGee para uma descrição completa de como os emulsificantes atuam.)

Emulsionar, emulsão: Uma emulsão é uma mistura homogênea de duas substâncias que não se combinam naturalmente, ou, mais precisamente, uma suspensão de uma substância em outra. Emulsionar significa combinar duas substâncias numa mistura uniforme. Na culinária, as emulsões mais comuns são de gordura em água (maionese, por exemplo). Leite é uma emulsão instável; a menos que seja emulsionado, vai se separar: o creme, a gordura, subirá à superfície. Vinagretes são frequentemente emulsionados. Gordura combinada com proteína e água é outra forma de emulsão, usada para fazer mortadelas ou salsichas. Compreender a química de uma emulsão é útil para fazê-la, mantê-la e consertá-la quando se decompõe. Uma emulsão de gordura em água é composta de inúmeros pedacinhos microscópicos de gordura separados uns dos outros por lâminas de água por meio de um emulsificante, como os presentes na gema de ovo. A água impede que as incontáveis partículas de gordura se agrupem, que é o que ocorre quando uma emulsão se decompõe – ironicamente, decompor-se na realidade é juntar-se. (Ver McGee para uma discussão detalhada e ilustrada de emulsões.)

***En croûte*:** Literalmente, "em crosta". Refere-se a algo que foi cozido numa crosta, quase sempre de massa – normalmente patês, mas pedaços inteiros de carne ou peixe são por vezes preparados *en croûte*, como salmão num prato chamado *coulibiac* ou bife em um filé Wellington. Ao cozinhar algo *en croûte*, é importante deixar as pontas da crosta abertas ou criar um ou dois buracos para a saída do vapor, a fim de que o exterior fique tostado e não encharcado.

***En papillote*:** Ver PAPILLOTE.

Engrossar: Ver PASTA DE AMIDO e *ROUX*, as duas misturas básicas usadas para engrossar líquidos. Purês de vegetais, frutas, castanhas, pão, ovos e ervas, bem como a redução, também podem ser usados para esse fim.

Envolver, invólucro: Invólucros para alimentos são uma estratégia interessante. Envolver alimentos em invólucros comestíveis – alface, folhas de parreira, *tortillas*, algas marinhas, papel de arroz, massa de *wontons* – pode ser uma maneira irresistível e apetitosa de servir a comida ou de emoldurá-la. Cozinhar em invólucros não comestíveis – pergaminho, folhas de bananeira – pode ser um método eficaz de cocção (no vapor).

Enzimas: Proteínas específicas nas plantas e nos animais que atuam como catalisadores para várias reações químicas e são responsáveis por muitas mudanças boas e más na comida. São as enzimas que fazem uma maçã ficar machucada, uma alcachofra escurecer, uma fava verde passar de brilhante a fosca, e que deixam a manteiga rançosa. Mas é também por sua causa que a maturação pode tornar a carne mais macia. Elas são ativas no processo de fermentação e são muitas vezes responsáveis pelos aromas dos alimentos. Por vezes, o cozinheiro quer limitar os efeitos das enzimas, que se tornam mais lentas a temperaturas baixas e são inativadas a temperaturas altas. Mas, como mostra McGee, antes de serem inativadas pelo calor, as enzimas se tornam mais vigorosas à medida que a temperatura se eleva – daí a importância de cozer os itens que são prejudicados por elas (vegetais verdes, por exemplo) o mais rápido possível. Enzimas requerem oxigênio para atuar, e algumas têm sua ação desacelerada ou são inativadas por altas concentrações de sal e ácido. Portanto, criando ambientes de baixo oxigênio, salgados ou ácidos, podemos reduzir os efeitos das enzimas.

Ervas frescas: Ervas frescas estão entre os ingredientes mais importantes na cozinha. É difícil exagerar o valor de seus efeitos; esses pesos-pena são capazes de um soco poderoso e podem, por si sós, elevar um prato de bom a excelente. Seus usos são inúmeros – podem condimentar molhos e omeletes, ser adicionadas a manteiga (ver MANTEIGA COMPOSTA), misturadas inteiras a saladas ou incluídas entre os ingredientes aromáticos em caldos e estufados. São por vezes categorizadas segundo o talo – mole ou duro. Cebolinha, estragão e salsinha são ervas de talo mole; tomilho e alecrim, de talo duro. Embora você possa substituir as ervas frescas pelas secas, na verdade não há substituto adequado. Se há um erro comum no modo como os cozinheiros as usam, é geralmente o fato de não as usarem tanto quanto deveriam. As ervas frescas são voláteis e deveriam ser cortadas o mais perto possível do momento em que serão usadas. Para guardá-las no refrigerador por um ou dois dias, enrole-as numa toalha úmida, para que possam respirar sem ressecar.

Ervas secas e especiarias: Embora ervas frescas sejam quase sempre preferíveis às secas, estas são um artigo valioso para se ter na despensa, especialmente para usar no tempero de sopas e estufados e em outras preparações cozidas por períodos longos o suficiente para reidratá-las e extrair seu sabor (que é consideravelmente diferente daquele extraído de ervas frescas). Isso supondo que elas têm sabor, para começar. É comum que as ervas secas nas cozinhas caseiras sejam pálidas e insípidas, tendo permanecido por anos na mesma prateleira de temperos. É prudente comprar ervas e especiarias secas que você não usa com frequência nas menores embalagens disponíveis, para que tenham menos probabilidade de ficarem velhas. Ao usar uma erva ou especiaria seca, se não puder se lembrar da última vez em que a usou, é uma boa ideia observá-la, cheirá-la e prová-la para avaliar o frescor; a cor deve ser viva, não fosca ou descorada, e o aroma, nítido – se não puder sentir o aroma, não será capaz de sentir o sabor. Prove as especiarias – se não tiverem sabor, é hora de comprar outras frescas.

Escalfar: Um método de calor úmido, é uma das maneiras mais uniformes e suaves de cozer, porque as temperaturas de cozimento não podem se elevar acima de 100°C, o ponto de fervura da água. Escalfar, porém, não significa ferver: a agitação das bolhas na água pode danificar comidas delicadas e elevar a umidade no item que você está cozendo, podendo cozê-lo demais e ressecá-lo. As temperaturas ótimas para escalfar variam usualmente entre 70°C e 82°C. O escalfamento pode ser dividido em duas categorias: "escalfar em muito líquido" e "escalfar em pouco líquido". No primeiro caso, o meio de cozimento, geralmente um *court bouillon*, é descartado, mas distingue-se em geral por ser intensamente condimentado com aromáticos, ácidos ou outros temperos. No segundo caso, o *cuisson* – o líquido em que um peixe foi escalfado, por exemplo – torna-se muitas vezes parte do prato final.

Escalfar em muito líquido: A comida é completamente submersa num líquido saboroso e cozida suavemente, em temperaturas inferiores à de fervura, tão baixas quanto 70°C. A técnica, na categoria de calor úmido (implicando baixa temperatura), é normalmente usada para frango ou peixe, de preferência gordos e carnudos (salmão é muitas vezes preparado dessa maneira). No entanto, qualquer proteína que não requeira a cor e o sabor do douramento (obtido com calor seco, em fogo alto) pode ser assim escalfada. Para escalfar peixes, costuma-se usar um caldo ou um *court bouillon*, um caldo rápido feito com água, ervas, vegetais aromáticos, especiarias e vinho ou vinagre. Este em geral não é usado como parte do molho final, como o são os caldos de carne usados para escalfar em pouco líquido frango ou carne bovina.

Escalfar em pouco líquido: A comida é cozida numa pequena quantidade de líquido, *à la minute*. É usada para itens naturalmente magros, como peixes. O método padrão é escolher uma panela que tenha aproximadamente o mesmo tamanho dos itens a serem preparados; use líquido suficiente – em geral um caldo, ingredientes aromáticos e um ácido – para chegar a cerca da metade da altura do alimento. Muitas vezes a panela é tampada para que o vapor cozinhe a superfície exposta. O item retirado da panela é reservado enquanto o líquido de cozimento, o *cuisson*, é reduzido, finalizado com condimentos, ervas e/ou aromáticos e misturado com manteiga para ser usado como molho.

Escalope: Termo de origem francesa que designa a carne finamente fatiada e salteada ou por vezes empanada e frita.

Escoffier, Auguste: O mais célebre chef de seu tempo (1846-1935), é lembrado hoje não por ter cozinhado nos grandes hotéis da Europa, mas por sua obra-prima, *Le Guide Culinaire* (1903). Trata-se de um volume extraordinário, compreendendo 5.012 receitas, que sob muitos aspectos estabeleceu um padrão de culinária francesa clássica válido ainda hoje.

Escorredor: Instrumento de cozinha essencial. É bom ter pelo menos um coador de metal resistente, em vez de um frágil, de plástico.

Escumadeira para fritura: Grande colher chata de malha de arame usada para retirar itens da gordura quente.

Escumar: Remover impurezas da superfície de um líquido é um dos passos decisivos para assegurar que um caldo ou molho tenha sabor e textura tão limpos quanto possível. É melhor retirar as impurezas de caldos cedo, logo depois que chegaram ao ponto de fervura, quando sangue e proteína já coagularam e subiram à superfície juntamente com partículas indesejáveis, mas a água ainda está sem sabor. Para molhos refinados, é preciso retirar as impurezas durante todo o cozimento. O instrumento mais eficiente para fazer isso é uma concha, empurrando gorduras e impurezas para fora do centro com um movimento circular de modo que elas se juntem nos lados da panela e possam ser mais facilmente recolhidas.

***Espagnole*:** Também chamado de molho escuro, é talvez o mais importante dos molhos-mãe e o que mais bem descreve o poder do método de molhos derivados (ver MOLHOS DERIVADOS). Feito de caldo de vitela escuro, *mirepoix* dourado e tomate, engrossado com um *roux* escurecido, o *espagnole* pode ser transformado em inúmeros molhos *à la minute*. (Escoffier, que os chama de molhos "compostos", dá receitas para mais de 50.) O *espagnole* é também a base para o *demi-glacé* clássico, uma redução de partes iguais de *espagnole* e caldo de vitela escuro. (Ver o artigo MOLHO, p.22.)

Espátula: Há muitos tipos e tamanhos diferentes de espátula, usados para virar, mexer, raspar e espalhar, e uma boa cozinha tem alguns deles. Talvez o estilo mais útil seja a espátula curva (ver abaixo); as espátulas são sempre o instrumento favorito para virar a comida (fazê-lo com pinças pode danificá-la). Espátulas de borracha são instrumentos culinários essenciais para mexer, misturar e transferir massas de maneira eficiente de um recipiente para outro.

Espátula curva: Esse tipo de espátula tem a lâmina num ângulo tal que, quando está pousada, o cabo fica erguido num ângulo de cerca de 45 graus – um desenho que a torna excepcionalmente útil para virar a comida ou depositar alimentos com precisão. São fabricadas em todos os tipos de tamanhos e, embora não estritamente necessárias, são altamente recomendáveis para os que cozinham muito.

Espátula de bolo ou torta: Uma espátula longa e afunilada em direção à ponta arredondada. É conveniente na cozinha para virar alimentos, bem como para cobrir bolos com glacê, espalhar massa de *tuiles* etc. Essas espátulas também vêm numa variedade de tamanhos, bem como em versões curvas que podem ser especialmente úteis.

Especiarias: O aspecto mais importante nas especiarias é seu frescor – quanto mais frescas, melhor. Para uma ótima qualidade, compre-as inteiras em vez de moídas, e sempre em pequenas quantidades, para que não se demorem na despensa ou na prateleira. O calor extrai os óleos voláteis das especiarias, seu sabor, por isso torrá-las numa panela seca antes de moê-las acentua enormemente seu efeito. As especiarias tornam-se insípidas com o tempo; cheire-as e prove-as para avaliar sua qualidade antes de usá-las.

Espinhas: São os pequenos ossos que, nos peixes "redondos", correm ao longo da metade superior do filé, começando atrás das guelras e percorrendo cerca de três quartos do comprimento. Devem ser removidas se possível antes de servir, especialmente em peixes maiores, como o salmão. Alicates de bico longo prestam-se bem à tarefa, mas pinças especiais para espinhas de peixe também estão disponíveis e funcionam bem.

Esponja: 1) Na feitura de pão, indica um método de fermentação da massa com levedura em que parte da farinha e da água e toda a levedura são combinadas e fermentadas algumas horas antes de os demais ingredientes serem acrescentados, uma técnica que permite um tempo mais longo de fermentação, e por isso mais sabor. 2) Esponjas de limpeza são um dos itens mais repletos de bactérias em sua cozinha, e devem ser periodicamente esterilizadas. Para isso, mergulhe-as numa solução de água sanitária, ferva-as ou molhe-as e aqueça-as no forno de micro-ondas.

Espremedor de alho: Contanto que você retire o germe primeiro ou adicione o alho a uma panela quente imediatamente, espremedores de alho são ótimos para a cozinha caseira. São também controversos. No mundo dos chefs, são vistos como um instrumento amadorístico – espremer o alho seria uma concessão lamentável em nome da conveniência. Isso porque alhos inteiros passados através de um espremedor desenvolvem rapidamente gosto ruim, ao que parece porque as enzimas presentes no germe, quando trituradas com o alho, ficam ativas, transformando seu aroma e sabor. Se você retirar o germe primeiro, o alho pode ser espremido sem problema. Fogo alto imediato também desativará as enzimas, razão por que você pode até espremer o germe junto se o alho for imediatamente para uma panela quente. É importante saber também que o efeito do alho varia dependendo da maneira como é cortado; há sutis diferenças de sabor entre alho esmagado, alho fatiado e pasta de alho feita picando-se o alho e esfregando-o com o lado largo da faca; use todos esses métodos você mesmo e preste atenção às diferenças.

Espremedor de batata: Instrumento para espremer raízes e tubérculos macios, desempenha a mesma função que um *passe-vite*; para pequenas quantidades de amidos muito macios, é mais conveniente.

Espuma: A comida em espuma, uma marca registrada dos chefs de vanguarda, tornou-se uma tendência nos primeiros anos deste século, e foi difundida pelo chef espanhol Ferran Adrià. Embora tenha seus usos (espuma de leite no café é um bom exemplo), a espuma pode parecer afetada ou artificial quando usada por si mesma, não como parte integrante do prato. Ela pode ser simples – mistura de um molho viscoso com um mixer – ou mais complicada: é possível espumar líquidos muito finos batendo-os com gelatina, por exemplo. Os restaurantes costumam usar uma garrafa chantilly com óxido nitroso ou CO_2 para espumar líquidos (esses dispositivos e técnicas são baratos e de fácil uso em casa).

Estria, estriar: Estriar significa entalhar estrias decorativas, frequentemente usadas sobre cogumelos; na pâtisserie, cortadores de massa decorados têm a borda estriada.*

Estufar: Método de calor úmido usado para cortes mais duros de carne. Os estufados se distinguem dos braseados porque a carne é cortada em pedaços menores, há uma abundância de líquido e este é composto por vários itens, todos servidos no líquido de cozimento. Quanto ao mais, as mesmas regras se aplicam: fogo lento e suave – idealmente o líquido de cozimento deverá estar por volta de 82°C, nunca sendo levado a uma fervura completa. Estufados, como braseados, beneficiam-se tipicamente se dourarmos a carne para lhe dar sabor antes de submergi-la no líquido de cozimento, mas não sempre. Em preparações como *blanquette de veau*, primeiro escaldamos a carne para remover parte das impurezas. (Ver também BRASEADO.)

---

* No Brasil, é mais comum usar os termos "cortes decorativos"; na panificação, eles são chamados de "assinatura do padeiro". (N.R.T.)

Étouffée, étouffer: Termos franceses para estufado e estufar numa panela tampada; são especialmente comuns na culinária *cajun*.

Explosão de forno: É a expressão que os padeiros usam para descrever o súbito crescimento do pão nos primeiros minutos de cozimento de uma massa levedada. A temperatura elevada torna o fermento especialmente ativo, liberando cada vez mais gás, antes que as leveduras morram em razão do calor; isso, além do fato de que o calor expande o gás já liberado dentro da massa, causa essa explosão. Ela indica uma boa cultura de leveduras e boa elasticidade na massa, e pode prosseguir até que o interior da massa atinja a temperatura de 59°C, ponto térmico letal para as leveduras.

Extrusor: Ver DISCO.

F

Faca: É o principal instrumento na cozinha salgada. Embora haja diversos tipos de faca disponíveis, objetivamente falando você só precisa de duas boas: uma grande e uma pequena. Você pode comprar um conjunto inteiro, e facas especiais vêm a calhar, mas seria melhor primeiro investir o mesmo dinheiro na compra de duas facas excelentes – uma de chef e uma de descascar –, além de uma chaira (a barra ou bastão de metal usado para manter o fio aguçado). Um bom cozinheiro deve ser capaz de usar a faca de chef e a de descascar para praticamente qualquer tarefa que requeira esse instrumento.

Faca de chef: Talvez o instrumento mais valioso do cozinheiro, uma faca de chef, por vezes chamada faca francesa, tem entre 20 e 30 centímetros de comprimento e uma lâmina larga de cerca de 4,5 centímetros que se adelgaça na ponta. Uma boa faca de chef pode ser usada para a maioria das tarefas que envolvem cortar. Ela e uma faca para descascar são as duas únicas fundamentais para o cozinheiro. Devem ser de aço inoxidável de alto carbono, e parecer sólidas e confortáveis na mão. Tão importante quanto a própria faca é a maneira como você a empunha: prenda a lâmina entre o dedo indicador e o polegar para controlar o gume, envolvendo o cabo propriamente dito com seus outros três dedos (ver o artigo UTENSÍLIOS, p.50).

Faca para descascar: Faca com lâmina curta (cerca de 7,5 centímetros), uma das duas facas essenciais na cozinha.

Faca para filetar, faca de salmão: Tem uma lâmina longa e fina, muitas vezes estriada ao longo do comprimento, com ponta redonda. É usada para cortar carnes quando se desejam fatias muito finas, como no caso de salmão curado. Seu comprimento permite facadas longas, ajudando-o a fazer cortes muito bem-feitos.

Faca serrilhada: Facas serrilhadas, aquelas com dentes de serra visíveis, são boas para cortar pão e alguns outros itens com crosta ou casca duras, e por isso você deve ter uma. Além destes, os usos são limitados, porque serrar um alimento pode facilmente danificá-lo.

***Factory raised*:** Essa designação inglesa relativamente recente refere-se a animais como porcos e frangos criados e processados por agroindústrias ("criados em fábrica"). Denota produção em grande volume e significa muitas vezes um animal de qualidade inferior, criado em condições antinaturais. (Compare com *FARM RAISED*.)

***Farce, farcir*:** *Farce* é recheio em francês, e *farcir* é rechear. Em cozinhas profissionais, o termo é usado em vez de "recheio" – um cozinheiro faria o *farce* para raviólis, por exemplo. Designa qualquer carne, peixe, gordura e/ou vegetais moídos ou batidos no liquidificador e usados para rechear alguma outra coisa, seja carne de porco moída em forma de terrine ou cogumelos numa massa. Em geral é usado para descrever uma mistura de carne moída, gordura e temperos para patê ou linguiça. A forma anglicizada da palavra é *forcemeat*, que as cozinhas profissionais também usam, embora algumas prefiram o termo francês por soar mais refinado e elegante.

Farinha: As farinhas de trigo refinadas distinguem-se sobretudo pelo percentual de proteína que contêm. A farinha para uso geral tem mais proteína que aquela para bolo e menos que a usada para pão.* É possível fazer pão e bolo com farinha para uso geral? Sim, mas o resultado não será exatamente o mesmo. As proteínas importantes são a glutenina e a gliadina, que se juntam quando água é adicionada, formando o glúten. O alto teor de glúten na farinha de pão resulta numa massa elástica, que pode se esticar quando bolhas de gás são liberadas pela levedura dentro dela e por isso faz o melhor pão. Farinha de bolo, ou de pâtisserie, tem menor teor de glúten, daí o resultado mais macio, desejável nesses casos. McGee observa que é possível adicionar maisena ou algum outro amido puro à farinha de uso geral a fim de reduzir sua porcentagem de proteína, ou adicionar glúten seco para aumentá-la. Farinha de trigo integral, que inclui o farelo e o germe do grão de trigo, resulta num produto mais denso e nutritivo. Outros grãos e cereais – milho, arroz, centeio – podem ser transformados em farinha para diferentes preparações, de macarrão a pães.

Farinha de bolo: Ver FARINHA DE TRIGO.

Farinha para pão: Ver FARINHA.

***Farm raised*:** Designação inglesa que denota animais criados com o uso de métodos agrícolas tradicionais ("criados na fazenda"). Por vezes chamados *hand-raised* ("criados à mão") ou *free-range* ("criados em liberdade"), esses animais foram criados num ambiente e com uma dieta apropriados para seu sistema, e não suportaram níveis incomuns de estresse durante suas vidas ou antes do abate. Os resultados da "criação na fazenda", segundo as pessoas que fazem o trabalho, tende a ser animais mais felizes e carne superior. (Compare com *FACTORY RAISED*; ver também ORGÂNICO.) A expressão é também aplicada a peixes, mas com conotações menos benévolas. "Fazendas" de peixe são cada vez mais comuns, mas suas vantagens e desvantagens ainda estão sendo avaliadas. Peixe silvestre é geralmente preferível a peixe cultivado. (Ver AQUICULTURA.)

* No Brasil, a farinha de trigo é classificada em especial, comum ou com fermento. A comum é para pães; a especial ou com fermento, para bolos. (N.R.T.)

Fast-food: Não há nada de errado com fast-food em si, contanto que seja de qualidade. Durante anos, porém, praticamente toda fast-food era nociva à saúde – com alto teor de gordura, sódio e aditivos químicos, baixo teor de nutrientes e gosto padronizado. Embora isso continue dominante no mundo inteiro, cada vez mais empresas estão prestando atenção ao desejo de seus clientes por ingredientes melhores e comida feita manualmente. Talvez um dia fast-food venha a significar não comida ruim, prejudicial à saúde, mas sim um estilo de refeições e a natureza do lugar em que são servidas.

Feijão (fresco): Há muitos tipos de feijão fresco disponíveis hoje nos supermercados e hortifrútis. Não importa que tipo você usa – verde, amarelo, em vagem, fava, feijão-de-lima, soja –, todos podem ser cozidos de muitas maneiras. Em geral o feijão é mergulhado em água fervendo e muito salgada (ver BRANQUEAR), depois temperado e comido imediatamente ou submetido a choque térmico, escorrido e refrigerado até ficar pronto para ser consumido, seja frio com um vinagrete ou reaquecido com sal e manteiga. O feijão pode ser escaldado, submetido a choque térmico e refrigerado até um dia antes de ser servido. Se um ácido como vinagrete ou suco de limão for parte do tempero de qualquer vagem, ele deve ser acrescentado quase na hora de servir, para evitar que o vegetal fique com uma cor fosca. Pode-se adicionar óleo aos feijões frescos e assá-los, grelhá-los, salteá-los ou fritá-los por imersão, com resultados diferentes e excelentes.

Feijão (seco): Feijões secos – preto, branco, feijão-mungo, feijão-fradinho, ervilha, lentilhas – são um nutritivo e versátil componente da despensa caseira, quer sejam as marcas de mercado, quer sejam variedades especialmente cultivadas (agora disponíveis na internet). Alguns tipos de feijão não precisam ficar de molho (feijão-fradinho, lentilhas, feijão-mungo), mas aqueles maiores e mais duros devem ficar por 4 a 6 horas, ou durante a noite. Na verdade, nenhum feijão *tem* de ficar de molho: eles sempre acabam cozinhando inteiramente, mas quanto mais lenta for sua reidratação, melhor. O segredo no preparo do feijão é cozinhá-lo de forma suave, para que os grãos permaneçam intactos, e não fervê-lo intensamente, levando-os a se romperem. O feijão precisa ser suavemente hidratado e cozido. Como ele absorve os sabores do líquido de cozimento, adicionar grande número de vegetais e ervas aromáticos e temperar a água com ácido e sal melhoram o resultado, dependendo de como você pretende usá-lo (prove a água – é esse o gosto que o feijão terá). Comece a cozinhar o feijão com água fria. Alguns chefs recomendam branqueá-lo primeiro, depois enxaguá-lo antes de cozinhar para remover um pouco dos carboidratos que resultam em flatulência (mas perdem-se também nutrientes). A maioria dos chefs recomenda adicionar sal à água na metade do cozimento, isto é, depois que o feijão se hidratou, mas antes que cozinhe; alguns acreditam que o sal pode interferir no processo de reidratação, outros dizem que endurece o feijão. Uma boa maneira de assegurar um calor suave é começar o cozimento no fogão e depois transferir a panela, tampada ou coberta com papel vegetal, para um forno a 135°C, até o feijão ficar macio, provando para ajustar o tempero à medida que ele cozinha.

Depois que o feijão estiver cozido, pode ser transformado em purê para uma sopa ou pasta, servido quente, servido frio com um vinagrete ou mesmo frito por imersão até ficar crocante. Feijão deixado de molho e não cozido pode também ser frito por imersão e comido como um lanche ou uma guarnição crocante.

Fermentação: A fermentação é a transformação de moléculas por micro-organismos como leveduras e bactérias, e ajuda a criar alguns dos mais maravilhosos alimentos e bebidas que a humanidade conhece. As leveduras alimentam-se de açúcares e os transformam em álcool; bactérias de ácido acético alimentam-se de álcool e o transformam em vinagre; bactérias lácticas alimentam-se dos açúcares presentes nos laticínios e criam iogurte e coalhada. Ao alimentar-se dos açúcares presentes nas massas, as leveduras liberam dióxido de carbono e álcool, fazendo o pão crescer e adicionando-lhe compostos aromáticos do álcool e outros subprodutos. E bactérias alimentam-se dos açúcares presentes na linguiça para gerar o ácido que ajudará a preservá-la enquanto seca e que adicionará acidez a seu sabor. Todos esses são exemplos de fermentação, processo que nos dá, para mencionar alguns exemplos, o vinho, o pão fermentado e o salame.

Fermentar a comida – usar micro-organismos de maneira semicontrolada para realçar seu sabor e preservá-la, seja transformando hortaliças em picles com água e sal, seja criando seu próprio fermento para pão – é um dos prazeres da culinária ao alcance de todos os cozinheiros. A fermentação descontrolada por bactérias, mofos e leveduras indesejáveis estraga a comida.

Fermento: Tudo que fermenta uma massa – isto é, ajuda a fazê-la crescer – é um fermento. Pode ser um alimento (clara de ovo), um produto químico (fermento em pó), um organismo (levedura) ou um processo mecânico (o ato de bater) – todos são agentes de crescimento. Dobrar e revirar uma massa de farinha e manteiga para pão de minuto agirá como uma espécie de fermento, tendo o mesmo efeito de crescimento da *patê a choux*. O tipo de fermento que você escolhe afeta a textura e o sabor do produto final.

Fermento biológico (levedura): Três tipos de levedura comercial são amplamente disponíveis: fermento biológico fresco em tablete (que em geral vem em barras de 20 gramas), fermento biológico seco e fermento biológico instantâneo. Este é cerca de 25% mais forte que o biológico seco. A maioria dos padeiros usa fermento biológico fresco, que pode ser congelado (embora com alguma redução na atividade). Ele se comporta de maneira mais uniforme e por vezes tem gosto melhor. No entanto, um número crescente vem usando o fermento biológico instantâneo porque é mais fácil de armazenar e dura mais. Para substituir fermento biológico fresco por seco, use 40% deste, ou 33% de fermento biológico instantâneo, por peso. Alguns padeiros preferem fermento natural ao fermento biológico comercial, porque ele produz um sabor mais complexo. Faz-se fermento natural – que contém mais de um tipo de levedura, bem como bactérias produtoras de ácido – permitindo que a microflora natural do ar e da farinha cresça numa mistura de farinha e água. Seu tempo de fermentação permite às bactérias gerar ácido à medida que a levedura libera álcool e dióxido de carbono. O fermento natural pode suportar esse ácido, mas o comercial não. No entanto, se fermentar por um longo período, ele pode ser dominado pelo ácido, produto da rápida multiplicação das bactérias.

Fermento em pó: É um fermento químico composto de bicarbonato de sódio (que tem pH básico) e de ácido; quando combinado com um líquido, libera bolhas de dióxido de carbono. É usado para fermentar massas líquidas e massas firmes não elásticas que não conseguem manter bolhas por longos períodos (como o faz a massa de pão, por exemplo). Fermento em pó também libera gás quando aquecido, isto é, quando cozinha – daí a expressão "de dupla ação" aplicada a ele. O fermento pode dar um gosto de produto químico ao prato pronto; para evitar isso, meça-o cuidadosamente. Às vezes, pode-se substituí-lo por fermentos naturais, como clara de ovo.

Fermento natural: Refere-se em geral à fermentação para o pão de massa azeda, uma mistura de farinha, água e uma cultura de leveduras naturais que fermenta a massa. Pode se referir também a qualquer cultura viva adicionada aos ingredientes principais para fazer um produto fermentado, como iogurte.

Ferro fundido: Quando propriamente conservadas, as panelas de ferro fundido são excepcionais. São pouco dispendiosas e duráveis; por serem tão densas, demoram para aquecer, mas, quando o fazem, ficam muito quentes e permanecem assim. Quando devidamente "temperadas", são praticamente tão boas quanto a mais elegante frigideira antiaderente – na verdade, melhores, porque aguentam o tranco. Mas, como reagem a ácido e sal, você não deve salgar comida em panelas de ferro fundido, e o ácido dos tomates nelas vai de fato inserir ferro no molho de tomate (o ferro fará bem a você, mas o tomate fará mal à panela).

Para temperar uma panela de ferro fundido, derrame uma camada de pouco mais de 1 centímetro de óleo dentro dela, ponha-a sobre fogo alto até que o óleo fique muito quente e depois num forno a 150°C por cerca de uma hora, em seguida deixe-a esfriar completamente. Jogue o óleo fora e enxugue com toalha de papel. (Na verdade, se você fritar frango ou batatas em sua panela de ferro, ela se temperará por si mesma.) Para limpá-la, nunca use sabão, apenas um abrasivo (uma esponja de cobre ou um pouco de sal kosher), e ela permanecerá temperada e lustrosa indefinidamente. Se você a negligenciar, pode temperá-la novamente. Mesmo panelas de ferro velhas e castigadas podem ser limpas, temperadas e renascer como excelentes utensílios de cozinha.

Ferver, fervura, ponto de fervura: Praticamente os únicos alimentos que devem ser fervidos são vegetais verdes, vegetais que precisam ser descascados, ossos para caldo claro (ver BRANQUEAR) e macarrão – isto é, itens que requerem o máximo possível de calor úmido. Na maioria dos outros casos, e por vezes até nesses mesmos, o calor intenso e a agitação vigorosa da água fervente cozinham o exterior depressa demais, decompõem as estruturas e emulsionam as impurezas com o líquido de cozimento, efeitos a que um cozinheiro deve estar atento. É por isso que batatas e feijão devem ser cozidos suavemente, e que os caldos são cozidos a um mero tremor da água.

O ponto de fervura – a temperatura acima da qual a água não pode se elevar – é outra ideia a que devemos estar atentos e que devemos pôr em uso, especialmente na forma de banho-maria; recipientes (e mesmo comida envolta em plástico) podem ser colocados na água para assegurar um cozimento suave e constante.

Deve-se notar também que, quando há qualquer quantidade de água, mesmo que bem pequena, na panela, os alimentos em contato com essa água não serão aquecidos acima do ponto de fervura, 100°C; você não conseguirá tostar ou dourar carne se houver água em sua panela.

Fibra: Fibra é o termo geral para os componentes de vegetais e sementes que nosso corpo não é capaz de destruir e absorver, como a celulose. Como é boa para o trato digestivo, é importante manter uma dieta que inclua muita fibra natural. No entanto, a fibra é algo que o cozinheiro remove da comida ao fazer pratos refinados. Entre as impurezas apanhadas num chinois quando se coa um molho em forma de purê, por exemplo, está a fibra, a matéria que dava estrutura ao vegetal, ajudando a conter sua cor e seu sabor; ela mesma, porém, tem pouco sabor e textura áspera.

Ficelle, à la: Cozer algo pendurado em um barbante (em francês, *ficelle*) diante do fogo. Técnica muitas vezes associada ao pernil de cordeiro, é mais trabalhosa que assar no forno – a carne precisa ser regada regularmente e vigiada de perto para que todos os lados fiquem uniformemente cozidos, mas não em excesso, para que não fiquem ressecados. A técnica é valiosa porque o fogo dá sabor extra à carne; além disso, é um prazer contemplar uma perna de cordeiro ou faisão cozendo lentamente diante do fogo.

Fígado: É excepcional por ser uma carne que pode ser cozida e servida desacompanhada, quente ou fria, inteira ou picada, ou ainda usada como tempero e até para engrossar molhos. É excelente salteado, mas deve ser brevemente cozido para permanecer úmido. Tipos de fígado incluem comumente os de vitela, pato, frango e alguns peixes, especialmente tamboril – mas o de frango é o mais usado. (Ver também FOIE GRAS, o fígado gordo de patos e gansos.)

Filé: Cortar em filé significa remover os ossos, e um filé é uma única porção de carne ou peixe sem ossos. Usada sozinha, a palavra designa em geral a peça de carne bovina extraída do lombo da rês, também chamada de filé mignon.

Filé mignon: O filé mignon de animais terrestres é um músculo que corre ao longo da espinha, dentro da caixa torácica. O músculo delgado preso ao peito das aves é chamado de filezinho. Em todos os casos, não se trata de um músculo muito trabalhado, e por isso é muito macio.

Finalizar: Significa dar o passo final na preparação de um prato, fazer ajustes *à la minute* levando-o ao apogeu imediatamente antes de servir (molhos são muitas vezes finalizados sendo enriquecidos com manteiga, por exemplo).

***Fines herbes*:** Combinação em partes iguais de salsa italiana, estragão, cerefólio e cebolinha verde, *fines herbes* é um elegante sabor para realçar pratos delicados de ovos, carne ou peixe e molhos. O estragão e o cerefólio, que têm sabor de anis, combinam com as notas amargas da salsa e o gosto doce de cebola da cebolinha verde. É fácil cultivar essas ervas, e elas são um excelente esteio na cozinha.

Finesse: 1) Refinamento, elegância e delicadeza de desempenho, execução ou artesania, é um conceito importante nas melhores cozinhas. Pode referir-se às ações do chef, ao ato de cozinhar ou a uma técnica culinária específica que eleva a qualidade de um prato. Nas cozinhas francesas, a palavra usada é *soigné*. Em termos gerais, finesse designa os pequenos esforços ou movimentos extras que resultam em excelência e refinamento. 2) Finesse pode ser usado como uma etapa necessária, indicando um passo numa preparação que requer especial atenção. Por exemplo, "o *beurre rouge* é um molho complicado que precisa de finesse para dar certo" – isto é, atenção e movimentos cuidadosos são requeridos para assegurar uma boa emulsão e uma aparência agradável. (Ver o artigo FINESSE, p.63.)

Fita crepe: Valiosa por não deixar vestígios quando removida, é um bom instrumento na cozinha para rotular recipientes plásticos.

***Flambé*:** A palavra significa que um prato será finalizado com álcool, a que depois se ateará fogo. A técnica é usada somente para exibição; ela não tem impacto substancial sobre o sabor nem queima o álcool de maneira significativa.

Flan: Termo espanhol para *crème caramel* (ver CREME, *CRÈME BRÛLÉE*, *CRÈME CARAMEL*). No Reino Unido, pode designar várias tortas de pâtisserie, salgadas ou doces, e isso dá margem a confusão. Ao se referir a *crème caramel*, use esta inequívoca expressão; ao se referir a um creme inglês, especifique dessa forma.*

***Florentine*:** Na cozinha francesa clássica, *florentine* denota que espinafre é o principal componente de um prato ou sua principal guarnição. (Ver os termos relacionados *CRÉCY* e *DU BARRY*.)

Fogão de indução: Uma bobina eletromagnética nos queimadores por indução faz os elétrons moverem-se rapidamente no aço ou no ferro, aquecendo uniformemente o recipiente de cozimento – somente metal. Esta é uma maneira eficiente de cozinhar, porque a única coisa que se aquece é a panela, o que ocorre muito depressa. Outro benefício substancial desses queimadores é que não aquecem o ar como o fazem os queimadores a gás ou elétricos, sendo por isso especialmente apreciados em climas quentes. São também fáceis de limpar, porque a comida derramada sobre eles não cozinha. Como não atingem vidro ou cerâmica, se você cozinha num *tagine* ou tem apenas panelas Pyrex, queimadores por indução podem ser inconvenientes, mas a maioria dos chefs que os usam os elogia.

***Foie gras*:** Expressão francesa para fígado gordo, *foie gras* é o fígado de gansos ou patos que receberam uma dieta altamente calórica com o fim específico de produzir essa iguaria culinária. Apreciado pelo gosto saboroso e a textura elegante, é uma daquelas raras comidas para as quais realmente não há comparação em termos de sabor, untuosidade e textura. Ela é única também porque apenas um pequeno número de produtores nos Estados

* Em português, usamos "flan" para preparações cremosas à base de gelatina. Já o *flan* espanhol (*créme caramel* em francês) é o nosso pudim de leite (e caramelo). (N.R.T.)

Unidos cria patos para *foie gras*, o que significa que os chefs encomendam dos mesmos fornecedores que os cozinheiros caseiros – podendo estes últimos, portanto, obter produtos de igual qualidade. Composto quase inteiramente de gordura, é bastante versátil: pode ser servido quente – assado, escalfado ou salteado – ou frio, geralmente na forma de terrine ou *torchon*; pode ser prato principal, entrada ou guarnição. Embora muito caro, é um dos itens mais fáceis de preparar em casa, porque é preciso muito pouco para torná-lo excelente.

Ativistas dos direitos dos animais afirmam que a alimentação forçada das aves (processo chamado *gavage*) é desumana, e pedem sua proibição. Alguns chefs da mesma opinião pararam de servir *foie gras*. Outros acreditam que o processo não causa danos ao pato ou ganso e não é mais desumano que qualquer outra forma de criação consciente de animais para o abate, e o servem com prazer. O assunto continua controverso.

***Fond*:** 1) *Fond* significa base, fundo. Diz-se que caldo é *le fond de cuisine*. Pode referir-se também aos pedacinhos de carne, pele e sucos reduzidos grudados no fundo da fôrma em que foi salteada ou assada a carne; se deglaçado, pode se tornar a base de um molho *à la minute*. *Fond* é uma palavra e um conceito importante na cozinha. 2) Pode significar também a base literal de um item, como em *fond de artichaut* (fundo de alcachofra).

***Fondue*:** Termo francês para "derretido". Quando hortaliças são assim descritas – tomate *fondue*, alho-poró *fondue* –, é porque foram cozidos de forma suave e lenta até praticamente derreterem. Manteiga que foi derretida, especialmente de forma a manter sua emulsão, é chamada por vezes de *beurre fondue* (ver também *BEURRE MONTÉ*). *Fondues* de queijo e chocolate são, é claro, pratos em que a comida é mergulhada em queijo ou chocolate derretidos.

***Forcemeat*:** Ver *FARCE*.

***Forestière*:** Na cozinha francesa clássica, esse termo denota que cogumelos são o principal componente ou a principal guarnição de um prato.

Fôrma com fundo removível: Esse tipo de fôrma tem uma fivela que a aperta e prende em torno de um fundo separado; quando a fivela é aberta, o fundo (e a comida cozida ali) se desprende das laterais. É usada para preparações que seriam difíceis de remover de uma fôrma de bolo comum, como *cheesecake*.

Fôrma de bolo: Uma variedade de fôrmas de bolo de diferentes materiais está agora disponível. Por transmitir calor com facilidade, o alumínio é o material ótimo para assar. Quanto maior a espessura, mais uniformemente se assa. Várias fôrmas de silicone ou com superfície antiaderente são também encontradas. É uma boa ideia ter uma ou duas boas fôrmas de bolo para uso geral; compre fôrmas especiais – uma em anel, uma redonda com fundo removível, uma para rocambole – segundo o que você gosta de fazer.

Fôrma de terrine: Recipientes disponíveis em todos os tamanhos e formatos, alguns com finalidades específicas, como os próprios para patês *en croûte*, que têm fundo removível. Mais comumente, porém, as fôrmas de terrine são retangulares e feitas de barro, porcelana ou ferro fundido esmaltado (estas últimas frequentemente têm tampas, que são convenientes).

Fôrma de torta: Fôrmas rasas e circulares, usadas para moldar tortas; são disponíveis em vários tamanhos e muitas vezes têm fundos removíveis e bordas estriadas.

Fôrma em aro: Faixas de metal de diferentes larguras que se fecham em aro podem ser usadas para dar forma de disco a comidas ou cortá-las em formatos uniformes. Servem também como moldes para cozinhar (quiches e tortinhas, por exemplo) e como um instrumento para arrumar a comida no prato, dando mais altura a itens soltos (grãos, saladas verdes...). São um instrumento culinário especial. Um tubo de PVC pode ser cortado em anéis com as profundidades desejadas e usado com o mesmo fim. (Ver também TIMBALE.)

Forno: Uma das principais ferramentas do cozinheiro, por isso é tão importante ter um de qualidade, com controles de temperatura confiáveis. Use um termômetro de forno de vez em quando para se assegurar de que a temperatura do forno é a que você estabeleceu. O forno pode ser a gás ou elétrico; o que de fato importa é a temperatura máxima que pode ser atingida e a temperatura mais baixa que pode ser mantida – os dois principais critérios para definir a qualidade do aparelho. Ao cozinhar no forno, é importante lembrar que ele tem pontos quentes e pontos frios, de modo que muitos itens se beneficiarão se forem girados durante o cozimento. Fornos de convecção, dotados de ventoinha para fazer o ar circular, têm menos problemas de pontos quentes/frios e por isso cozinham os alimentos muito mais rápido.

Forno de convecção: Um forno que inclui uma ventoinha; em alguns, ela difunde o calor emitido pelos elementos, em outras o calor emana do mesmo orifício através do qual a ventoinha sopra. A circulação assegura uma temperatura uniforme dentro do forno, que de outro modo teria pontos quentes e frios. O calor por convecção tem muitas vantagens, entre as quais menor tempo de cozimento, uniformidade e maior desidratação do que está sendo cozido (como a pele de um frango). Mas pode também acelerar o cozimento e ressecar superfícies delicadas, como em cremes e bolos.

Forno de micro-ondas: Embora o forno de micro-ondas raramente seja uma boa escolha para cozinhar algo do princípio ao fim, de cru a cozido, é um excelente instrumento para reaquecer. Como grande parte do que as cozinhas profissionais fazem é preparar a comida antecipadamente e depois reaquecê-la na hora de servir, não é raro encontrar esses aparelhos nelas. Quando devidamente utilizados, são inestimáveis para o cozinheiro caseiro pela mesma razão, reaquecendo braseados, amidos, carne que foi grelhada e gelada, até hortaliças verdes que foram cozidas e submetidas a choque térmico, seja para acelerar a preparação de jantares durante a semana ou para finalizar a comida em um jantar festivo. Com um pouco de tentativa e erro, hortaliças verdes, raízes e tubérculos podem, num apuro, ser completamente cozidos num forno de micro-ondas com resultados bastante bons.

Fortificar: Intensificar o sabor ou torná-lo mais forte, geralmente por redução ou adicionando-lhe outra substância, como um molho fortificado com caldo de vitela reduzido ou vinho reduzido.

***Fouet*:** Esse utensílio de metal usado para bater é também chamado de batedor de arame. É útil ter pelo menos um *fouet* grande para tarefas maiores, como bater claras e molhos emulsionados (ele tem melhores propriedades de aeração e boa força), e um pequeno, chamado *fouet* de molhos, para tarefas como incorporar manteiga num molho (para bom controle dentro dos limites da panela).

Fraldinha: Um corte incomparável de carne bovina, o saboroso diafragma estriado; a fraldinha do porco (e do cordeiro) também é um corte excelente que se estende a partir das costelas. A bovina é difícil de mastigar, mas pode ser salteada ou grelhada; pode-se também cortá-la em *julienne* e fritá-la em fogo alto, mexendo. A de porco é mais dura e deve ser cozida lentamente em fogo brando para amaciar (é como comer costelas sem o osso).

Frango: Uma das fontes de proteína mais usuais, a carne de frango é também uma das mais variáveis em qualidade e frequentemente a que é mais excessivamente cozida. Desde o muito barato frango de granja ao frango caipira comprado do produtor a preços de butique, e desde o pálido e suave ao borrachudo e rançoso, uma ampla gama de escolhas está a seu alcance. Este texto defende a compra de gado criado no pasto, e com os frangos não é diferente. O Departamento de Agricultura dos Estados Unidos recomenda que eles sejam cozidos até uma temperatura interna final de 74°C; se você compra de produtores menores, porém, o peito pode ser um pouco menos cozido, e fica suculento. Frangos inteiros são melhores se assados descobertos a uma temperatura muito alta. Os peitos ficam melhores se cozidos sobre o osso, porque assim tendem a ser mais suculentos; é muito fácil cozê-los em excesso fora do osso (o peito de frango desossado de aves de granja é um corte insípido, um dos mais frequentemente cozidos em excesso, e deve ser evitado). Coxas e asas são excelentes braseadas, bem como assadas, fritas ou grelhadas. Os ossos, sejam crus ou cozidos, são excelentes para fazer caldo. A pele do frango pode ser assada até ficar crocante e usada como guarnição.

Frango caipira: A expressão designa frangos que tiveram liberdade para andar e se alimentar, ao contrário de frangos de granja, que vivem confinados. Pode indicar uma criação de alta qualidade, e essas aves são preferíveis às de granja (que são malcheirosas e sujas, mesmo quando não são apinhadas em gaiolas). Caipira não significa necessariamente orgânico, nem garante um frango que teve espaço abundante para vaguear, mas em geral indica certo grau de cuidado com relação à criação; em geral, sua carne tem melhor textura e sabor. Nas melhores circunstâncias, significa não apenas textura muscular mais agradável, graças à atividade, mas carne de sabor mais rico, se tiver sido permitido às aves sair à procura de alimento, tendo uma dieta diversificada.

Freezer, congelador, congelamento: O freezer é um inestimável instrumento de conservação que hoje nos parece corriqueiro, mas que pode ser usado bem ou de maneira irrefletida. Todos os itens congelados devem ser embalados com cuidado. O oxigênio é o inimigo no freezer e o principal culpado, com o tempo, por queimar os alimentos. O melhor tipo de embalagem é a vedação a vácuo, que você obtém com um pote hermético ou produto similar. Dessa maneira, a comida se manterá congelada por um longo tempo. A maior parte dos alimentos começa a ganhar mau cheiro se abandonada no freezer. Em regra, itens com alto teor de gordura congelam bem (manteiga, bacon, sorvete) – mais uma vez, se estiverem bem embalados. Pão fresco, enrolado em papel-alumínio, também é bem conservado pelo congelamento. Tenha sempre uma caneta de tinta permanente na cozinha para rotular e datar a comida (não pense que vai se lembrar do que há em cada volume embrulhado).

***Fricassé*:** Ver BLANQUETTE.

Frigideira: À medida que a culinária foi se desenvolvendo e os utensílios de cozinha foram se tornando chiques, o termo inglês para "frigideira", "*frying pan*", usado para se referir a qualquer panela de bordas baixas, tornou-se cada vez menos empregado nos Estados Unidos. Por isso, internacionalmente, podemos e devemos usar designações mais precisas para distinguir entre os tipos de frigideira, como *sauteuse* (de bordas inclinadas, para saltear), *sautoire* (funda e de bordas retas) ou *cast iron* (de ferro fundido, às vezes chamada Grisworld, marca de um antigo fabricante).*

* No Brasil, nas cozinhas internacionais, usam-se os termos em francês ou inglês citados anteriormente. Em português, não há uma nomenclatura específica para os diferentes tipos de frigideira, e nos referimos a elas por suas características e funções (funda, rasa, de saltear, de ferro fundido etc.). (N.R.T.)

Frigideira *sauté*: Frigideira com bordas inclinadas, também chamada de *sauteuse*.

Fritar: Fritar significa cozinhar na gordura, o que é tecnicamente considerado um método de cocção em calor seco, porque a fritura fica pronta a temperaturas muito superiores ao ponto de ebulição da água. Mas é um termo vago; o cozinheiro deve distinguir o tipo de fritura que está sendo feito de acordo com a quantidade de óleo usada, que pode ser apenas o bastante para chegar à metade dos lados do item cozido ou o suficiente para submergi-lo inteiramente. No primeiro caso, fala-se em fritura na frigideira; no segundo, em fritura por imersão. Se o óleo estiver cobrindo apenas o fundo da frigideira, é preferível chamar de saltear (*sauté*).

Fritar em pouca gordura: É a versão rasa da fritura por imersão, um método de cozimento dito de calor seco. Enquanto para saltear se usa uma fina camada de gordura, essa técnica usa gordura suficiente para chegar à metade dos lados do item a ser frito, sem cobri-lo. Frequentemente fritamos assim cortes mais grossos, como costeletas de porco, para assegurar que toda a superfície seja tostada na gordura quente. Você precisa ficar atento à temperatura da gordura; se permitir que ela esquente demais, o vapor pegará fogo (se isso acontecer, tampe a panela, apague o fogo e espere esfriar).

Fritar por imersão: Fritar por imersão significa submergir o alimento por completo em óleo quente, geralmente por volta de 175°C. Quanto mais óleo, melhor – sem perder de vista o fato de que óleo é caro e precisa ser usado economicamente. A fritura por imersão é uma maneira especialmente rápida de cozinhar, porque a densidade do óleo torna a transferência de calor especialmente eficiente; é também muito saborosa, adicionando sabor e textura próprios e deixando o exterior do alimento castanho-dourado e crocante. Mas requer muito óleo (portanto o custo é um fator a considerar), e lança no ar nuvens de partículas minúsculas que se grudam em tudo, podendo deixar malcheirosa e suja a cozinha ou a casa inteira se você não tiver boa ventilação. Mas os resultados são tão bons que muitos consideram que as desvantagens valem a pena. Tecnicamente, a fritura por imersão é classificada como um método de calor seco, o que significa cozimento sem água adicional em contato direto com a comida. Comida frita dessa forma deve ser limpa, crocante e saborosa. E o método não é necessariamente menos saudável que fritar em frigideira com pouca gordura ou saltear: a gordura não deve saturar o que você está cozendo. A temperatura elevada aquece a água do alimento, que sai rapidamente em bolhas de vapor. Maus resultados se devem em geral a óleo de má qualidade ou a controle impróprio da temperatura. Usar termômetros é a melhor maneira de determinar se o óleo está quente o bastante, embora se possa usar um palito (a madeira deve borbulhar quase imediatamente). Usar suficiente quantidade de óleo é importante porque quando se adiciona muita comida fria a temperatura cai rapidamente, e a comida pode não fritar com a rapidez necessária. Óleo que fumega está quente demais – de fato, é perigoso, porque os vapores podem se inflamar (não entre em pânico, cubra o óleo em combustão com uma tampa e deixe que esfrie). O óleo pode ser coado e reutilizado, se não tiver desenvolvido odores ruins ou sido usado demais.

Em cozinhas profissionais, a manutenção adequada do óleo para frituras (é filtrado diariamente? é mantido quente somente durante o serviço? está se prestando atenção à sua qualidade decrescente?) é importante do ponto de vista do custo da comida e da qualidade do prato finalizado.

***Frizzled* (crocantes de legumes):** Eufemismo para "frito" usado em cardápios de restaurantes; quase sempre descreve alhos-porós cortados em *julienne*, fritos em muita gordura e usados como guarnição. Soa melhor que "frito" e pode ser aplicado a qualquer hortaliça cortada em *julienne* e frita por imersão.

Fruta: Tecnicamente, é o ovário maduro e comestível de uma planta florescente, o que inclui não somente maçãs, laranjas e bananas, mas também tomates, pimentas verdes e pepinos. Mas ainda tendemos a pensar nas frutas como doces e nas hortaliças como não doces, uma distinção significativa.

Frutas silvestres ou frutas vermelhas (*berries*): *Berries* são um produto saboroso e versátil nas mãos do cozinheiro. Podem ser servidas ao natural se forem frescas, ou virem acompanhadas de um pouco de creme de leite ou *crème anglaise*; podem ser usadas como guarnição ou para fazer excelentes molhos de sobremesa e até vinagretes. Os molhos feitos com frutas silvestres são excepcionais, dada a simplicidade de seu preparo: as frutas são cozidas com açúcar, transformadas em purê e coadas, depois temperadas; como o cozimento altera o sabor, alguns chefs preferem molhos feitos com as frutas cruas. Cozinhar frutas silvestres é uma maneira especialmente boa de usar sobras ou frutas que logo vão se deteriorar. Elas ficam melhores se misturadas com o açúcar e deixadas durante a noite, para depois serem maceradas antes de cozidas.

Fubá: Ver GRÃOS.

***Fumet*:** Caldo de peixe que normalmente inclui vinho branco, deve ser claro e leve. Para prepará-lo, usam-se ossos de peixes brancos – preferivelmente chatos (rodovalho, linguado) ou aquele que o *fumet* acompanhará no prato acabado, mas perca-do-mar e linguado gigante também são bons –, não de peixes gordos e de carne vermelha como salmão ou atum. Guelras, tripas, olhos e barbatanas têm de ser removidos. Os ossos devem ficar de molho durante a noite em água com gelo para extrair qualquer sangue restante. Além de cebolas, ingredientes aromáticos adocicados incluem muitas vezes funcho. Os vegetais devem ser ligeiramente suados; depois, adicione vinho branco e cozinhe até que todo o álcool evapore. Adicione então os ossos, suavemente suados e depois cobertos com água. Cozinhe suavemente por cerca de meia hora, sem nunca deixar chegar a ponto de fervura, ou o caldo ficará turvo. O *fumet* é usado como qualquer caldo, como base para sopas e molhos ou como um meio de cozimento num estufado ou *cuisson*.

Fungo: Fungos são plantas simples, um grupo que inclui cogumelos, é claro, mas também leveduras e mofos benéficos.

Funil: É conveniente ter funis por perto – um menor, para transferir ingredientes secos, como especiarias, para pequenos recipientes, e um maior, para transferir líquidos.

G

Galantina: Preparação antiga e especial em que um recheio feito com a carne de uma ave, ou patê, é enrolado dentro da pele dessa ave, amarrado, escalfado, esfriado e fatiado para ser servido.

***Ganache*:** Um nome elegante para molho de chocolate. Em geral é feito acrescentando-se creme de leite quente a chocolate picado e, depois que este começa a derreter, mexendo-se suavemente para uma emulsão macia. Pode ser feito com outras gorduras (como manteiga) e com sabores ou formas de açúcar adicionais (muitas vezes se usa glucose de milho). Uma proporção comum de partes iguais (por peso) de chocolate e creme de leite resulta num molho espesso que fica elástico quando esfria. Quanto menos líquido se usa, mais dura ficará a *ganache* quando pronta. Ela é usada para recheios, trufas de chocolate e coberturas para bolos. Talvez seja também o molho de sobremesa mais fácil de fazer – e, se você usar um bom chocolate, é um dos melhores.

Gansos: Os gansos se comportam de modo muito parecido com os patos, embora sejam mais comumente assados inteiros. Por serem maiores, requerem mais cozimento. Como os patos, precisam de cozimento longo e lento para que a copiosa gordura derreta. Sua gordura derretida é um excelente meio de cozimento. As coxas são especialmente boas em *confit*.

***Garam masala*:** Uma mistura indiana de especiarias que comumente inclui cominho, coentro e pimenta, bem como algumas especiarias "doces" como cardamomo, canela, cravos-da-índia e macis. Isso pode ser comprado, mas fazer sua própria combinação é fácil, e o resultado supera a maioria das misturas vendidas em lojas.

***Garde-manger*:** O termo designa preparações frias, de canapés e aperitivos a patês e saladas. Em cozinhas de restaurantes, a estação ou o chef de *garde-manger* prepara saladas, entradas e outras comidas frias.

Gás (queimadores): Queimadores a gás são desejáveis porque seu fogo é imediato, diferentemente de queimadores elétricos ou chapas de indução.

Além disso, fornecem ao cozinheiro uma indicação visual imediata do nível de calor. Não são necessariamente mais quentes que os elétricos, apenas mais rápidos.

***Gastrique*:** Redução de açúcar e vinagre (ou qualquer líquido doce com algum ácido) usada para temperar molhos de carnes – usualmente aquelas acompanhadas por fruta, como pato ou veado.

Gastronomia: Ofício, ciência, arte, sociologia e antropologia dos alimentos (do cozimento ao momento em que são servidos) e da alimentação.

Gastronomia molecular: Expressão cunhada em 1969 pelo cientista francês Hervé This (mais tarde ele publicou um livro com esse título), denota uma abordagem culinária que procura compreender a razão pela qual os alimentos se comportam como o fazem. Na década de 1990, ela passou a ser associada ao trabalho do chef espanhol Ferran Adrià, renomado por usar recursos não convencionais com produtos químicos fermentantes e gelificantes, e de seus seguidores. Entretanto, frustrados porque a expressão não descrevia seu trabalho, Adrià e outros a renegaram. Ela continua a ser usada, porém, para descrever a culinária de chefs que empregam técnicas não convencionais na criação de texturas incomuns e métodos inusitados de servir a comida.

***Gaufrette*:** Finas fatias de tubérculos e raízes cortados num mandoline, com aparência semelhante à de waffle.

***Gavage*:** Alimentação forçada de patos e gansos criados para fornecer *foie gras*.

Gaze: Uma gaze grossa de algodão é um instrumento valioso na cozinha, podendo ser usada para coar líquidos, fazer sachês e em geral para manter ervas aromáticas e especiarias fora da comida finalizada que realçaram. É usada também para envolver comida que será escalfada – um patê, por exemplo, ou *foie gras au torchon* (*torchon* significa pano de prato). É uma boa ideia enxaguar antes a gaze para se livrar de fibras soltas. Lembre-se de que outros tipos de pano podem servir para as mesmas funções, muitas vezes melhor e mais economicamente. Alguns lenços novos comprados e marcados para uso na cozinha são excelentes coadores (e podem ser reutilizados, diferentemente da gaze); guardanapos de pano e panos de prato de algodão também são úteis.

Gelatina: 1) Proteína derivada de animais, é vendida granulada ou em folhas transparentes, e usada para solidificar líquidos ou cremes ralos em diferentes graus ou para estabilizar espumas (ver também ASPIC). Deve ser amolecida em água – reidratada – de modo a derreter completamente. Folhas de gelatina seca são mergulhadas em água; gelatina em pó é polvilhada sobre três vezes o seu volume em líquido. 2) Quando aquecido, o colágeno que compõe o tecido conjuntivo se derrete, se houver umidade suficiente, e resulta em gelatina. É ela que dá corpo a caldos e molhos. Alguns caldos terão gelatina suficiente para endurecer e ficar firmes; se você quiser que seu caldo tenha essa consistência sem adicionar gelatina em pó, use um pé de bezerro ou pele de porco, que têm abundante colágeno. Se estes não estiverem disponíveis, a maioria dos cortes duros, juntas e pés (pés de frango, ossobuco bovino...) pode fornecer gelatina adicional.

Gelatina de porco (*headcheese*): Preparação em que carne e vegetais lentamente cozidos são comprimidos numa fôrma e ligados com caldo gelatinizado. Como um patê, pode ser cortada em cubos e servida com uma tábua de frios ou salada, acompanhada de mostarda ou vinagrete. Costuma ser feita com a cabeça do porco, por ser uma maneira conveniente e saborosa de utilizá-la – o osso, a carne e o tecido conjuntivo criam um saboroso caldo repleto de gelatina; a carne cozida é facilmente removida do osso, as orelhas cartilaginosas ficam macias e podem ser cortadas em *julienne* junto com especiarias, sal e aromáticos.

***Gelée*:** Palavra francesa para aspic. *Oeufs en gelée* são ovos num caldo de carne gelificado. A qualidade do líquido usado, seja água de tomate ou caldo, é decisiva para o sucesso do prato. Se for um caldo, deve ser clarificado (ver CLARIFICAÇÃO) e, como será comido frio ou à temperatura ambiente, deve ser fortemente temperado.

Geleia: Fruta preservada mediante cozimento com grande quantidade de açúcar e um agente gelificante como a pectina torna-se geleia (em inglês, ela é chamada de *jelly* se for clara e transparente, e de *jam* se tiver pedaços de fruta). As geleias são especialmente úteis como um acréscimo doce a tortas, bolos e outras confecções, não só por sua intensa doçura e acidez, mas também por sua textura atraente. Assim como recorremos ao mel como um adoçante mais complexo que açúcar de mesa, podemos também considerar geleias, dependendo do que está sendo adoçado. Glacês claros usados para deixar tortas de fruta brilhantes, por exemplo, muitas vezes as usam para acentuar o sabor. Muitas geleias contêm sementes; ao usá-las como componente de sabor, pode-se passá-las por uma peneira. Geleias não precisam ser necessariamente baseadas em frutas; qualquer hortaliça ou mesmo laticínio cozido até adquirir consistência de geleia pode ser tecnicamente chamado assim.

Gelificar: Adicionar um agente espessante como gelatina ou ágar-ágar a um líquido, para que este endureça ou mantenha a forma. A força da gelificação varia – se o líquido precisa ter apenas uma consistência mais substancial, ou se precisa ser fatiado (como no caso de terrines de vegetais ligadas com líquido gelificado, por exemplo). (Ver ASPIC.)

Gelo: Por seu grande impacto na redução da temperatura da comida, é um importante instrumento culinário. Ele deterá rapidamente o cozimento de vegetais verdes e manterá baixa a temperatura da carne no processo de fabricação da linguiça. Medido e adicionado como se fosse água a uma massa fermentada, vai mantê-la fresca se ela estiver sendo misturada numa cozinha quente durante o verão. Uma panela de caldo passará de fervente a gelada em minutos se for submergida em gelo e o caldo for mexido. Muitas vezes é usado na forma de um banho de gelo.

Gema: Gemas de ovos são compostas de água e uma mistura nutritiva de proteínas e gorduras. Têm valor inestimável para o cozinheiro, tanto como ingrediente quanto como instrumento. No primeiro caso, enriquecem e adicionam sabor a inúmeras preparações, de molhos salgados a sobremesas. Como instrumento, ajudam a criar molhos emulsionados, como o *hollandaise* e a maionese, por meio da molécula lecitina, e a espessar e enriquecer molhos como *crème anglaise*. (Ver também OVO e o artigo O OVO, p.34.)

***Génoise*:** Bolo feito usando-se o método de mesmo nome, neste caso com ovos inteiros suavemente aquecidos sobre água quente para que o açúcar se dissolva e os ovos alcancem seu pleno volume quando batidos. Ingredientes secos são suavemente incorporados à mistura de ovos em neve e açúcar. Manteiga é adicionada para enriquecer o bolo e dar-lhe sabor e também para amaciar o glúten criado na mistura inicial. (Ver também PÃO-DE-LÓ e MÉTODO *GÉNOISE*.)

Germe (de trigo): O germe, ou embrião do grão de trigo, é rico em proteína e fibra e pode ser adicionado para fermentar massas e fortificar pão. Por ser rico em gordura, está sujeito a ficar rançoso; por isso, assim como a farinha de trigo integral, deve ser mantido em recipiente hermético no refrigerador ou no freezer, para que não se estrague.

Germe (do alho): A parte verde e germinante do dente de alho. É melhor retirá-la imediatamente quando se trabalha com alho, pois pode comprometer o sabor. Deve sempre ser retirada se o alho for ser picado e guardado por algum tempo. Caso ele vá ser aquecido imediatamente ou posto num caldo ou estufado que cozerá por longo período, remover o germe é menos importante.

***Ghee*:** Nome indiano para manteiga clarificada, uma gordura muito usada para cozinhar naquele país (entre muitas outras utilidades). Tradicionalmente feita com leite que foi coalhado, como iogurte, depois batido para fazer manteiga, a qual é então suavemente cozida para se preservar (ver McGee). Outros métodos incluem não retirar os sólidos que emergem, mas deixá-los descer até o fundo e tornarem-se marrons. O *ghee* tradicional, portanto, é mais complexo que manteiga clarificada, mas esta pode substituí-lo em praticamente qualquer receita.

***Glaçage*:** Tecnicamente, é um glacê ou cobertura doce, mas alguns chefs usam a palavra para designar uma técnica salgada em que um prato é finalizado com molho à base de creme de leite ou gema de ovo e rapidamente grelhado ou aquecido sob a salamandra para ficar com aparência glaceada.

***Glace de viande*:** A palavra francesa para sorvete, *glace*, é também o termo usado nas cozinhas para caldo de carne que foi substancialmente reduzido – *glace de viande*, ou mais comumente *glace*. Dois litros de bom caldo de vitela reduzidos para uma xícara resultará em *glace*. É usado para fortificar molhos *à la minute* e pode também ser adicionado a recheios de carne para enriquecê-los e ligá-los, ou usado para regar carnes assadas, realçando o sabor.

Glacê: 1) Líquido concentrado até adquirir consistência de xarope, geralmente usado com relação a caldos (glacê de carne) ou vinagre (glacê de vinagre balsâmico é uma preparação comum). 2) Qualquer cobertura fina, densa, baseada em açúcar de confeiteiro, e que em geral dá lustre ou brilho à comida, pode ser chamada de glacê.

Glacear: Método de cozer tubérculos e raízes. É importante compreender que vegetais glaceados não são cristalizados. Glacê diz respeito ao brilho laqueado que o vegetal pronto exibe quando devidamente cozido. É uma excelente técnica que parece ter saído de moda, provavelmente em razão de seu mau uso (e portanto de vegetais com gosto ruim). A técnica apropriada envolve cortar os vegetais – cebola ou cebolinha verde, cenoura, beterraba, nabo, pastinaca, vegetais ricos em açúcar – de maneira uniforme, cozinhando-os em fogo lento em pouca água, com uma pitada de sal, açúcar e manteiga. Deve-se deixar a água secar, até que eles fiquem quase completamente cozidos, para que o açúcar, a manteiga e o que é agora um caldo de vegetais se concentrem no fundo da assadeira. Os vegetais são então rolados e sacudidos na assadeira, para ficarem recobertos. Eles podem ser preparados com várias horas de antecedência e mantidos mornos (não refrigerados) até o momento de serem reaquecidos e servidos.

Glândulas: São órgãos que absorvem e elaboram substâncias, e as excretam em seguida. São um tecido especial, muitas vezes com sabor e textura bem marcantes. O fígado e o rim são glândulas que podem ser ótimas para cozinhar e comer; o timo também é excelente. Ao preparar paleta de porco para fatiar ou moer, muitas vezes nodos semelhantes a glândulas (pequenos discos que parecem de gordura, mais ou menos do tamanho de uma moeda de 50 centavos) são encontrados encravados nela; podem deixar a carne amarga e devem ser retirados e jogados fora.

Glucose de milho: Adoçante viscoso, é valioso pela consistência que fornece, adicionando elasticidade e evitando a cristalização de outros açúcares em pâtisseries e balas. Dispersa-se mais facilmente em líquidos. Por ser considerado menos doce que açúcar granulado, com efeitos menos enjoativos, é frequentemente usado para adoçar preparações ácidas, como *sorbets*.

Glutamato monossódico: Mais conhecido como MSG (da sigla em inglês), é uma forma de ácido glutâmico, um aminoácido primário responsável pela sensação de sabor que chamamos de *umami* – uma intensificação de sabores salgados, encorpados. Estudos mostraram que o MSG, originalmente derivado de algas marinhas, não é nocivo nem mesmo em grandes quantidades, ao contrário do que muitos pensam. Embora seu emprego criterioso possa realçar o sabor de muitas preparações, os chefs recomendam usar outros alimentos que têm o mesmo efeito sobre o paladar mas oferecem também outras complexidades benéficas, como molho oriental de peixe, queijo parmesão, cogumelos *shiitake* e tomates, que contêm ácido glutâmico ou glutamatos juntamente com outros aminoácidos que realçam sabores. (Ver também *UMAMI*.)

Glúten: Mistura de proteínas do trigo – a glutenina e a gliadina (ver McGee) – que, quando hidratada, combina-se em longos filamentos que tornam uma massa elástica, permitindo-lhe conter bolhas de gás liberado por fermento (e dando-nos, portanto, pão fermentado). O glúten se soltará se você o deixar quieto. Ele pode tornar preparações como massas e pâtisseries duras. Usamos gordura para amaciar os filamentos de glúten ao fazer uma crosta macia de torta. Substâncias alcalinas, como bicarbonato de sódio, também os enfraquecerão.

Gordura: Uma das categorias básicas de substâncias que constituem todos os alimentos (as outras são água, carboidratos e proteínas), é um instrumento fundamental da culinária. Talvez seja a principal responsável pelo maior prazer e a maior dor que nossa alimentação nos proporciona. Cozinhamos com gordura, seja ela derivada de vegetais (canola ou óleo de milho) ou de animais (manteiga, banha de porco); sua capacidade de ficar muito quente sem se decompor nos permite cozer a comida até que fique crocante. Diferentes gorduras têm diferentes sabores e qualidades que devem ser consideradas – o óleo de canola é neutro e menos caro que a saborosa manteiga. A gordura amacia a massa, diferenciando-a da textura de pão. E enriquece qualquer alimento – quer seja óleo num vinagrete sobre verduras, creme de leite adicionado a uma sopa, manteiga incorporada a um molho, azeite de oliva borrifado no pão. É raro o prato que não fica mais gostoso e prazeroso pela adição de mais gordura. Assim, ela pode ser concebida como sendo, além de um meio e um ingrediente, um tipo de tempero. Ao avaliar a comida, o cozinheiro deve perguntar a si mesmo se há ali a quantidade apropriada de gordura. Quer estejamos cozinhando ou temperando alimentos, deve-se pensar na gordura primeiro em termos gerais, e depois em específicos. Ou seja, só depois de reconhecer que alguma gordura é necessária você deve estreitar sua escolha ("Gostaria que este molho de tomate estivesse mais gordo, por isso preciso de mais gordura – agora, devo usar manteiga ou azeite de oliva?").

As gorduras se dividem em duas categorias, saturadas e não saturadas. As primeiras, provenientes principalmente de animais, estão associadas a riscos para a saúde; o nível de saturação se evidencia no grau de dureza à temperatura ambiente – a gordura de pato é muito mole, ao passo que a de carne bovina, mais saturada, é dura. As gorduras não saturadas, provenientes dos vegetais (excetuando-se as das castanhas tropicais), se liquefazem à temperatura ambiente e estão menos associadas a riscos para a saúde. As gorduras hidrogenadas são gorduras líquidas processadas para ficarem sólidas e estáveis à temperatura ambiente (margarina, gordura vegetal), mas também elas podem conter gorduras trans, associadas aos mesmos riscos que as saturadas. Todas as gorduras naturais são recomendáveis (desde gordura amolecida de carne bovina a óleo de canola), ao contrário das hidrogenadas, que não o são.

Com relação à gordura animal, lembre-se de que ela tem diferentes qualidades, dependendo da parte do animal de que provém. O porco, por exemplo, oferece-nos a gordura da queixada, a película de gordura que envolve os rins e a gordura que reveste a carne, ou toucinho (além da gordura intramuscular) – todas com diferentes propriedades.

Entre os chefs, este é o dogma: gordura significa sabor. Lembre-se também de que ela não nos torna gordos, o que nos engorda é o excesso de calorias. Na cozinha, a gordura é seu melhor amigo.

Gordura (como amaciante): Gordura é o que impede a proteína na farinha, chamada glúten, de formar os longos filamentos que tornam as massas de farinha e água elásticas e, quando cozidas, resistentes. A gordura numa mistura de farinha e água amacia esses filamentos, de tal modo que a massa resultante fica macia e delicada (o que não é desejável, por exemplo, numa baguete). Até recentemente, óleo vegetal hidrogenado era a gordura mais comum disponível, mas a preocupação com as gorduras trans resultou em novos processos para tornar o óleo vegetal sólido à temperatura ambiente; se você compra gordura vegetal, escolha uma sem gorduras trans. Manteiga é um amaciante excelente e substancial. Gordura de porco pode ser derretida na forma de banha, e é um excelente amaciante, especialmente para ser usado em crostas salgadas.

Gordura animal, banha (extração): Para extrair ou derreter a gordura animal sólida (comumente de porco ou de pato) usa-se calor suave. Para derreter a gordura do sebo, ponha-o numa panela com algumas colheres de sopa de água e cozinhe em fogo brando até que toda ela tenha derretido e toda a água, evaporado; quanto menor for a peça (o melhor é moê-la), mais eficientemente derrete. Coe a gordura e deixe-a esfriar. Deve-se derreter da maneira mais suave possível; se, depois que a água evaporou, a gordura ficar quente demais, ela pode escurecer e cozinhar em excesso, ganhando sabores torrados, e finalmente começar a se decompor e ganhar um gosto amargo. Banha animal é um importante material e ingrediente culinário. Fazem-se *confits* escalfando carne dura em banha. Banha é excelente para saltear e fritar por imersão, e a de porco é muito usada na confeitaria como amaciante.

Gordura da manteiga: É o principal componente da manteiga, em geral cerca de 80%. Quando separado da água e dos sólidos de leite na manteiga integral, é chamado de manteiga clarificada – uma gordura translúcida e saborosa que enriquece molhos emulsionados e é excelente para se cozinhar.

Gordura insaturada: Ver GORDURA.

Gordura saturada: Ver GORDURA.

Gordura vegetal: Óleo vegetal que foi hidrogenado para permanecer sólido à temperatura ambiente; é usado na panificação e confeitaria e para cozinhar. A hidrogenação pode resultar em gorduras trans, que podem ser tão nocivas quanto a gordura saturada, ou até mais. Atualmente, gorduras vegetais são feitas de modo a não conter gorduras trans. Se você as usa, escolha uma desse tipo.

Gorduras trans: Criadas pelo processo de hidrogenação e presentes em margarina, gordura vegetal e muitos alimentos processados, são consideradas responsáveis pela elevação do colesterol sanguíneo. Nutricionistas e chefs recomendam evitá-las. Em regra, é sempre melhor usar gorduras naturais – óleos vegetais e azeite de oliva, manteiga ou banha de porco – que aquelas processadas contendo gorduras trans, e evitar comidas intensamente processadas, que muitas vezes as contêm. Como por vezes as gorduras trans derretem a temperaturas mais elevadas, podem deixar um gosto de gordura na boca quando usadas em preparações não cozidas, como coberturas para bolo. Em razão do reconhecimento generalizado na indústria alimentícia de que são maléficas, pede-se aos produtores que indiquem sua presença na informação nutricional apresentada nos rótulos, e como cada vez mais pessoas as estão evitando, companhias produtoras de alimentos que anteriormente continham gorduras trans encontraram processos alternativos para solidificar gordura insaturada. Gorduras trans também ocorrem naturalmente em pequenas quantidades em produtos como leite e carne bovina; estas causam menos preocupação entre os nutricionistas e não precisam ser evitadas da mesma maneira que as gorduras trans em alimentos processados.

Gougères**:** Ver PÂTE A CHOUX.

Granita**:** Palavra italiana para granulado (*granité* em francês), é uma sobremesa ou *intermezzo* composta de açúcar e água com sabor, em geral de fruta ou bebida alcoólica. Deve ser granulada (a textura cristalina é uma das características que a distinguem do macio *sorbet*), intensamente agridoce e refrescante, embora *granitas* salgadas não sejam incomuns. Para formar os cristais, bate-se o líquido ocasionalmente enquanto ele congela.

Grãos: Os nutritivos frutos das gramíneas – arroz, trigo, milho e alguns outros – constituem a maior parte da dieta mundial e são um componente importante da despensa do cozinheiro. Eles podem ser levados na direção de praticamente qualquer sabor que você deseje e ter uma miríade de usos e variações, sendo portanto extremamente versáteis. São compostos de uma casca (o farelo), o germe e o endosperma. Muitas vezes somente este é usado, mas os grãos podem ser comprados e usados inteiros, quebrados, triturados ou pulverizados (farinha). O farelo é valioso por sua fibra, o germe por seu alto valor nutritivo e o endosperma por seus carboidratos e proteínas. Embora haja consideráveis variações em termos de método de cozimento, os grãos, em sua maioria, são secos e por isso precisam ser reidratados, usualmente com duas vezes seu volume em água (embora milho seco, como canjica e polenta, precise de mais, e alguns tipos de arroz, como o *basmati*, precisem de menos); essa proporção de 1:2 é a regra. A coisa mais importante a saber sobre o cozimento de grãos é que eles serão penetrados e condimentados pelo líquido em que são cozidos. Assim, se esse líquido for água, é disso que terão gosto. Quase sempre é aconselhável adicionar sal e um pouco de gordura (manteiga, um óleo saboroso) ao líquido de cozimento, ou ainda ingredientes aromáticos e caldo. Uma ou duas pitadas de sal em três xícaras de água em geral não suprirão a necessidade de tempero. Prove a água depois de temperá-la; esse é o nível de tempero que seu arroz, ou quinoa, ou sêmola, ou cevada atingirão quando cozidos. Se a água não parecer agradavelmente temperada, ajuste-a. Grãos podem ser mantidos mornos, desde que se evite o ressecamento, e podem ser refrigerados e reaquecidos bem.

Gratinar, gratinado: Refere-se a um prato cuja superfície é tostada ou intensamente dourada, de modo que forma uma crosta, em geral de queijo. É uma maneira de introduzir sabores e textura complexos em pratos de outra forma macios e untuosos.

***Gravlax*:** Numa tradução literal, peixe enterrado – um peixe conservado e muitas vezes fermentado na antiga Escandinávia. Refere-se hoje a salmão curado que não é defumado (compare com *lox*, que é tipicamente conservado em salmoura e muitas vezes defumado). *Gravlax* é fácil de fazer em casa e altamente recomendável se você tiver acesso a salmão excelente, preferivelmente silvestre. Envolva um lado da peça numa mistura de sal e açúcar na proporção de 2:1 (e qualquer ingrediente aromático que desejar, casca de frutas cítricas, ervas frescas, especiarias) e deixe curar por cerca de um dia, dependendo da espessura. Enxágue, seque e (o passo mais difícil) corte-o em fatias finas.

***Gravy*:** Palavra americana que equivale mais ou menos a *jus*, mas conota uma preparação mais rústica e vigorosa, não altamente refinada. A ideia é usar a gordura e os sucos resultantes do que foi assado ou cozido para fazer um molho. Como um assado nunca deixa sucos que bastem para se criar molho suficiente, é útil ter um pouco de caldo ou vinho à mão para aumentar o que a carne deixou. Use o fundo que fica na assadeira ou na panela para fortificar os sucos e o caldo, junto com quaisquer aromáticos que você queira adicionar. Alguns consideram que o *gravy* é definido pelo fato de a farinha ser adicionada diretamente à gordura derretida da carne para criar um *roux* que será engrossado por sucos e caldo adicionais; se nenhuma farinha for adicionada, ele será chamado de *jus*. (Ver o artigo MOLHO, p.22.)

Graxa: Entre os mais nefandos subprodutos do ato de cozinhar, a graxa designa as partículas transportadas pelo ar que se elevam das panelas e se grudam a tudo que encontram. Não deveria ser usada como sinônimo de gordura. Gordura é boa; graxa é ruim.

***Grecque, à la* (à grega):** A expressão refere-se a vegetais cozidos servidos frios. Uma salada *à la grecque* é composta de vegetais cozidos e grelhados com um molho vinagrete. A técnica é simples: cozinhe os vegetais num *court bouillon* até que fiquem quase inteiramente cozidos, mas não de todo, submeta-os a choque térmico e guarde-os no líquido de cozimento gelado até o momento de servi-los. É uma técnica excelente, ótima para ser usada quando você precisa preparar a comida com antecedência; é especialmente apropriada para serviços de bufê em locais de clima quente.

Grelhar: Excelente método de cocção em calor seco que difere da maioria dos outros por adicionar novos sabores substanciais à própria comida – os sabores complexos da fumaça. Há três escolhas fundamentais a fazer quando se determina como grelhar: fogo alto ou baixo, calor direto ou indireto, grelha coberta ou descoberta. Para decidir sobre todas essas questões, é preciso saber por quanto tempo e com que suavidade a comida precisa ser cozida. Use fogo alto direto se o alimento for macio e não precisar de longo tempo de cozimento (um bife, por exemplo); isso resultará rapidamente num exterior bom e saboroso. Caso a comida exija cozimento mais demorado (coxas de frango, paleta de porco) ou possa ficar prejudicada por temperaturas altas (linguiça), use fogo mais baixo. Muitas vezes a melhor maneira de conseguir isso é através do calor indireto (amontoando o carvão nas laterais, e não exatamente sob a peça) ou de uma combinação de calor direto e indireto. Se estiver usando calor indireto, em geral é melhor cobrir a grelha – mas lembre-se de que dessa forma a comida adquire muito sabor adicional de fumaça. Cobrir a grelha pode ajudar a controlar as chamas no caso de carnes que soltam gordura sobre o carvão. Se a carne soltar muita gordura e sucos (como um frango inteiro), é uma boa ideia pôr uma assadeira sob ela. Chamas diretas devem ser evitadas porque resultam em sabores amargos e possivelmente no desenvolvimento de nitrosaminas cancerígenas. Sua escolha de combustível – gás *versus* carvão ou madeira – é uma questão de gosto pessoal.

Grelhar (na grelha elétrica): Assim como assar sobre chama ou brasas, assar sobre uma grelha elétrica (*broiler*) é um método de cozimento que não requer gordura nem água como parte do meio de cocção. É usado para carnes macias e saborosas por si sós, e introduz sabores e texturas adicionais ao dourar o exterior sem acrescentar os sabores de fumaça que se obtêm com as brasas.

Grelhar (na panela): Panelas de ferro fundido com superfícies estriadas podem ficar quentes o suficiente para criar marcas de grelha na carne. Essas panelas são usadas principalmente pelo apelo estético, pois não dão os sabores do cozimento numa grelha sobre brasas ou madeira. São melhores para cortes muito macios que precisam apenas de um cozimento rápido – atum ou carne bovina, por exemplo –, e que serão servidos muito malpassados.

Grelhas: Grades de metal suspensas úteis para esfriar a comida e para alimentos que se beneficiam de ter todos os lados expostos ao ar – itens que precisam secar, por exemplo, ou que foram empanados e correm o risco de ficar encharcados no lado de baixo. Podem ser usadas também para que todos os lados da comida fiquem expostos ao calor seco do forno, ou ainda no fundo de banhos-maria, para tornar o cozimento de cremes e patês mais uniforme. Acopladas a uma assadeira, elevam um assado de modo que ele não fique pousado nos sucos e na gordura derretida.

***Gremolata*:** Uma simples e engenhosa combinação de temperos aromáticos – alho, casca de limão siciliano e salsinha, tudo finamente picado – usada para abrilhantar pratos braseados (isto é, acrescentar sabores frescos e distintos, herbáceos e cítricos, que contrastam com os sabores complexos de caramelo e assado dos estufados e braseados). Como o alho está cru, deve ser usado em comida extremamente quente; o frescor dá às carnes braseadas um realce incomparável. A versão tradicional, chamada *gremolada*, é cozida brevemente com ossobuco (pernil de vitela braseado), também um uso esplêndido. Variações da ideia "erva fresca, cítrico e alho" são igualmente valiosas; pode-se substituir a casca de limão siciliano por outros cítricos, como laranja ou limão-taiti, e a salsinha por manjericão ou coentro.

Guarnição: Frequentemente pensada como ornamento de último minuto para um prato, na culinária de restaurante a guarnição pode se referir a um componente secundário mas fundamental de um prato composto, e não a uma decoração. Guarnições não deveriam ser usadas unicamente para efeito visual, mas para adicionar sabor ou elemento de textura harmonioso a um prato. Exemplos de guarnição são cebolas pérola, cogumelos salteados e pequenos cubos de bacon num *boeuf bourguignonne*, pistaches e cerejas ácidas num patê clássico (chamada guarnição interna) e a *gremolata*, que pode guarnecer ossobuco ou um braseado similar. Embora haja exceções, é uma boa ideia usar somente guarnições que possamos comer.

Guarnição interior: Guarnições adicionam componentes visuais, de textura e de sabor ao foco principal de um prato. Alguns itens, porém, beneficiam-se de guarnições interiores, tais como elementos adicionados a um patê antes que ele seja cozido, e que só são vistos depois que ele é fatiado. As guarnições interiores podem ser divididas em duas categorias: aleatórias (cogumelos, frutas secas ou carne curada cortada em cubos, que são misturados ao recheio) ou decorativas do recheio (uma única guarnição colocada cuidadosamente dentro da peça principal).

H

Hachuras: Designam em geral as marcas decorativas da grelha sobre a carne, embora possam se referir também aos cortes feitos na superfície da pele de certos animais (como num peito de pato) para facilitar o derretimento da gordura e favorecer a crocância, tendo como efeito secundário um atraente visual. Marcas cruzadas não devem ser feitas em ângulos retos, para criar quadrados, mas sim obliquamente, formando losangos. Para fazer hachuras atraentes, comece com a lâmina na posição das cinco horas, depois, para a hachura cruzada, desloque-a para a posição de sete horas. O mesmo para marcas de grelha – comece na posição das cinco e desloque-a para a posição das sete horas (a grelha ou frigideira grelhada devem estar quentíssimas para produzir boas hachuras).

***Haute cuisine*:** Designa a cozinha francesa clássica e/ou denota um nível de técnica aplicado a alimentos e sua preparação que resulta em pratos complexos, refinados e elegantes. Para alguns, o termo é sinônimo de comida francesa pedante, antiquada e dispendiosa. Na verdade, *haute cuisine* deveria ser usado para descrever comida e serviço em restaurantes finos, em que o mais alto nível de cuidado e esforço foi exercido.

***Headcheese*:** Ver GELATINA DE PORCO.

Hidratar: Ver REIDRATAR.

Hidrogenação: Processo comercial de incorporar hidrogênio a gorduras líquidas, de modo que fiquem sólidas à temperatura ambiente. Óleos hidrogenados podem conter gorduras trans, que, segundo se acredita, elevam os níveis do colesterol sanguíneo.

Hidropônico: Designa um método de cultivo de plantas em água com alto teor de nutrientes e clima controlado, e não no solo. As vantagens são que o produto pode ser cultivado em estufas durante o ano todo, e tende a ter uma aparência imaculada (esteve a salvo das intempéries). A cultura hidropônica é um método muito eficiente em termos de espaço e regularidade, mas os alimentos assim cultivados podem ter sabor genérico, carecendo das complexidades que solos específicos conferem a folhas, frutas e hortaliças.

***Hollandaise*:** Um molho quente e emulsionado, por vezes chamado de molho-mãe (embora tecnicamente não o seja). Manteiga integral ou clarificada é emulsionada com gemas temperadas com uma redução de água, ácido, sal e pimenta, criando um molho rico e vívido para uso geral com vegetais, ovos e peixes. Entre suas variações estão o *sauce béarnaise* (condimentado com estragão), o *choron* (com estragão e tomate) e o *paloise* (com hortelã).

Homogeneizar: Combinar mecanicamente dois líquidos opostos de modo que se dispersem uniformemente; leite é homogeneizado para impedir que a gordura se recombine e suba à superfície.

***Hors d'oeuvres*:** Preparações servidas antes de uma refeição, geralmente aquelas que não são servidas em porções individuais – castanhas, queijos, patê *en terrine*... Compare com entradas, que são servidas em porções individuais.

Hospitalidade: A palavra deriva do termo latino para casa; é a essência da indústria dos restaurantes. As atividades de cozinhar, limpar e servir estão todas a serviço de uma única ideia: agradar ao hóspede, fazê-lo sentir-se à vontade. Quer você seja um cozinheiro de restaurante ou caseiro, e sejam quais forem os prazeres pessoais que o ato de cozinhar lhe proporciona, é útil lembrar que a atividade culinária está geralmente a serviço dos outros.

I

Impurezas: Praticamente qualquer coisa que você deseje remover de líquidos – proteínas coaguladas, fibras vegetais, gordura, espuma –, ou seja, qualquer substância adversa que afete o sabor e a textura. Remover impurezas escumando ou coando caldo, sopa ou molho é um ato que deve ser feito constantemente durante o processo de cocção.

Incorporar: Misturar um ingrediente a outro suavemente – e esta é a palavra-chave. Usa-se quando um ou outro ingrediente ou mistura é delicado, podendo murchar ou ficar comprometido ao ser misturado de forma vigorosa. Ingredientes secos são suavemente incorporados a ovos batidos para um pão-de-ló, por exemplo, e outras massas são incorporadas para impedir que glúten se forme e endureça o produto final.

Infusão: Quando colocamos algo em infusão num líquido, nós o impregnamos com sabor sem deixar nele a matéria efetiva responsável por isso – impregnamos óleo com o sabor do manjericão sem deixar folhas nele, por exemplo. Óleos são comumente impregnados com ervas ou especiarias; quando você usa um *sachet d'épices* num caldo, está impregnando o líquido com o sabor dos conteúdos do saquinho de gaze; leite e creme de leite são muitas vezes impregnados com aromatizantes doces para preparações de sobremesa.

Instrumentos: Ver o artigo UTENSÍLIOS, p.50.

***Intermezzo*:** Ou *entremets*. Em termos culinários, designa um pequeno prato que chega entre dois maiores, muitas vezes servindo para limpar o paladar – uma *granita* ácida, por exemplo. Deve ser refrescante.

J-K

***Jerk*:** Condimento picante em pasta, originário da Jamaica. Pode temperar qualquer coisa, como frango, porco ou peixe. É composto de pimentas em fruto, sal e pimenta-do-reino, temperos doces, vinagre e, óbvio, pimenta-da-jamaica.

Joelho salmourado: Também chamado de *Eisbein* salmourado ou *jarret salé*, é o joelho do porco (a parte da perna logo acima do pé) curado e defumado, usado para dar sabor e consistência, por meio da gelatina, a sopas e estufados. Não contém grande quantidade de carne, mas se esta for cozida até amaciar, fica excelente. Além do tecido conjuntivo, a pele do joelho também adiciona substancial gelatina ao líquido.

Juntas: As juntas dos animais estão repletas de colágeno, que se decompõe em gelatina se submetido a bastante calor úmido suave. Por isso são excelentes para incluir em caldos, pela consistência que proporcionam.

***Jus*:** Palavra francesa para suco, refere-se usualmente ao líquido que se desprende da carne durante o cozimento ou depois que ela é cortada, e que pode acompanhá-la quando servida (carne *au jus*, com seus próprios sucos). Mas pode se referir também a um molho rápido feito na panela em que a carne é cozida, com a gordura e o *fond* do cozimento. Para fazer esse *jus*, o excesso de gordura é jogado fora; a panela é então deglaçada com vinho ou caldo, ervas e qualquer apara da carne que possa ser adicionada (você sempre precisará de líquido adicional; o que está cozinhando, seja o que for, não desprenderá sucos suficientes para criar o molho). Isso tudo é rapidamente cozido, coado e servido imediatamente. Deve ter um gosto muito fresco. O *jus* tende a ganhar consistência e substância da gordura que restou na panela, e não de um amido ou redução. Mas se ele estiver mais ralo do que você gostaria, pode ser *lié* com uma pasta de amido.

***Jus lié*:** Caldo que foi engrossado com uma pasta de amido (amido e água misturados, com a consistência de creme).

***Kimchi*:** Picles coreano picante, geralmente à base de repolho, mas pode incluir muitas hortaliças, como nabo e rabanete. Frequentemente condimentado com alho, cebolinha verde e pimentas, pode ser facilmente fermentado em casa – e talvez essa seja a maneira mais segura de obter um *kimchi* de boa qualidade.

L

Lactose: O açúcar do leite, que, segundo McGee, "praticamente não é encontrado em nenhum outro lugar na natureza". Algumas pessoas não possuem a enzima necessária para decompor esse açúcar em quantidade suficiente, sendo por isso "intolerantes à lactose".

Lagosta: É apreciada pela textura e pelo sabor da carne, realmente diferente da de qualquer outro animal. As mais apreciadas são as lagostas americanas das águas frias do Atlântico. São melhores recém-tiradas da água em que vivem e devem ser mortas imediatamente antes do cozimento ou durante esse processo. Comportam-se melhor quando a água é suavemente aquecida; o cozimento excessivo pode torná-las borrachudas, mas elas podem ser cozidas em praticamente qualquer tipo de calor, do calor seco de uma grelha ao calor suave da *beurre monté*. A cauda fornece carne abundante, e as patas proporcionam excelentes bocados. A carne das pinças é de composição diferente e, em razão da casca grossa que a envolve, demanda mais calor. Certas lagostas têm uma glândula verde (hepatopâncreas), o *tomalley*, parecida com um fígado, que pode ser usada como tempero. Algumas fêmeas carregam ovas, que ficam de um vermelho brilhante e podem ser uma guarnição vívida, ainda que suave, ou um componente de molho. A lagosta pode ser cozida e comida imediatamente, mas é também excelente cozida e gelada. A lagosta espinhosa, parente distante da lagosta americana, vive em águas mornas e tem carne densa e doce; é menos comumente disponível fresca.

Lardear: Significa inserir gordura, usando uma agulha de lardear, em cortes grandes e magros, como grandes assados de carne bovina, para dar à carne a untuosidade e o sabor que lhe faltam.

Lardo: Gordura de porco curada; a grossa camada de gordura cremosa que corre ao longo das costas do porco é salgada, temperada e deixada para curar. Depois o lardo é fatiado e comido como está, com alguns temperos (azeite de oliva, sal e pimenta, talvez ervas frescas) e pão, mas pode também ser suavemente cozido e usado como guarnição sobre pizzas brancas ou servido com ovos. Cru, deve ser macio e cremoso e ter um sabor suave de carne de porco curada.

***Lardons*:** Toucinho (barriga de porco) curado, o bacon, cortado em bastões, pode ser usado como ingrediente de destaque em saladas e quiches, ou como condimento em estufados. É melhor você mesmo cortar seus *lardons*, segundo o impacto que pretende que tenham – se forem guarnição para uma salada ou *pasta* delicada, devem ser menores; para um estufado, maiores. Se você os acrescentar a uma clássica salada *frisée*, encurte-os substancialmente, fazendo quadrados de 1,25 centímetro. Devem ser cozidos em fogo brando, para liberarem sua gordura lentamente e ficarem crocantes por fora e macios por dentro.

Lecitina: É um tipo de molécula abundante na gema de ovo que permite que gordura e água formem um molho cremoso, homogêneo, emulsionado. Atua como um emulsificante, explica McGee, porque tem uma parte solúvel em gordura e uma parte solúvel em água. A primeira penetra nas gotículas de gordura, e a segunda, projetada como uma cauda, impede que elas toquem umas nas outras e se misturem (que é o que acontece quando se talha um molho emulsionado).

Legume: São as plantas com vagens, que nos dão feijões e ervilhas e se distinguem por sua variedade e elevado teor de proteína. Podem ser comidos frescos ou secos. Combinados com grãos, podem fornecer todos os aminoácidos que o organismo requer, eliminando a necessidade de comer carne. (Para mais informações sobre o cozimento, ver FEIJÃO.)

Leite: Pode ser um ingrediente útil na cozinha, principalmente para diluir outros ingredientes. Raleia creme de leite que tornaria um creme gorduroso demais ou uma sopa cremosa que está muito grossa; desprende raízes e tubérculos amassados; é o principal ingrediente de um molho bechamel e pode ser benéfico em massas líquidas. É ocasionalmente usado em algumas massas cruas de pão e pâtisseries para lhes dar melhor cor dourada quando assadas.

Leite condensado: As principais formas de leite do qual a água foi retirada são creme de leite industrializado, leite condensado adoçado e leite em pó.

Seu principal benefício é a validade na prateleira – conservam-se por longuíssimo tempo à temperatura ambiente. O leite "condensado" é adoçado com açúcar e cozido até ficar grosso como um molho. Pode ser usado para adoçar cafés e chás e tem uma miríade de usos culinários – como base para cremes, derramado em gotas sobre biscoitos e assado... Lentamente aquecido em baixa temperatura, torna-se um caramelo encorpado.

Leite evaporado: Leite muito concentrado (reduzido pela metade) é frequentemente usado em receitas para enriquecer cremes ou molhos (não confundir com leite condensado adoçado). É conveniente porque tem grande durabilidade – para não mencionar um sabor ligeiramente caramelizado –, sendo portanto um laticínio que você pode ter à mão. Mas leite integral fresco ou creme de leite, ou uma combinação de ambos, podem ser usados em seu lugar.

Leitelho (soro de leite): É o subproduto líquido da produção de manteiga. Hoje designa mais comumente o leite cultivado, grosso e ácido, vendido em mercearias. Assim como o iogurte natural, o leitelho (*buttermilk*) é útil como aromatizante, e em massas líquidas seu ácido reage com o bicarbonato de sódio, liberando gás e agindo como fermento.

Lentilha: Um dos legumes que podem ser cozidos de maneira razoavelmente rápida e não precisam ficar de molho. Há lentilhas de muitas e interessantes variedades, mas as mais comuns são as maiores e mais redondas, as lentilhas francesas verdes e as pequenas, em forma de disco, que são comuns nos Estados Unidos.*

Liaison: Grosso modo, uma *liaison* é tudo que liga, como pasta de amido ou *beurre manié*. A clássica é uma mistura de gema e creme de leite, incorporada a molhos, sopas e estufados para engrossar e enriquecer o líquido. Uma *blanquette de veau* tradicional, por exemplo, é finalizada com uma *liaison*. Ela deve ser adicionada no fim do cozimento, quando o molho não está mais em temperatura de fervura (o ovo não deve ficar excessivamente cozido), e deve ser misturada com um pouco do molho antes de ser adicionada ao volume

* As lentilhas mais comumente usadas no Brasil são as francesas. (N.R.T.)

total.* Uma proporção comum é três partes de creme de leite para uma parte de gema, e três partes de molho para uma parte de *liaison*.

***Lié*:** Palavra francesa para amarrado, ligado, unido; aplica-se a molhos que foram engrossados, em geral com pasta de amido. Assim, um *jus de veau lié* é um caldo de vitela fortificado, engrossado com pasta de amido para ser usado como molho.

Limão em conserva: Ver *CONFIT* DE LIMÃO SICILIANO.

Limão siciliano: Notável pelo sabor limpo e fresco e pela acidez, o limão siciliano é um maravilhoso ácido para uso geral. Pode ser usado para temperar ou aromatizar inúmeros pratos salgados ou doces – verduras cruas ou vegetais aquecidos, manteiga, carnes e peixes, sopas, estufados e cremes. A maioria dos pratos tem a ganhar com uma adição sensata de suco de limão siciliano fresco. Ou, como o expressou o chef Eric Ripert: "Limão livra a cara de muito prato!" Por seu suco e sabor estimulante, é um instrumento inestimável.

Limão-taiti: Um tempero poderoso, excelente. Está entre as frutas cítricas mais ácidas que geralmente temos à mão, como você deve ter percebido se algum dia fez vinagrete com ele; é preciso contrabalançar sua poderosa acidez com mais açúcar ou gordura do que quando se usa limão siciliano ou vinagre.

Limpar camarão: Remover o trato intestinal do camarão, que corre ao longo de suas costas. A maneira mais comum e fácil é fazer um corte ao comprido nas costas, com uma afiada faca para descascar. É possível comprar camarões limpos; custam um pouco mais, mas podem ser uma boa maneira de poupar tempo.

Limpar carne: Retirar a pele, remover camadas de tecido conjuntivo do músculo. A técnica é usada, por exemplo, com peixe, de modo que o prato final seja refinado e delicado. Aplica-se a atum para fazer molho tártaro, ou a uma perna de cordeiro para separá-la em seus músculos componentes.

* Esse processo chama-se temperagem, e serve para ajustar a temperatura. (N.R.T.)

Limpo, limpar: Talvez um dos adjetivos mais importantes para alimentos e cozinhas, e um dos verbos fundamentais. Sabores limpos, que representam mais puramente o alimento que está sendo cozido, devem ser sempre procurados. Limpo denota também a harmonia na combinação de sabores. Diz-se que um caldo é limpo quando é relativamente claro e fresco. Diz-se que um molho é limpo quando foi cozido de maneira apropriada, coado e usado, e não turvo, velho, grudento ou ruim, como pode ficar se não for tratado com cuidado.

A limpeza é uma das atividades mais importantes numa cozinha. Um refrão comum entre chefs é "limpando sempre". Mantenha sua comida limpa, seu fogão limpo, sua bancada de trabalho limpa. A dinâmica extraordinária e fascinante da culinária é tal que superfícies desorganizadas ou sujas acabam por introduzir sua desordem na comida.

Limpo qualifica também um estado de espírito e descreve os talentos de um cozinheiro, como na expressão "trabalho limpo" – que significa um cozinheiro que não apenas parece limpo e mantém suas bancadas de trabalho limpas e organizadas, mas também trabalha com eficiência, tem domínio e não desperdiça movimentos.

Língua: Língua de cordeiro ou bovina é uma carne valiosa; deve ser cozida lentamente em fogo brando para que o músculo duro amacie, e depois ter a pele retirada. Línguas de pato são consideradas uma iguaria em algumas culinárias asiáticas.

Linguiça: Pouco mais é que carne moída, gordura, sal e condimentos, misturados até que estejam ligados. Pode-se cozinhá-la de diversas maneiras – na forma de bolinhos achatados, como carne moída, num pão, embutida em tripas e grelhadas, assadas, salteadas ou escalfadas. Se você tiver um moedor, é muito fácil fazer linguiça: uma proporção básica inclui carne e gordura (esta deve constituir de 25 a 30% do peso total) e entre 15 e 20 gramas de sal kosher por quilo. Podemos pensar nela também como uma técnica, uma maneira de amaciar um corte duro de carne ou de fazer render o que você já tem. Entre todos os métodos que nos permitem transformar um corte duro e barato em algo requintado e delicioso, este é um dos melhores.

Liquidificador: Um dos mais importantes instrumentos na cozinha, é usado para fazer sopas, molhos e molhos rápidos de emulsão de manteiga, e também para emulsionar vinagretes e transformar alimentos em purê. Pode até ser usado, em conjunção com um chinois, no lugar de uma centrífuga (os vegetais podem ser transformados em purê no liquidificador e depois passados pelo coador). (Ver também MIXER.)

Liquidificador de mão: Ver MIXER.

Lombo: É o músculo que corre ao longo dos dois lados da espinha do animal, o lado externo ou as costas (o filé fica dentro da caixa torácica). Tende a ser magro e macio e deve ser cozido bem rápido ou ficará seco, duro e sem sabor.

Louro: O louro mediterrâneo é um aromatizante versátil, comum no tempero de caldos e estufados, e um componente do *sachet d'épices* padrão (uma variedade de aromatizantes envolvida em gaze), acrescentando profundidade de sabor com suas "notas de madeira, florais, de eucalipto e cravo-da-índia", como escreve McGee. O louro-da-califórnia (*California bay*) é uma planta diferente, notavelmente mais forte que o louro comum, que pode ser adstringente e é muitas vezes vendida como "louro fresco". De fato, o louro é disponível fresco e seco; o fresco tende a ser mais forte. Preste atenção à cor (deve ser intensa, não desbotada) e à fragrância – como todas as ervas e especiarias secas, ele perde sabor com o tempo.

Lox: Salmão curado na salmoura, frequentemente defumado.

M

Maçã: Ao usar maçãs para cozinhar, a maioria dos chefs escolhe as ácidas e crocantes, porque tendem a se manter mais firmes após cozidas, conservam a textura e não ficam farinhentas e moles. Sua acidez também permite acrescentar mais da complexidade do açúcar cozido sem que o prato fique excessivamente doce, dando mais controle ao cozinheiro.

Macarrão: Um dos grandes prazeres da mesa e também do cozinheiro, em razão de seus muitos formatos e versatilidade. Os formatos são decisivos na hora de cozinhar – podem ser fios longos, faixas largas, tubos ou lâminas amplas, expelidos por uma extrusora ou enrolados e cortados. A principal consideração ao se escolher uma massa é a espessura (que determinará a qualidade quando mordida) e o modo como o formato absorve o molho (em geral, quanto mais ralo o molho, mais fino pode ser o macarrão). No Ocidente, o macarrão é tipicamente baseado em farinha de trigo e muitas vezes enriquecido com ovos, mas o tipo feito com farinha de arroz domina a cozinha do Sudeste Asiático (ele é cozido, depois seco e simplesmente reidratado para ser servido), o de amido de batata-doce é popular na Coreia e o Japão é famoso por seu macarrão de trigo-sarraceno, chamado *soba*. Não pense, portanto, que você está sempre limitado a *pasta* italiana quando decide fazer macarrão.

Macerar: Mais um termo para reidratar; significa pôr a comida de molho para decompô-la ou alterá-la de alguma maneira. Pode-se macerar echalotas em vinagre para suavizar seu sabor áspero; frutas vermelhas maduras podem ser mexidas com açúcar (o que extrairá seu suco) e deixadas para macerar nesse líquido para se suavizarem, adoçarem e terem o sabor intensificado. Normalmente aplica-se a frutas secas, e em geral requer álcool ou um líquido saboroso em vez de água (cerejas secas maceradas em conhaque, por exemplo).

Madeira (para defumar): Use somente madeiras rijas, como hicória, bordo, macieira ou outras árvores frutíferas. Estas últimas são muitas vezes preferidas pelos chefs por seu sabor mais sutil, com nuances. Não use madeiras macias, especialmente pinho ou madeira de outras árvores perenes (que produzem uma fumaça resinosa), nem madeira verde ou tratada, que podem dar um sabor acre ao que está sendo defumado.

Mãe (vinagre): Designar uma substância gelatinosa que se desenvolve na superfície de vinagres, gerada pelas bactérias e pela fermentação acética que transforma o álcool do vinho em ácido. Mães podem ser adicionadas ao vinho e, se adequadamente manipulado, ele se transformará em vinagre. É uma mera questão de derramá-lo num recipiente grande, tendo o cuidado de aerá-lo bem caso tenha acabado de sair da garrafa (certos componentes voláteis podem matar as bactérias se o vinho for combinado com a mãe imediatamente depois de aberto), adicionar a mãe, cobrir com gaze para lhe permitir respirar e deixar descansar por dois a quatro meses. O resultado pode ser um vinagre com muito mais gosto de fruta e mais saboroso do que os que você encontra nas lojas. Para começar uma nova leva, basta acrescentar mais vinho à mãe.

Maionese: Molho baseado em gordura para uso geral (ver MOLHO EMULSIONADO), fácil de fazer e delicioso quando fresco. Maionese comprada pronta, como Hellmann's, pode ser bastante boa e é ótima para uso cotidiano; de fato, com a adição de especiarias, ácidos e vegetais aromáticos como cebolas ou echalotas, pode ser transformada num excelente molho para ser usado no último minuto com porco, galinha ou peixe – um atalho conveniente para uma pequena porção de molho emulsionado improvisado.

Maisena: É usada principalmente para engrossar líquidos, tudo desde molhos a recheios de tortas. Para molhos, como tende a se decompor com cozimento longo, é usada geralmente *à la minute* (ver PASTA DE AMIDO). Pode ser usada para criar uma cobertura fina e muito tostada sobre comidas fritas. Adicionada a farinha, permite reduzir a proporção de glúten numa massa de pâtisserie, tornando-a mais macia (com menor teor de glúten).

Malpassado: Ver TEMPERATURAS DA CARNE.

Mandoline: Engenhoca para fatiar e cortar, por vezes chamada de mandoline francês, usada para fazer fatias uniformes, *juliennes* e *gaufrettes*. São robustos e desempenham uma variedade de tarefas, mas são caros e um pouco mais complexos de se preparar e usar que o mandoline japonês, uma versão simplificada, de plástico, igualmente boa para fatiar e cortar em *julienne*.

Mandoline japonês: Para fatiar de maneira fina e uniforme e cortar em *julienne*, esse instrumento é essencial na cozinha. Muitas companhias vendem cortadores de vegetais com todos os tipos de acessórios, mas aquele que os cozinheiros profissionais costumam usar, o mandoline Benriner, é o mais simples e barato. A espessura é ajustada por uma tarraxa no lado de baixo do cortador. Alguns são largos o bastante para requerer uma tarraxa de cada lado; eles não são recomendáveis porque é difícil pôr as duas tarraxas em posição idêntica, o que resulta em fatias desiguais. As lâminas desses cortadores são muito afiadas; use uma proteção para a mão (embora isso possa ser incômodo) ou comece devagar e aumente gradualmente a velocidade, de modo a poder fatiar e cortar em *julienne* sem acrescentar proteína extra à sua refeição.

Manteiga: Um dos ingredientes mais especiais na cozinha, certamente o tipo mais versátil e delicioso de gordura. Poucas matérias-primas culinárias têm um impacto tão poderoso sobre o sabor ou a textura da comida. E são poucas as preparações que não podem ser melhoradas com um pouco de manteiga. Além de impermeabilizar massas com eficácia (ver GORDURA), é também extremamente saborosa. Por ser sólida à temperatura ambiente, pode ser usada por seu efeito de fermento físico em massas – camadas de manteiga separam camadas de massa (como em massas podres ou massas folhadas). Mas pode também ser amolecida à temperatura ambiente, para ficar maleável como uma maionese (ervas podem ser incorporadas à manteiga assim amolecida para uma manteiga *maître d'hôtel*, ou pode-se misturá-la delicadamente a salmão cozido para fazer uma *rillette*). Nacos dessa manteiga podem ser adicionados aos ingredientes levemente cozidos de um creme inglês – ovos e açúcar –, de modo que quando batido o creme fica macio e aveludado e excelente sobre bolos, biscoitos e outras pâtisseries; a estrutura única e a temperatura em que amolece dão ao *buttercream* sua voluptuosidade. Cozinhe por mais tempo esses ingredientes do creme, bata com a manteiga e esta ajudará o resultado a se condensar num recheio de torta à medida que esfria.

Com seu baixo teor de água, a manteiga cozinhará vegetais suavemente, "suando-os" – um saboroso meio de cozimento. Quando aquecida, a gordura e os sólidos se desprendem da emulsão. Esses sólidos vão escurecer e se tornar complexos e com um sabor de castanhas (*beurre noisette*). Se forem removidos à medida que a água seca, você ficará com a gordura da manteiga pura e translúcida, chamada manteiga clarificada. Esta é extraordinária para cozinhar: não só acrescenta sabor como é capaz de ficar muito quente sem queimar, sendo assim excelente para saltear carnes e fritar batatas crocantes. Essa manteiga clarificada pode também ser emulsionada com um pouco de água e gemas de ovo para molhos clássicos de manteiga emulsionada, como o *hollandaise* e o *béarnaise* (embora a manteiga integral possa também ser usada). É possível ainda derreter a manteiga sem desfazer a emulsão de gordura, água e sólidos (*beurre monté*), adicionando-a depois a molhos ou usando-a para pincelar carnes ou até para escalfar carnes e peixes. E, é claro, a manteiga é boa espalhada sobre o pão ou borrifada sobre a pipoca, ou usada simplesmente como um molho espesso para um frango assado ou para enriquecer alguns rabanetes. Por vezes a manteiga é salgada para realçar seu sabor. A maioria dos chefs preferem-na sem sal, porque isso lhes dá maior controle sobre o tempero da comida. A qualidade da manteiga varia; vale a pena procurar uma boa, saborosa.

Manteiga *à maître d'hôtel*: Ver *Beurre maître d'hôtel*.

Manteiga clarificada: É manteiga integral da qual água e sólidos de leite foram removidos – gordura de manteiga pura, translúcida. É excelente para cozinhar. Em geral, clarifica-se manteiga aquecendo-a suavemente. Ela se decomporá; a água e os sólidos de leite espumarão em direção à superfície, e devem ser então escumados. A película que se formará na superfície também deve ser removida; a água leitosa, mais pesada, que afunda, borbulhará gradualmente para a superfície, sendo também escumada. Quando praticamente tudo que é indesejável tiver sido removido, a nata é coada através de um pano para a remoção de quaisquer partículas restantes. É uma das mais saborosas gorduras disponíveis, excelente para saltear e fritar por causa de seu sabor e pelo fato de poder ficar muito quente sem queimar. (Os sólidos na manteiga integral se aquecerão rapidamente depois que a água secou, resultando primeiro em manteiga dourada e logo em manteiga queimada.) A manteiga clarificada é a gordura tradicionalmente usada para molhos emulsionados de manteiga e resulta num sabor muito fino e elegante. Ela pode ser cozida um pouco mais de modo a ficar tanto clarificada quanto dourada, caso em que é um excelente aromatizante para pratos salgados ou doces. É usada assim em muitas cozinhas, notavelmente a indiana, em que é chamada de *ghee* (e é um pouco mais complexa que manteiga integral clarificada mas não dourada).

Manteiga composta: Manteiga integral condimentada com aromatizantes, temperos e ácido. É um dos molhos mais fáceis e prazerosos ao alcance do cozinheiro caseiro, e especialmente gostosa com carnes e peixe grelhados. Além disso, é uma estratégia inteligente, já que ao grelhar não geramos, como subproduto do cozimento, um molho básico como o que se forma ao brasear ou assar na panela. Manteiga composta pode servir de acompanhamento para praticamente qualquer coisa. E como geralmente temos a matéria-prima à mão na geladeira, é um molho ou guarnição excelente para usar num apuro. A mais comum é chamada de *beurre maître d'hôtel*, ou manteiga *d'hôtel* (salsinha, suco e casca de limão, sal e pimenta). Manteiga misturada com echalota e *fines herbes* é excelente com frango assado; com raspas de frutas cítricas, cai perfeitamente sobre salmão escalfado; combinada com pimentas *chipotle* picadas, suco de limão e coentro, vai bem sobre bife grelhado. Ao criar uma manteiga composta, você deve pensar nela como pensaria num molho – tempere-a com sal e pimenta, adicione um componente ácido para dar equilíbrio e contraste (frutas cítricas ou vinho, por exemplo) e junte aromáticos apropriados – ervas frescas e echalota são os mais comuns. Use uma espátula de borracha para pressionar e incorporar os temperos e os aromáticos à manteiga em temperatura ambiente. Ela pode ser servida num ramekin, mas cozinhas de restaurante normalmente dão à manteiga cremosa a forma de um tronco, usando um filme plástico, e a gelam num banho de gelo para que mantenha a forma cilíndrica à medida que endurece; depois, quando pronta para ser usada, ela pode ser fatiada em apetitosos discos.

Manteiga queimada: A manteiga fica escura quando é cozida até que a água se evapore e os sólidos de leite se separem da gordura clara e escureçam; o resultado é um sabor complexo de castanhas (ver *BEURRE NOISETTE*). A manteiga queimada é saborosa por si só, como um molho, e útil em preparações tanto salgadas quanto doces. Ácido e aromatizantes podem ser adicionados para criar um molho mais interessante.

Manteiga sem sal: É a preferida pela maioria dos chefs; tem sabor mais puro e permite ao cozinheiro temperar a comida a seu próprio gosto.

Máquina de macarrão: Um daqueles dispositivos ou acessórios especiais que vêm a calhar se eventualmente você se sentir impelido a fazer *pasta*. Estritamente falando, não é essencial, mas lhe permitirá abrir uma massa com muito mais facilidade, deixando-a bem mais fina do que poderia com um rolo de macarrão, e cortá-la de maneira mais fina e uniforme do que poderia à mão. Em razão do desenvolvimento gradual do glúten, a massa aberta à máquina pode ser ao mesmo tempo mais fina e mais durável que a aberta com rolo. Há dois tipos básicos de máquinas: as extrusoras, que expelem a *pasta* através de uma lâmina, e os cilindros, que abrem e cortam a *pasta*. A *pasta* de extrusora usa em geral água e semolina, farinha rica em proteína, e muitas vezes é seca depois de expelida. Cilindros de massa movidos a manivela podem ser usados também para abrir caramelo (em bala) ou *ganache* dura de chocolate em lâminas, ou para unir duas dessas lâminas.

Marcador permanente: É uma caneta com tinta à prova d'água e que se fixa em superfícies lisas como plásticos, excelente para datar e rotular comida; mantenha um em sua gaveta de instrumentos, ao lado da fita crepe e de etiquetas.

Marcas de grelha: São um atraente elemento visual num alimento, e adicionam de fato algum sabor à superfície queimada. Tradicionalmente, preferem-se boas hachuras cruzadas; para consegui-las, o cozinheiro caseiro deve usar uma panela de ferro fundido muito quente ou untar a superfície da grelha e deixá-la extremamente quente. (Ver também HACHURAS.)

Marcha: Usada por cozinheiros profissionais, "a marcha" é uma descrição afetuosa da linha de produção quando é feita corretamente e bem, quando uma equipe de cozinheiros está em elegante sincronia. É muitas vezes evocada com uma espécie de estranha euforia peculiar à profissão.

Margarina: Um substituto da manteiga outrora feito com gordura animal, hoje geralmente feito com óleos vegetais. Embora mais barata, a margarina não é recomendável para cozinhar ou comer, uma vez que a manteiga é abundante e superior em termos de cozimento e sabor. Se você insistir em usar margarina, certifique-se de que ela não contém gorduras trans, que podem resultar da hidrogenação (método de transformar gordura líquida em sólida) e comprovadamente elevam o colesterol sanguíneo.

Marinada, marinar: Marinadas são preparações destinadas a temperar carne ou vegetais antes que sejam cozidos. Podem ser secas (em pasta) ou em meio líquido, e podem incluir uma série de ingredientes aromáticos, óleos, líquidos e ácidos. A literatura sobre marinadas é confusa e muitas vezes imprecisa. Em regra, ácidos não amaciam carnes duras, como se acredita comumente, e álcool tampouco. Eles apenas desnaturam a proteína exterior, tornando-a um tanto mole (algumas frutas, porém, como mamão e abacaxi, contêm enzimas que digerem proteína e gelatina e podem estragar carnes). Vinho pode temperar carnes bem, mas é mais eficaz se o cozinharmos antes para evaporar parte do álcool, o impregnarmos com aromatizantes e o salgarmos (pelos efeitos osmóticos e condimentantes do sal) antes de resfriá-lo e derramá-lo sobre a peça. O sabor leva tempo para penetrar na carne. Talvez as marinadas mais eficazes sejam as secas que incluem sal e aromáticos e as salmouras condimentadas com aromáticos; a osmose provocada pelo sal pode fazer o sabor penetrar melhor. Óleos ficam impregnados com ingredientes aromáticos, mas não penetram realmente na carne, podendo impedir que os sabores o façam. Outras marinadas atuam principalmente para temperar o exterior da peça. McGee observa que pressão a vácuo pode acentuar o efeito não enquanto a carne está sendo marinada, mas quando o vácuo é liberado e a marinada invade os espaços de que o gás havia sido retirado. Antes de existir a refrigeração, é provável que as marinadas fossem usadas para conservar a carne, o que o ácido e o sal fariam bem; hoje as usamos exclusivamente pelo sabor. Preste atenção ao modo como diferentes preparos e diferentes tempos na marinada afetam a carne e o peixe (nem sempre quanto mais tempo, melhor), e marine de acordo com seu gosto.

Marinada seca: Mistura de especiarias, temperos e/ou aromatizantes que é esfregada na superfície da carne ou do peixe antes que eles sejam cozidos, como uma forma de intensificar seu sabor. Carnes ou peixes a que essa marinada é aplicada são muitas vezes primeiro untados com óleo, para que este cubra as partículas da marinada. O óleo estimula a marinada a aderir à carne, distribui o sabor uniformemente e ajuda no cozimento das especiarias (se continuarem secas, elas podem queimar).

Mariscos: Os mariscos se dividem em duas categorias – crustáceos e moluscos – que partilham muitas características. Geralmente são macios, por isso não requerem muito cozimento (se é que requerem algum), e tendem a carregar os sabores do local onde vivem, do que comem.

Os moluscos incluem abalone, mexilhões, amêijoas, ostras, vieiras e lulas (cuja concha* é interna), todos os quais se beneficiam de cozimento breve e suave, no máximo. As ostras, é claro, são talvez o único animal que é comido vivo, e são apreciadas por uma série de sabores e texturas incomparáveis. Os crustáceos incluem lagostas, caranguejos, camarão e lagostim, e podem ser cozidos de diversas maneiras – escalfados, assados, grelhados, salteados. Cozimento em excesso os tornará borrachudos, por isso, mesmo que tenham um músculo forte e robusto, é melhor cozer e temperar crustáceos suavemente. (Ver também BIVALVES.)

Mármore: Material de bancada de cozinha muito apreciado por chefs de confeitaria por sua capacidade de manter o frio, o que faz dele uma boa superfície para alisar massas ricas em manteiga. Sua desvantagem é ser poroso e por isso manchar-se facilmente. Além disso, reage a ácido, que pode esburacá-lo; assim, as empresas que vendem bancadas muitas vezes revestem ou impermeabilizam o mármore. É conveniente manter uma pequena prancha de mármore em casa, guardada com as assadeiras e refrigerada antes de ser usada para pâtisseries e balas.

Marmorização, marmoreio: Refere-se à quantidade e qualidade de gordura intramuscular numa carne. Cozinheiros gostam de cortes com boa concentração de marmoreio, sabendo que as estrias de gordura darão à carne mais sabor e suculência.

Massa azeda: É uma técnica, e não um tipo de pão. Faz-se pão de massa azeda usando levedura natural (ver FERMENTO NATURAL) em vez de comercial, e ele obtém seu sabor do ácido liberado pela levedura. É este que dá nome à massa, mas um pão feito assim não deveria ser excessivamente azedo, o que indicaria que a levedura fermentou demais.

---

* Informalmente chamada de pena. (N.R.T.)

Massa básica de pâtisserie: Uma mistura de farinha, gordura e líquido, que é então cozida. Em outras palavras, é uma massa de pão com quantidade substancial de gordura (banha de porco, manteiga). A gordura amacia ou debilita a rede de glúten que deixa a massa de pão elástica; as massas de pâtisserie não são elásticas em grande parte por causa dela. Sua maciez é também determinada por fatores como o tipo de farinha usado, o quanto a massa é trabalhada e seu pH ou acidez. Pode ser salgada ou doce, farelenta ou lisa, flocosa ou densa, pura ou temperada. Seu comportamento é determinado em grande parte pelo modo como a gordura é manipulada. Se disposta em camadas, pode criar qualquer coisa de massa *brisée* a uma elegante massa folhada. Como outras preparações com amido – massas, macarrão, batatas –, as massas de pâtisserie podem desempenhar um grande número de papéis, desde emoldurar e conter alimentos até ser o elemento central de um prato.

Massa crua de pão, pizza ou torta: Implica farinha e líquido, com alguma formação de glúten. Pode ser maleável para uma massa elástica de pão ou impermeabilizada para uma massa farelenta de biscoito ou torta. Normalmente não é tão mole que possa ser derramada como uma massa líquida, sendo, ao contrário, moldável.

Massa de torta: Combina farinha, gordura e água. Uma proporção comum é de três partes de farinha para duas de gordura e uma de água, chamada de massa 3-2-1, embora o tipo de gordura possa afetar a quantidade necessária, para não mencionar o sabor e até o comportamento da massa (banha de porco, de que toda a água foi eliminada pelo cozimento, afeta a massa diferentemente de manteiga, que contém água; ela é um amaciante muito mais poderoso que manteiga ou gordura vegetal e adiciona também uma dimensão mais apetitosa ao sabor).

Massa folhada: É aquela em que um bloco de manteiga foi inserido e que, depois de ser dobrada sobre si mesma e revirada muitas vezes, desenvolve centenas de camadas separadas por gordura. A massa laminada estufa quando assada, por isso é chamada em inglês de *puff pastry*; em francês, é conhecida como *pâte feuilletée* ou *mille feuille*, mil-folhas. É usada para croissants, *Danish* e outras pâtisseries doces e salgadas. Quando a levedura é adicionada, ela se torna especialmente macia e fofa (como nos croissants). As camadas são preparadas dobrando-se a massa em torno de um bloco de manteiga e abrindo-a, depois dobrando-a em três partes, como uma carta, e abrindo-a de novo. Ela deve ser refrigerada por várias horas a cada vez, até que a manteiga tenha ficado firme. O dobramento é normalmente repetido seis vezes; o número de camadas de manteiga multiplica-se exponencialmente. O processo pode ser acelerado dobrando-se a massa quatro vezes e abrindo-a três vezes, com menos intervalos para esfriamento; o resultado é aceitável, mas não é completamente uniforme como a massa folhada amanteigada tradicional. Esse tipo de massa congela-se bem e pode ser encontrado congelado na maioria dos supermercados (cuidado com o uso de gorduras trans). Ao preparar sua própria massa folhada amanteigada, pense na possibilidade de fazer variações interessantes, usando manteiga temperada com ervas e especiarias ou até outras gorduras, como queijo ou chocolate.

Massa líquida: Mistura rala de farinha e líquido. Muitas vezes contém ovos, gordura, fermento e amido e/ou temperos adicionais que resultam em bolos, panquecas e waffles, blinis, *popovers*,* *gougères*, éclairs (ver PÂTE A CHOUX) e beignets, bem como em cobertura para vegetais, carne e peixe a serem fritos por imersão (ver TEMPURA). Pode ser doce ou salgada, muito rala, como massa de panqueca, ou mais grossa, como massa de bolo inglês (*quatre-quarts***). Em geral, a massa líquida se distingue da massa firme para pão, pizza ou torta por conter mais líquido que farinha, e suas variedades são determinadas por essa proporção, assim como pelas diferentes quantidades de gordura, ovos ou claras e açúcar, e pelas maneiras como são misturados (ingredientes para massas estufadas – *popovers*, por exemplo – são misturados todos juntos; para um *angel cake*, a farinha é lentamente misturada a um merengue, depois assada; para uma *pâte a choux*, farinha e água são cozidas, depois os ovos são misturados; os ingredientes para tempura são misturados quase na hora de usar, e podem incluir água gasosa para maior leveza).

---

* *Popover* é um pãozinho salgado, leve e oco. É feito com massa líquida à base de ovos, similar à de carolinas e profiteroles, mas salgada. Por causa da consistência da massa, deve ser assado em forminhas fundas e individuais (ramekins ou fôrmas de empadinha). (N.R.T.)

** Nome usado para massas básicas de bolo, cuja receita é baseada em quatro partes iguais de farinha, gordura, ovos e líquido. (N.R.T.)

Massa *phyllo* (filo): É uma massa em lâminas muito finas, frequentemente usada em sobremesas mediterrâneas e do Oriente Médio (*baklava*, por exemplo), apreciada por ser delicada e quebradiça. Comumente disponível congelada em importadoras, é também valiosa para uso geral, tendo muitas aplicações. Pode ser usada como crosta de torta ou para envolver um recheio salgado, ou pode ser disposta em camadas, temperada e assada para ser usada como uma guarnição crocante. A massa *phyllo* é muito delicada, seca rapidamente e pode ser quebradiça e difícil de manipular. Costuma ser pincelada com manteiga derretida antes do uso para que se mantenha flexível, tenha o sabor acentuado e doure melhor ao assar. As lâminas que estão fora do congelador, mas não serão usadas de imediato, devem ser cobertas com pano úmido. Por ser tão fina e delicada, é quase sempre usada em camadas.

***Matignon*:** O mesmo que *mirepoix*, ou vegetais aromáticos, destinados tanto a condimentar um prato quanto a serem servidos com ele. Frequentemente aves são assadas num leito de *mirepoix*; se este se destina a ser servido como guarnição, é chamado de *matignon*. Além de cebolas, cenouras e aipo, cogumelos e bacon são muitas vezes incluídos para um sabor adicional.

McGee: Harold McGee é o autor do livro fundamental *On Food and Cooking*, uma obra inigualável, uma das principais referências para este livro e um volume apreciado tanto por cozinheiros caseiros quanto por chefs profissionais por suas explanações de por que a comida se comporta como o faz. (Ver o artigo FONTES E AGRADECIMENTOS, p.57.)

Medida, medição: Medir os alimentos é às vezes decisivo para o sucesso de uma preparação (especialmente na confeitaria e panificação), e outras vezes não. Quando medidas exatas forem importantes, meça bem. Isto é, em vez de medir por volume, pese ingredientes sólidos numa balança, que é a forma mais precisa. Use medidas líquidas para ingredientes líquidos. Evite dispositivos de medida de butique, como colheres de sopa de porcelana ou xícaras vistosas cujo volume pode variar; seja fiel a robustos instrumentos de mensuração de aço. E quando estiver medindo, preste atenção à quantidade que está adicionando. Que aparência têm duas colheres de sopa de óleo sendo adicionadas à panela? Quando medir uma colher de chá de sal, ponha o sal na sua palma, veja que aparência tem, quanto espaço ocupa; logo você será capaz de medir a olho com bastante exatidão.

Mel: Excelente adoçante para uso geral, adiciona sabores mais complexos que o açúcar de mesa. Quando estiver adoçando algo – quer seja creme de leite batido, chá ou uma marinada – é bom considerar que tipo de doçura você quer; as excelentes notas florais do mel podem ser exatamente o que procura. A qualidade do mel varia; os mais característicos provêm muitas vezes de flores silvestres ou de árvores frutíferas.

Melado: Subproduto viscoso da extração de cristais de açúcar do suco da cana, o melado é uma das muitas opções de adoçantes na cozinha. Traz sabores complexos de caramelo além da doçura, bem como acidez e amargor (quanto mais escuro for o melado, mais forte será seu sabor). Em razão de sua complexidade, pode ser uma opção ao adoçar pratos salgados, como molhos para churrascos e marinadas, além do uso mais comum em bolos e biscoitos.

Merengue: É clara de ovo batida em neve até ficar fofa, e muitas vezes adoçada com açúcar. É uma preparação versátil, usada como fermento em bolos, como base para suflês, para tornar mousses mais leves ou como decoração. Merengue pode ser assado até adquirir diferentes consistências ou ser escalfado; pode ser aromatizado com amêndoas e assado, uma preparação chamada *dacquoise*. A proporção para um merengue é geralmente de uma a duas partes de açúcar para uma parte de clara de ovo por peso. O açúcar pode ser adicionado de diferentes maneiras, que afetam a textura do merengue e determinam seus usos. A clara e o açúcar podem ser aquecidos e depois batidos (chamado merengue suíço) ou o açúcar pode ser dissolvido numa pequena quantidade de água e cozido até ficar muito quente, depois adicionado às claras quando elas estão acabando de ser batidas (chamado merengue italiano). Se o merengue não for ser cozido depois de feito (se for usado numa mousse, por exemplo), é prudente usar um dos métodos em que a clara de ovo é cozida no processo de feitura (suíço ou italiano). Para merengues quebradiços, a mistura deve ser espremida com saco de confeiteiro no formato desejado e assada num forno muito baixo, 95°C ou menos, para que eles fiquem inteiramente desidratados e depois dourados.

Merengues úmidos, aqueles cozidos para cobrir uma torta, podem ser complicados – açúcar não dissolvido, bater demais ou de menos, cozer demais ou de menos podem resultar em granulosidade e água brotando dos merengues – por isso preste atenção a pequenas variações no modo como você os prepara e observe os efeitos.

Merengue italiano: Ver MERENGUE.

Método *génoise*: Técnica usada para massas líquidas em que ovos são batidos para incorporar ar, o que serve como fermento em bolos; em seguida mesclam-se lentamente farinha, açúcar e temperos à fofa mistura de ovos, e a massa é assada para resultar num miolo leve e macio (ver BOLO). O ponto decisivo da técnica é uma boa *mise en place* – ter todos os componentes prontos (forno quente, assadeiras untadas, ingredientes secos peneirados) de modo que, depois que os ovos estiverem aerados, os ingredientes secos possam ser imediatamente incorporados e o bolo posto no forno imediatamente, para a menor perda possível de bolhas de ar.

***Meunière, à la*:** Excelente e fácil molho de manteiga escurecida para uso geral, aromatizado apenas por suco de limão e salsa. Comumente usado com peixes brancos como truta, funciona bem com muitos itens de sabor suave, que são primeiro polvilhados com farinha e salteados. A manteiga é levada à cor e ao aroma desejados; o suco de limão é então adicionado (para resfriar e evitar que os sólidos da manteiga queimem), seguido pela salsa.

Mexilhão: Os mexilhões talvez sejam um dos animais mais fáceis de cozinhar; assim, desde que você consiga um bom molho para eles, são um excelente item para servir em casa. E se forem realmente bons, quanto mais simples a preparação, melhor – cozidos no vapor até se abrirem, com um pouco de vinho branco, tomilho e alho, por exemplo. Como se alimentam filtrando plâncton, esses moluscos podem conter toxinas, por isso a procedência e o modo como foram manipulados após serem retirados da água são importantes. Além disso, devem ser muito frescos porque ficam vivos até o momento de serem cozidos, e desde que saem da água estão, como as ostras, alimentando-se, de fato, de si mesmos. Alguns chefs só pedem mexilhões num restaurante se conhecerem pessoalmente o chef do lugar.

Microplane: Marca registrada que se tornou o nome genérico para um ralador muito fino. São baratos e convenientes para um grande número de tarefas – de raspar a casca de frutas cítricas a ralar parmesão, chocolate ou noz-moscada.

Milho: Um dos grãos mais produzidos no mundo, nos dá produtos tão diversos como óleo, amido, açúcar e até plástico. É também um dos ingredientes mais versáteis na cozinha. Além do uso como um vegetal doce cozido ou levemente salteado, é uma excelente guarnição, adicionando contraste visual e de textura a sopas, molhos, saladas e estufados. Além disso, combina bem com a maioria das carnes e com peixe magro. Num apuro, pode-se usar milho congelado, mas ele é melhor cortado diretamente do sabugo. Atualmente o milho é tão doce que requer pouco cozimento – praticamente precisa apenas ser inteiramente aquecido. Ele pode também ser triturado num liquidificador ou processador de alimentos e coado para se obter seu suco – mais um excelente uso que tem muitas aplicações (como molho ou como espessante para um risoto, por exemplo). Outras formas de milho encontram-se também disponíveis, como salgadinho (torrado e temperado), canjica (milho-branco seco que pode ser usado como uma leguminosa, imerso em água, depois cozido em fogo lento, para pratos como *pozole**) e pipoca.

***Minute, à la*:** Ver À LA MINUTE.

Mioglobina: É a proteína transportadora do oxigênio no músculo, responsável pela cor vermelha da carne e do peixe. Alguns sais, como nitrito de sódio, fazem o oxigênio se ligar à mioglobina, e assim levam a carne a permanecer vermelha mesmo depois de cozida (como bacon e presunto).

Miolo da paleta (porco): É um corte do porco a partir do meio da perna dianteira, acima do joelho e abaixo da paleta. Relativamente duro, é melhor assado lentamente ou braseado. Em inglês, chama-se *pic-nic shoulder* quando fresco ou *pic-nic ham* quando curado.

Miolos: Ver VÍSCERAS E EXTREMIDADES.

---

* Tipo de cozido ou sopa tradicional da culinária mexicana pré-colombiana. (N.R.T.)

Miosina: Uma importante proteína nas carnes, compõe as fibras que constituem o músculo. Torna-se pegajosa quando amassada ou misturada e ajuda a dar boa liga e textura a patês, linguiças ou hambúrgueres (especialmente quando salgada com grande antecipação, pois a miosina é solúvel no sal).

***Mirepoix*:** Mistura de vegetais aromáticos usada para dar aroma e doçura a caldos e molhos que serão coados antes de serem usados. Tradicionalmente, é composto de duas partes de cebola, uma de cenoura e uma de aipo, grosseiramente picados. A palavra *mirepoix* pode ser aplicada a uma variedade de aromáticos usuais em cozinhas específicas. Gengibre, alho e echalotas podem ser chamados de *mirepoix* asiático; o *mirepoix cajun* inclui pimentas verdes. Em cozinhas onde o termo é usado de maneira mais frouxa, a mistura de cebola-cenoura-aipo seria chamada de *mirepoix* padrão.

***Mise en place*:** Literalmente, "colocar no lugar". A expressão designa na cozinha a organização, a reunião e a preparação de todos os instrumentos e alimentos necessários para completar a tarefa a ser realizada. Pode se referir à organização de um cozinheiro profissional antes do serviço da noite (chefs de brigada podem ser extremamente possessivos com a *mise en place* de suas bancadas) ou a colher de pau, vinho, caldo, arroz e sal que você reúne antes de começar um risoto. Por designar uma parte tão importante da vida do chef, tão decisiva para a eficiência da ação e do uso do tempo, a expressão muitas vezes assume conotações mais amplas. Assim, uma excelente *mise* representa o estado final de prontidão, quer seja a *mise en place* física da comida e dos instrumentos ou a *mise en place* mental de ter pensado uma tarefa até o fim e estar pronto para cada passo dela.

Missô: Pasta de soja fermentada originária do Japão, é um ingrediente básico que vem encontrando uso cada vez mais amplo nos Estados Unidos, e está disponível em muitas variedades. Como vários alimentos fermentados, é usado pelo sabor profundo de sal, muitas vezes chamado de *umami*, que dá a diversos pratos – sopas, molhos, estufados ou vinagretes.

Misturar: Verbo aparentemente prosaico ou óbvio que é de fato uma das ações mais importante na cozinha e pode ter um impacto extraordinário numa preparação – e por vezes até defini-la. Bolos, por exemplo, podem ser categorizados segundo o método como são misturados, a ordem que a farinha, os ovos, o açúcar e o amido são combinados. Carne moída para linguiça é misturada para incorporar temperos e líquido, mas também para estimular uma proteína da carne chamada miosina a se tornar pegajosa e assim ajudar a aglutinar a linguiça, dando-lhe boa liga. Misturar adequadamente a massa é decisivo para o sucesso do pão – se ela for pouco misturada, não terá a elasticidade para conter as bolhas de ar que a fazem crescer; se for misturada em excesso, perderá essa elasticidade e se tornará flácida, resultando num pão igualmente achatado. A maneira como misturar, seja à máquina ou à mão, a duração, a temperatura do que está sendo batido e até a trajetória que a colher ou o *fouet* fazem através do que está sendo misturado – em forma elíptica ou formando o número oito, por exemplo – têm impacto sobre o alimento.

Miúdos: Os órgãos internos e as extremidades dos animais oferecem uma atraente série de sabores, texturas e preparações que excedem em número e satisfação os que podem ser obtidos com cortes de músculos regulares. Outrora comuns em sociedades agrárias por uma questão de utilidade, hoje não são tão usadas, exceto, ironicamente, nos restaurantes mais sofisticados. Mas, à medida que feiras, mercados de produtores locais e lojas especializadas proliferam e mais restaurantes as utilizam, as vísceras e extremidades estão se tornando mais disponíveis. Elas podem ser divididas em quatro categorias que se superpõem: macias ou duras (rim, por exemplo, que requer cozimento rápido, e língua ou rabo, que requerem cozimento longo e lento para amaciarem), e vermelhas ou brancas (fígado ou coração, por exemplo, e molejas ou miolos). Outras categorias de miúdos incluem orelhas, pés, intestino, bochechas, cabeça, baço, estômago, crista de galo e testículos. Tendem a ser muito ricas em colesterol, ferro e vitaminas. (O melhor e mais abrangente livro dedicado ao cozimento de miúdos é *Variety Meats*, da série *The Good Cook*, da *Time-Life*, publicado em 1982 e organizado por Richard Olney.)

Miúdos de ave: O coração, a moela e o fígado das aves. O coração e a moela (que é o segundo estômago das aves, usado para triturar comida parcialmente digerida) são ambos músculos fortes e substanciosos que requerem cozimento longo e lento para ficarem macios. São muitas vezes picados e usados para dar sabor a molhos *déglacés*, mas são bons também se adicionados ao caldo feito com a ave. O fígado é melhor se rapidamente salteado. Miúdos braseados ou em *confit* podem ser parte de uma salada composta, ou podem ser cortados em fatias e fritos até ficarem crocantes, para servir de guarnição a uma salada, como se fossem bacon.

Mixer: Também chamado de liquidificador de imersão, é um aparelho que se segura com a mão e que tem uma lâmina de liquidificador na ponta. Pode ser mergulhado em líquido quente, e é um instrumento inestimável para bater sopas na panela, misturar molhos ou incorporar manteiga a eles. Alguns vêm com acessórios e recipientes que podem ser convenientes para picar alimentos.

Moagem: A moagem da carne é importante para patês, linguiças e hambúrgueres. A maioria dos moedores vem com pelo menos duas lâminas – a placa pela qual a carne é expelida –, uma grande e uma pequena, e moedores mais elaborados têm lâminas de vários tamanhos. Quanto menor a saída da lâmina, mais fina será a moagem e mais macia a textura.

Mocotó: Os pés dos bezerros são especialmente ricos em gelatina e podem ser acrescentados a caldos de carne, em especial de vitela, para maior corpo e para realçar sabores sem acrescentar novos.

Moedor: Moedores estão disponíveis como utensílios independentes, movidos a manivela, e como acessórios de mixers verticais. Dependendo da preparação a ser feita, podem ser muito valiosos, criando uma textura na carne (característica para linguiças, recheios de bolinhos e hambúrgueres) que não se pode obter picando-a finamente ou amassando-a num processador. Este último processo é por vezes uma alternativa aceitável, mas os resultados são diferentes. Moedores podem ser usados também para outros fins, como moer bacon a ser usado como tempero, moer verduras para extrair a clorofila ou como um tipo de amaciante: se você tem um corte de carne duro e apenas pouco tempo para cozê-lo, ele pode ser moído, temperado e cozido, seja solto ou envolto em algum tipo de invólucro.

As lâminas e extrusoras dos moedores podem facilmente perder o fio se não forem bem cuidadas, comprometendo a qualidade da carne moída; é melhor lavá-las e enxugá-las à mão, e, se as usar com frequência, fazer com que sejam periodicamente afiadas por um profissional.

Moedor ou moinho de pimenta: Um importante instrumento para o cozinheiro, pois torna a pimenta-do-reino recém-moída acessível para temperar a comida enquanto ela cozinha e para finalizar pratos. O fator primordial na escolha de um moinho de pimenta é o tamanho da moagem. Como os grãos de pimenta são duros e resistentes aos dentes, um bom moinho os mói de maneira suficientemente fina para que não sejam percebidos ao mastigar.

Moer: Termo que usamos para carne e também para a pulverização de especiarias (e de grãos de café, é claro). O ato de moer carne cria muita fricção e por issso calor, o quc pode levar a gordura e a carne a se separarem quando cozidas. Moa sempre carne muito fria. Um moedor é um instrumento versátil para mais do que apenas carne cozida. Vegetais podem ser moídos para uma rápida extração quando se faz caldo; bacon moído torna-se uma guarnição saborosa e elegante quando salteado. Se você quiser obter o máximo de suas especiarias, torre-as suavemente, depois moa-as quase na hora de usá-las. Moedores de especiarias ou de café são a maneira mais rápida e fácil de moer especiarias, embora elas possam ser moídas num almofariz de pedra (ou, num aperto, finamente picadas com uma faca). Ser capaz de moer as próprias especiarias com rapidez e facilidade faz uma grande diferença quando se cozinha e é altamente recomendável. Moedores são baratos o suficiente para você poder ter um para café e outro para especiarias.

Mofo: O mofo nos alimentos pode ser benéfico, adicionando sabor a queijos ou protegendo o exterior de algumas carnes curadas a seco. Mas pode também ser nocivo: em regra, mofos felpudos, verdes ou vivamente coloridos normalmente não encontrados na comida devem ser removidos dela, ou a comida deve ser descartada por inteiro.

Moldar: Há várias maneiras de dar forma a alimentos. Fôrmas de todos os tipos estão disponíveis nas lojas de utensílios para a cozinha – para terrine, pequenas e de silicone, de fundo removível... Itens comuns de cozinha, no entanto, como invólucros de plástico, papel-alumínio, papel-pergaminho, gaze ou pano de prato, também podem servir para dar formato, sendo moldes eficazes.

Molejas: Essa glândula, usualmente de vitela, é apreciada por sua substância e textura. Tradicionalmente, costuma-se imergir as molejas em água para remover sangue residual; depois elas são levadas a uma fervura em *court bouillon* e em seguida sua membrana externa é removida. São então apertadas sob pesos à medida que esfriam, para que sua textura seja realçada. Podem ser finalizadas de diferentes maneiras, levemente salteadas ou embutidas numa terrine.

Molho: É um componente fundamental de muitos pratos. Qualquer gordura, ácido ou líquido que adicione sabores complementares, tempero, textura e substância funcionam como um molho. Embora tendamos a pensar nele como um componente identificável e separadamente criado – molho à bolonhesa com macarrão, molho *béarnaise* com bife, *gravy* de miúdos com peru –, o molho está em toda parte, da manteiga numa batata assada à maionese na salada de atum, do óleo e vinagre nas verduras ao sorvete com a torta. (Ver o artigo MOLHO, p.22.)

Molho branco: Refere-se em geral a bechamel, mas pode também se referir ao molho de creme e a *veloutés,* ou a molhos baseados em bechamel ou *veloutés,* para distingui-los de molhos escuros, que têm sabores de assado e caramelizado.

Molho de baunilha: Ver *CRÈME ANGLAISE*.

Molho de creme: Molho bechamel finalizado com creme de leite. Soa insípido, mas é de fato elegante, delicioso com carnes brancas e magras delicadamente temperadas, ou como base para sopas cremosas ou molhos cremosos para massas.

Molho emulsionado: Categoria de molhos em que a manteiga é emulsionada com uma pequena quantidade de líquido feito à base de água e aromatizantes. Molhos de manteiga emulsionados – que podem usar manteiga integral ou, para um resultado mais refinado, manteiga clarificada – estão entre os mais saborosos, satisfatórios e versáteis. Os tradicionais (ver o artigo MOLHO, p.22), como o *hollandaise* ou seus derivados, são tão espessos quanto maionese, mas podem ser tornados mais leves ou raleados de acordo com o gosto do cozinheiro. Vinagretes são frequentemente emulsionados num molho estável, homogêneo, de modo que o óleo e o vinagre não se separem. *Beurre blanc* e *beurre rouge* são emulsionados *à la minute*, e se beneficiam das propriedades emulsificantes da manteiga, ela própria uma emulsão de água em gordura.

Molho escuro: Ver *ESPAGNOLE*.

Molho oriental de peixe: Esse condimento feito com peixe fermentado, onipresente em todo o Sudeste Asiático e com um cheiro limpo de maré baixa, é uma parte vital da tradição culinária da região. Mas é importante em qualquer despensa por seu extraordinário poder de condimentação, um impacto intensificador do sabor muitas vezes associado a *umami*. Embora seja excelente simplesmente misturado com pimentas picantes e usado para finalizar carne bovina, frango ou até arroz, algumas gotas adicionam complexidade a molhos de tomate, macarrão com queijo, sopa de frango e inúmeros outros pratos. A qualidade varia consideravelmente; é melhor comprá-lo em mercados asiáticos. É conhecido por outros nomes dependendo do país: *nam pla* na Tailândia, *nouc mam* no Vietnã, *tuk trey* no Camboja, *ngan pya-ye* em Burma, *patis* nas Filipinas.

Molhos compostos: Por vezes chamados molhos derivados, são aqueles em que ingredientes aromáticos, temperos, ácido e gordura são adicionados a um molho-mãe, em geral *à la minute*, para finalizá-lo. Os derivados de molho escuro são os mais abundantes e diversos, embora bechamel e *veloutés* – a base para molhos de queijo, creme de leite e vinho branco, por exemplo – sejam também excelentes pontos de partida para molhos compostos.

Molhos-mãe: Molhos-mãe eram a espinha dorsal da brigada do *saucier*, fornecendo uma maneira de criar numerosos molhos *à la minute* com o uso de alguns tipos básicos. Embora os molhos-mãe clássicos, caldo engrossado com *roux*, possam ser incomuns nos restaurantes atuais, a maioria das cozinhas faz alguns caldos que servem de base para vários molhos. Um molho-mãe pode ser feito e conservado; mais tarde, diversos temperos e ingredientes aromáticos podem ser acrescentados a ele para variadas preparações. Os principais molhos-mãe são bechamel (à base de leite), *velouté* (à base de caldo branco, de frango ou peixe) e *espagnole* (baseado em molho escuro de vitela). Molho de tomate – o molho francês *tomate*, não o marinara* – é considerado um molho-mãe por alguns, assim como o *hollandaise* (mas este último difere dos molhos-mãe porque normalmente não fazemos derivações a partir dele; o que ocorre é que muitos molhos usam o método com emulsão de manteiga – uma redução de ingredientes aromáticos e ácido, com manteiga emulsionada e gemas batidas –, de que o *hollandaise* se tornou emblemático). Molhos-mãe são bases para molhos, mas não devem ser confundidos com as "bases para molhos" comercialmente preparadas, tipicamente tão inferiores aos molhos-mãe que chegam a ser irreconhecíveis como bom alimento, não valendo o que custam. Cozinheiros caseiros não utilizarão molhos-mãe como o fazia a *brigade* de Escoffier, e não lidarão com molhos como o fazem os restaurantes atuais, mas é útil compreender a noção de que muitos ótimos molhos derivam de apenas alguns tipos fundamentais e pô-la em prática ao fazer caldos e molhos em casa. (Ver o artigo MOLHO, p.22.)

***Monter*:** Incorporar gordura a um molho ou alguma outra preparação – em geral manteiga a um molho para finalizá-lo. (Ver *MONTER AU BEURRE*.)

***Monter au beurre*:** Significa incorporar manteiga integral a outro líquido, usualmente um molho. Muitos molhos são finalizados dessa maneira porque a manteiga adiciona excelente sabor, textura macia e agradável untuosidade. Para fazer isso, o molho deve estar quente e é preciso mexer ou girar a manteiga continuamente até que toda ela seja incorporada, a fim de assegurar que permanecerá emulsionada. (Ver também uma expressão relacionada, *BEURRE MONTÉ*.)

Mostarda: Não só um excelente condimento para tábuas de frios ou cachorros-quentes, é um tempero para uso geral em molhos, se não o próprio molho – combinando pungência com acidez e aroma. Frango assado com um

* Aqui, trata-se do molho de tomate cozido por longo período e de cor ferruginosa, não do molho de tomates frescos e levemente cozidos. (N.R.T.)

pouco de boa mostarda é excelente, por exemplo. Além disso, mostarda adicionada a ingredientes líquidos em que gordura será emulsionada – ao se fazer uma maionese ou um vinagrete, por exemplo – reforça a emulsão. Pó de mostarda é feito com as sementes moídas. A mostarda Colman's é uma mistura de sementes muito pungente. Dijon é uma mistura de pó de mostarda com ácido e ingredientes aromáticos. Elas são todas diferentes. Prove-as como faria com qualquer tempero e avalie-as; use-as segundo seu próprio gosto. Mostardas básicas podem ser feitas simplesmente adicionando-se água fria ao pó de mostarda seco, temperando com sal e açúcar (e talvez um vinagre, uma especiaria com semente de mostarda, alcarávia, cominho e outros aromatizantes), e permitindo que descanse por 30 minutos (servida imediatamente ou aquecida, pode ser amarga).

Mousse: A palavra francesa para espuma designa uma preparação leve e aerada, geralmente doce (mas ocasionalmente pode ser aplicada a pratos salgados). Tudo que é leve e aerado, uma espuma sólida, pode ser genericamente chamado de mousse. As de sobremesa são as mais comuns. O método tradicional é bater gemas e açúcar até que as gemas caiam em forma de fitas (hoje isso é feito muitas vezes sobre um banho-maria para cozinhar as gemas e ajudar a derreter o açúcar). Incorpora-se lentamente um merengue básico às gemas, depois o ingrediente de sabor (chocolate derretido, por exemplo, ou um purê de fruta coado), e por último o creme de leite batido, que completa o preparo.

***Mousseline*:** Um delicado recheio de peixe ou carne branca, processado em purê com clara de ovo e creme de leite (a proporção básica é 450 gramas de carne, uma clara e uma xícara de creme de leite), depois moldado (seja numa fôrma de terrine, em *quenelles*, num invólucro para linguiças ou usado como recheio) e suavemente cozido. A palavra tem um segundo significado: molhos de manteiga emulsionados e suavizados com a adição de creme de leite batido podem ser chamados de *mousselines*.

MSG: Ver GLUTAMATO MONOSSÓDICO.

Músculo (garrão traseiro): Corte logo acima da pata de um cordeiro ou bovino. É um músculo muito trabalhado, com grande quantidade de tecido conjuntivo, que precisa ser cozido de maneira lenta e suave, sendo normalmente braseado.

Músculo (tecido, carne): O que chamamos de carne é o músculo do animal ou peixe; compõe-se principalmente de fibras de proteína envoltas em tecido conjuntivo. Quanto mais intensamente o músculo trabalhou, mais precisou de tecido conjuntivo, e portanto mais duro é. Por vezes chefs se referem a uma peça de carne como um músculo inteiro para indicar que não foi cortado em pedaços ou moído.

N

***Nage*:** É como um *court bouillon* ou um *cuisson* – um líquido aromático em que um item, em geral peixe, é cozido. O termo *nage* (ou *à la nage*, literalmente "ao nado") é tipicamente usado quando o item é também servido nesse líquido de cozimento (o líquido – um caldo de vegetais, peixe ou carne – não é reduzido como o *cuisson* ou descartado como o *court bouillon*). É uma forma fácil, saborosa e eficiente de cozinhar e servir peixes e mariscos.

***Nam pla*:** Ver MOLHO ORIENTAL DE PEIXE.

Não reativo: Refere-se ao material de que utensílios de cozinha são feitos e significa que ele não reage a ácido e sal. Na prática, significa que não é metal. Uma frigideira de ferro fundido reage a ácido e pode afetar um molho de tomate, por exemplo; uma cura com sal prolongada não deve ser feita num recipiente de metal. Materiais não reativos típicos são vidro, esmalte e plástico.

***Napoléon*:** Uma sobremesa tradicional baseada na disposição de creme de confeiteiro e massa folhada em camadas deu origem ao uso da palavra para designar qualquer ingrediente duro ou quebradiço intercalado com algo macio. É uma ideia útil quando se pensa em diferentes maneiras de combinar ingredientes com essas qualidades, sejam salgados ou doces.

***Nappage, nappé, nap*:** *Nappage*, a palavra francesa para o conjunto de toalha e guardanapos de mesa, designa na cozinha um molho ou cobertura para a comida. *Nappé* refere-se a uma consistência específica, um molho com boa textura, não ralo como um *jus* ou espesso como um *hollandaise*. O verbo inglês *to nap* significa cobrir com um molho dessa consistência.*

Nata (da clarificação): A porção de clara de ovo coagulada (e muitas vezes misturada a carne e aromáticos) que sobe à superfície da panela, e que filtra o caldo turvo transformando-o em claro consomê. (Para a técnica, ver CLARIFICAÇÃO.)

Nhoque: Pequenos "grumos" de massa, o nhoque é muitas vezes feito com batatas espremidas ligadas com farinha. Podem ser feitos também com farinha e ricota ou, numa versão chamada nhoque parisiense, com ovos e semolina, resultando numa massa completamente diferente do nhoque italiano. Ele deve ser firme, mas não duro nem pastoso. Ao fazer nhoque de batata, acrescente apenas a quantidade de farinha necessária para ligá-la, tomando cuidado para não amassar demais.

Nitrato de potássio: Ver SALITRE, SAL DE CURA.

Nitrato de sódio: Nitrato de sódio é um sal de cura usado unicamente em linguiças curadas a seco para impedir envenenamento por botulismo. Trata-se de fato de nitrito de sódio a que foi adicionada uma pequena quantidade de nitrato, o qual se converte com o tempo em nitrito, evitando o crescimento de bactérias que causam o botulismo em condições anaeróbicas quentes.

Nitratos e nitritos: Substâncias químicas de ocorrência natural que, quando contidas no sódio na forma de nitrito de sódio e nitrato de sódio, são usadas na cura da carne. (Ver NITRATO DE SÓDIO, NITRITO DE SÓDIO e NITRATO DE POTÁSSIO.)

Nitrito de sódio: Sal com 6,25% de nitrito é um sal de cura usado para impedir envenenamento por botulismo causado por linguiças e itens defu-

* Em português, usa-se também "napar", mas o correto e mais utilizado é "fazer um *nappé*" ou "cobrir com um *nappé*". (N.R.T.)

mados, bem como para melhorar o sabor e a cor desses alimentos. É o que dá à carne de porco curada aquele gosto de presunto característico e o matiz rosado; também dará a frango e peru cor rosada e sabor apresuntado. Muitas vezes é chamado genericamente de sal rosa, porque é vendido sob várias marcas. É usado para curar bacon, presunto, pernil, bacon canadense e linguiças defumadas. Está envolto em ceticismo porque, sob certas condições, foi associado à formação de nitrosaminas, compostos químicos cancerígenos. Além disso, em grandes quantidades, é tóxico e até mesmo letal (é tingido de cor-de-rosa para evitar que as pessoas o ingiram acidentalmente). Mas houve pouca pesquisa que prove definitivamente que ele é nocivo nas quantidades em que o consumimos, muito menores que as consumidas por nossos ancestrais. Nitrito e nitrato são substâncias químicas que ocorrem naturalmente em muitos vegetais, e embora não haja nenhuma razão para comer em excesso salsichas e bacon contendo nitrito de sódio, este tampouco deve ser considerado perigoso ou tabu se ingerido com moderação.

No ponto: Determinar quando algo está "no ponto" – isto é, quando está pronto e deve ser retirado do calor, o que raramente pode ser previsto por uma receita – é uma das mais importantes habilidades que um cozinheiro deve aprender. Sendo uma habilidade, nunca pode ser levada à perfeição absoluta; ela é refinada à medida que o cozinheiro presta atenção a tudo que cozinha e acrescenta essa observação acumulada a uma compreensão do ponto dos alimentos. Com algumas carnes, o ponto pode ser objetivo: cozinhar uma linguiça até, digamos, 65°C. Mas um termômetro é apenas tão bom quanto a pessoa que o usa. Retirar uma costela assada do forno a 50°C dará diferentes resultados dependendo da temperatura inicial do forno e a da própria carne quando posta nele. Se você determina que um creme de ovos esteja pronto e então o retira do forno, é muito possível que ele fique cozido demais depois disso; ele está "no ponto" um pouco antes que sua temperatura final seja alcançada, pois ainda passará pelo cozimento em descanso. Pratos braseados oferecem uma janela mais ampla que itens magros assados, mas ainda é uma janela; se você não tomar cuidado, eles poderão ficar cozidos demais ou de menos. Um cozinheiro deve usar todos os seus sentidos para determinar quando algo está no ponto. Aprender a avaliar se as carnes estão bem cozidas pelo toque é uma habilidade valiosa que só pode ser adquirida na prática. Como uma parte importante do cozimento da carne é deixar que ela repouse, não se deve retirá-la do calor quando está no ponto; é depois de descansar que ela chega a esse nível. Um instrumento útil para testar se o alimento está no ponto é uma agulha fina e longa, ou testador de bolo, que você pode inserir no centro de um pedaço de peixe ou de carne, depois encostar em sua pele (no punho ou abaixo do lábio inferior) para saber se o interior está frio, morno ou quente.

Noisette: Ver BEURRE NOISETTE.

Nouvelle cuisine: Expressão cunhada em meados da década de 1970 pelos críticos Henri Gault e Christian Millau (e elaborada num livro de 1976) para descrever uma abordagem culinária defendida por um punhado de chefs franceses inovadores e definida por sua reavaliação dos ditames da *haute cuisine* francesa tradicional. A *nouvelle cuisine* enfatizou tempos mais curtos de cozimento para peixe e vegetais, molhos mais leves, porções menores e uma atenção preponderante à qualidade dos ingredientes e à arte na apresentação. Os Estados Unidos fizeram da *nouvelle cuisine* uma moda, e a expressão logo adquiriu um sentido de zombaria, denotando combinações esquisitas e porções minúsculas a preços exorbitantes. Mas sua significativa exigência de que os chefs apreciem e enobreçam os próprios ingredientes para servir uma comida de altíssima qualidade de maneira dinâmica e saudável talvez ainda seja o mais importante princípio norteador nas cozinhas dos melhores restaurantes.

O

Oignon brûlée: Literalmente, cebola queimada; é uma cebola que foi cortada ao meio e depois cozida sobre essa face cortada até ficar preta. Ela dará cor adicional, juntamente com a sua doçura típica, a caldos e sopas. Não é uma técnica comum, e muitos chefs não querem nada queimado em sua comida e não a utilizam por essa razão, mas a cebola profundamente caramelizada, quase preta, mas não inteiramente ressequida, acrescentará cor e sabor mais intenso a caldos.

***Oignon piqué*:** Cebola a que uma folha de louro foi presa com cravos-da-índia (embora por vezes a folha de louro seja inserida num corte e os cravos espetados diretamente na cebola). É uma preparação aromática, muitas vezes usada para molhos brancos. A razão para a cebola "espetada" é simplesmente facilitar a remoção dos ingredientes aromáticos depois de cumprirem sua função.

Óleo: Ver ÓLEO DE COZINHA, GORDURA.

Óleo de canola: Óleo neutro derivado de uma planta chamada colza, originalmente feito e comercializado no Canadá. É um excelente óleo para uso geral. (Ver ÓLEO DE COZINHA.)

Óleo de cozinha: O principal critério em relação ao óleo usado para cozinhar, óleo neutro, é a temperatura que ele pode atingir antes de fumegar e queimar; depois disso, vêm o sabor e a textura que ele adiciona à comida. O principal benefício de um óleo de cozinha é poder ficar muito quente; isso, combinado com sua densidade, faz dele um veículo eficaz para a transferência de calor. Óleos de cozinha refinados, como o vegetal – de milho, de canola, de amendoim e de semente de uva –, podem chegar a 232°C antes de começar a fumegar (ver McGee). A partir desse ponto, começam a se decompor rapidamente e desenvolvem sabores ruins (e até pegam fogo). Gorduras animais começam a fumegar a uma temperatura de cerca de 190°C. Os óleos de sabor mais neutro tendem a fumegar a temperaturas mais elevadas; tendem também a ter teor mais baixo de gordura saturada, a ser menos caros e mais facilmente disponíveis. Mas a gordura animal pode dar um sabor delicioso à comida.

Azeite de oliva pode ser usado para cozinhar, mas, dependendo da maneira como é usado, pode fumegar a temperaturas baixas (os caros azeites extravirgens, prensados a frio, não devem ser usados em calor elevado). Ele é também um óleo com muito gosto, que você talvez não queira adicionar à sua comida. Sendo mais caro que óleos neutros, o azeite de oliva é menos eficiente do ponto de vista do custo. Muitos chefs preferem óleo de semente de uva, porque só fumega a temperaturas muito elevadas e tem sabor limpo, mas é caro. O óleo de amendoim também é excelente, mas, da mesma forma, ligeiramente mais caro que o de canola ou os demais óleos vegetais que, considerando-se questões de custo, uso, sabor e saúde, são os melhores para uso geral. Gorduras hidrogenadas (gordura vegetal) podem ser usadas; elas só fumegam a temperaturas elevadas e têm grande durabilidade, mas podem deixar um gosto oleoso na boca e, face a problemas de saúde relacionados às gorduras trans, não são a escolha preferível.

Óleo de semente de uva: É frequentemente o preferido dos chefs por ser muito limpo e só começar a fumegar a uma temperatura relativamente alta. Mas, por ser mais caro que outros óleos neutros, como canola, nem sempre é a escolha mais econômica. (Ver também ÓLEO DE COZINHA.)

Óleo vegetal: Um óleo de cozinha aceitável para uso geral. A qualidade dos diversos tipos varia do barato óleo de semente de algodão ao mais caro óleo de semente de uva, passando pelo prático óleo de milho.

Olfato: Um dos sentidos mais importantes tanto ao cozinhar quanto ao comer. Com poucas exceções, a comida precisa ter cheiro bom, e muitas vezes essa será a primeira indicação de que você está cozinhando bem.

Omelete: Uma das excelentes preparações tradicionais de ovos, e com razão: é simples, elegante, barato e delicioso. É uma preparação tão básica que alguns chefs, ao testar um empregado em potencial, pedem-lhe que faça um omelete. A técnica apropriada inclui bater ou mexer os ovos até que estejam uniformemente combinados, sem nenhum branco visível; os ovos são adicionados a uma panela muito quente e mexidos rapidamente para um bom coalho até que endureçam, sendo depois transferidos da panela para um prato quente. Há um grande número de variações, dependendo do chef: creme de leite ou pedacinhos de manteiga podem ser adicionados aos ovos crus (alguns chefs acreditam que a adição de leite torna os omeletes pesados e que a adição de um pouco de água pode torná-los mais leves por causa do vapor criado; outros podem acrescentar um pouco de suco de limão ou ácido para tornar o coalho mais delicado); podem ser aromatizados com *fines herbes*; podem ser recheados com vegetais cozidos ou queijo; um leve toque de manteiga amolecida sobre o omelete pronto o finalizará com um brilho convidativo. Omeletes são uma parte importante do repertório do cozinheiro. (Ver o artigo O OVO, p.34.)

Onça: Como ocorre com todas as medidas de peso/volume, distinguir entre volume líquido e peso seco é importante. Uma onça é igual a cerca de 28 gramas; uma onça fluida é 1/8 de uma xícara ou 2 colheres de sopa (ou cerca de 30 mililitros). (Ver também SISTEMA MÉTRICO.)

Orgânico: O termo significa, segundo o FDA (órgão governamental americano que controla alimentos e medicamentos), que o alimento assim rotulado foi cultivado sem uso de pesticidas, hormônios ou qualquer produto sintético, submetido a engenharia genética ou irradiado. Muitos na indústria acreditam que o agronegócio, seja mediante esforços de lobby ou pela capitulação de várias fazendas orgânicas a suas técnicas de sobrevivência no mercado, diluiu a tal ponto a definição legal do termo que "comprovadamente orgânico" deixou de ser uma expressão significativa. Mais importante, dizem, é a indicação de que o alimento é cultivado de maneira natural ou sustentável – carne de vacas que pastaram capim em vez de comer milho em confinamento, porcos criados em fazendas, não em galpões superlotados, frutas e vegetais vendidos localmente, não transportados em caminhões através do país inteiro ou vindos de outro hemisfério.

Osmose: Fluxo de líquidos e sólidos através da membrana semipermeável de uma célula. Fundamental para a existência de nosso organismo, a osmose é também um grande trunfo do cozinheiro, principalmente em conjunção com os poderosos efeitos do sal, cujas concentrações dos dois lados de uma parede celular tendem a se igualar. É assim que uma salmoura (e alguns dos sabores nela presentes) penetra no interior de um músculo ou de um vegetal.

Ossos: São valiosos por serem compostos principalmente de tecido conjuntivo, que adiciona gelatina – portanto corpo – a caldos, estufados, sopas e líquidos de braseados. Como não contribuem para o sabor, os ossos são usados quase sempre junto com ingredientes saborosos, como carne e vegetais. Ossos de animais maiores que frangos são muitas vezes assados ou branqueados antes de serem usados para fazer caldo, a fim de que a proteína da superfície coagule e a quantidade de impurezas liberadas no líquido seja reduzida; sendo assados, eles ganham também em sabor.

Ossos com tutano: Ossos cheios de tutano são a melhor fonte de grandes pedaços dessa substância. Devem ser mergulhados em água salgada para perderem um pouco do sangue. O tutano pode ser retirado do interior do osso (dependendo do formato deste, isso pode ser fácil ou difícil) e escalfado, ou assado dentro do osso até derreter. Ossos com tutano podem ser usados para caldo, mas não são a melhor escolha, pois contêm pouca carne e o tutano é principalmente gordura, que pode deixar o caldo turvo.

Ostra: Um dos poucos animais que comemos quando ainda estão vivos. Quando esse bivalve está fora da água, ele se alimenta mais ou menos de si mesmo; assim, quanto mais cedo for comido depois de ser retirado da água, melhor tenderá a ser seu gosto. As ostras devem ser guardadas na temperatura mais baixa possível, de preferência no gelo, e usadas sem demora. Sua textura e sabor dependem em muitos aspectos das qualidades e da temperatura da água em que crescem; em geral as de águas mais frias e salgadas são mais apreciadas. Deliciosas cruas, podem ser comidas sem nenhum tempero, ou com um pouco de suco de limão; para mais sabor, pode-se usar um molho *mignonette* (echalotas e vinagre de vinho) ou até um molho *cocktail*, embora, se forem muito boas, quanto menos se acrescentar a elas, melhor. São também excelentes cozidas, fritas em gordura abundante, num estufado ou ainda assadas ou grelhadas na própria concha.

Ovo: Onipresente, barato, nutritivo, versátil e delicioso, o ovo de galinha é o mais importante ingrediente e instrumento culinário (ver o artigo O ovo, p.34). É utilizado de inúmeras maneiras – para engrossar, enriquecer, fermentar, dar sabor e cor – e pode ser usado sozinho para muitos fins excelentes. Pode ser o prato principal ou guarnição, pedestal ou foco. Sua forma é esteticamente atraente e simboliza a vida. Os ovos das aves diferem principalmente em tamanho, do de codorna até o de pato ou de avestruz, mas comportam-se de maneira semelhante ao cozimento. Com exceção da ova de lagosta, que é muitas vezes empregada como tempero em molhos ou como uma brilhante guarnição, os ovos (ovas) de peixe são usualmente comidos crus em vez de usados para cozinhar, ou curados com sal e empregados como tempero (ovas de tainha, por exemplo).

Ovos para pincelar: Ovo batido, em geral raleado com leite ou água. É geralmente pincelado sobre a massa antes que esta seja assada, para lhe dar um brilho castanho-dourado. Pode se referir também ao segundo componente do procedimento padrão para empanar, caso em que, além de raleado, pode ser temperado de acordo com o prato que vai revestir. Para pincelar utilizam-se em geral ovos inteiros, mas é possível usar somente as gemas ou as claras.

Oxidação: Literalmente, é quando um elétron de uma molécula de oxigênio é tomado por outra. Isso acontece o tempo todo, dentro e fora de nossos corpos, para bem e para mal – em gorduras guardadas por tempo demais, em carne mal acondicionada no refrigerador, no vinho servido em seu copo. Na cozinha, usamos a palavra quase exclusivamente para descrever o escurecimento das superfícies cortadas de frutas e hortaliças. Uma batata cortada ficará escura se exposta ao ar; pô-la na água evita a oxidação por impedir que o oxigênio entre em contato com a superfície. Suco de limão, e quase qualquer ingrediente ácido, retardará o escurecimento de maçãs por interferir com as enzimas que aceleram a oxidação.

P

Pá de pizza: Pá de madeira larga e chata usada para transferir pedaços pesados de massa para o forno; especialmente conveniente na cozinha caseira para pizza.

Pá: Refere-se tipicamente a braço ou ombro, e é muitas vezes chamado de *Boston butt*; é a paleta do porco. Trata-se de um corte barato mas versátil, que deve ser cozido de maneira suave e lenta para decompor o tecido conjuntivo. É usado para *pulled pork** e, por ser bem marmorizado, moído para o preparo de linguiças. (Ver PALETA.)

Paillard: Tradicionalmente, designa um corte magro de vitela ou carne bovina – lombo, mignon ou miolo de alcatra – batido até ficar fino e assado sobre brasas ou grelhado, mas a palavra pode ser usada para descrever qualquer corte magro de carne batido fino e cozido.

Pain de mie: *Mie* é miolo de pão em francês, e *pain de mie* designa pães brancos simples usados para fazer fatias de torrada, *croûtons* ou farelo de pão. Também chamado de pão de sanduíche.

Paladar: O mais importante de nossos sentidos quando se trata de cozinhar, ele se desenvolve e se apura continuamente ao longo de nossas vidas de cozinheiros.

Paleta, pá: É um corte comum de suínos, bovinos e ovinos, e corresponde ao ombro do animal. É em geral bem marmorizado com gordura, mas por ser um músculo muito trabalhado, precisa ser cozido de forma a amaciar seu duro tecido conjuntivo. É excelente moído, para rechear linguiças, braseado ou assado lentamente como churrasco, porque sua gordura adquire muito bem o sabor da defumação.

Panade: Mistura de amido e líquido usada como liga, frequentemente incluída em *farces* como patê, não apenas para ligar, mas também para melhorar a textura e enriquecer a receita. Uma *panade* pode ser tão simples quanto farinha e água, mas com mais frequência o amido é pão; o líquido muitas vezes é leite ou creme de leite; ovos podem ser incluídos, assim como aromatizantes, como conhaque; *pâte à choux* é por vezes usada como *panade*.

Panela: Panelas são um dos principais instrumentos culinários, por isso compre pelo menos quatro boas: duas rasas e duas fundas, sendo uma pequena e uma grande de cada. Quanto mais espessas, melhor, preferivel-

* Carne de porco cozida ou assada na brasa, lentamente, até desmanchar. Depois é desfiada (*pulled*) e usada em sanduíches. (N.R.T.)

mente de aço, embora ferro fundido também seja excelente. Quanto mais pesada for a panela, mais calor ela reterá quando receber o alimento frio, e mais uniformemente o cozinhará. A forma e o tamanho de uma panela funda determinam em parte o cozimento, por isso é importante tê-las em diferentes tamanhos e usar a adequada (escolhendo estreita em vez de larga para cozinhar algo por mais tempo com menos redução). Evite panelas antiaderentes, exceto para cozinhar comidas delicadas que requeiram fogo brando, como peixe e ovos. Depois que você tiver quatro boas panelas, é útil adquirir outras – sim, uma antiaderente para itens específicos, mantida imaculadamente limpa e guardada de forma adequada quando não estiver em uso, uma rasa com bordas inclinadas (*sauteuse*), uma rasa com bordas em ângulos retos (*sautoire*), uma com tampa, algumas fundas de tamanhos variados etc. Panelas de boa qualidade, bem conservadas, duram para sempre e fazem diferença no gosto e na textura da comida. Há muitas opções disponíveis, de diversos materiais, desde o barato alumínio até o caro e o bonito cobre. Para o cozinheiro, uma panela de aço ou de ferro fundido espessa continua sendo a melhor escolha, por razões tanto de custo quanto de eficiência. (Ver o artigo UTENSÍLIOS, p.50.)

Panela antiaderente: É boa para tipos específicos de cozimento, mas não deveria ser a primeira opção, a que você pega em primeiro lugar. Panelas antiaderentes são ótimas para comidas que precisam ser cozidas sobre calor moderado, mas que também podem grudar se postas numa panela que não está terrivelmente quente, como peixe e ovos. Para a maior parte do cozimento, porém, uma superfície de metal simples – aço, ferro, ferro esmaltado – é melhor porque a comida fica dourada, e texturas são desenvolvidas tanto no item que está sendo cozido como na própria panela. Uma cozinha bem equipada terá uma ou duas panelas antiaderentes meticulosamente conservadas, mas raramente usadas.

Panela de ferro: Ver FERRO FUNDIDO.

Panela de omelete: Uma panela de ferro circular com bordas baixas em ângulo aberto, cuidadosamente temperada, nunca lavada com sabão, e usada somente para omeletes, a fim de assegurar que uma superfície antiaderente natural seja criada e mantida.

Panela de pressão: Um instrumento que permite cozinhar em água acima do ponto de ebulição (a cerca de 120°C, segundo McGee). É especialmente eficaz para cozer feijão rapidamente, e muito útil em grandes altitudes, onde a água ferve a baixas temperaturas.

Panela ou caçarola para molhos: Panela pequena com bordas altas, geralmente de um a dois litros; as bordas altas em relação ao diâmetro permitem a redução lenta e o cozimento suave. Tecnicamente, caçarolas têm bordas altas e panelas têm bordas baixas, mas nas cozinhas as caçarolas para molho – bem como a maioria dos utensílios de cocção, exceto frigideiras (largas e de bordas baixas) e assadeiras (para uso ao forno) – são normalmente chamadas de panelas.

***Panko*:** Por vezes chamados de farinha de rosca japonesa, que é precisamente o que são, esses farelos são especialmente duros e pouco refinados, de modo que, usados para empanar, resultam numa crosta muito crocante quando fritos.

Pano: Panos de algodão, guardanapos de pano, panos de prato e lenços comprados para usar na cozinha são ferramentas úteis para coar caldos e molhos. (Ver GAZE.)

Pão: A qualidade do pão expressa-se em seu aroma, cor, densidade, crosta, miolo e sabor. Preste atenção a esses atributos. Os pães podem ser classificados em termos de massas magras (que não usam gordura) e massas que usam uma variedade de ingredientes adicionais, como ovos e gordura, que tendem a torná-las mais macias, adoçantes e aromatizantes. Distinguem-se também pelo tipo de farinha usado – refinada, integral ou de centeio; as duas últimas fazem um pão mais denso, mais nutritivo. Tendemos a pensar no pão puro, comido sozinho ou como parte independente de um prato, ou ainda usado em sanduíches, como *croûtons* ou até impregnado de creme e assado para fazer pudim. Mas lembre-se de que pão, muitas vezes na forma de farinha de rosca, é um ingrediente versátil; além de servir como cobertura para fritar ingredientes, pode engrossar ou dar textura a molhos, sopas, ovos e saladas. Para isso você deve usar farinha de rosca fresca, feita em casa. Evite pães condimentados ou feitos com gordura ou ovos; use os mais magros, como os italianos, com alta proporção de miolo para casca. O melhor pão para farinha é o do dia anterior. Remova a crosta e triture num processador de alimentos; espalhe o farelo numa assadeira e torre-o levemente no forno até que fique castanho-dourado (evite o problema comum de queimá-lo mantendo o forno a 108°C ou menos, abaixo das temperaturas da reação de Maillard).

Pão achatado: Ampla e intrigante categoria de pães, cujo preparo, no nível mais básico, implica apenas farinha, água e sal, o sustento da vida – pode ser fermentado ou não, macio e elástico ou semelhante a um biscoito, e pode ser o pão mais fácil de preparar no repertório do cozinheiro caseiro. Entre os estilos de pães achatados estão a *focaccia* italiana, o pão sírio (*pita*) do Oriente Médio e as *tortillas* mexicanas, que não levam fermento. Qualquer massa de pão pode ser achatada e assada.

Pão de minuto: Um tipo de bolinho feito com farinha e líquido, na proporção aproximada de 3 para 2, com gordura sólida sendo primeiro esfregada na farinha antes que a água seja acrescentada, como uma massa de torta ou massa folhada quebradiça (*pâte brisée*). Pode ter formato irregular ou enrolado e cortado. Parte de seu crescimento vem do fato de que a gordura permanece em nacos e separa camadas de massa (da mesma maneira como uma crosta de torta se torna esfarelenta).

Pão rápido: Categoria de pães macios, semelhantes a bolos, que não precisam ser amassados e que usam tipicamente alguma forma de levedura química, como fermento em pó, são chamados de pães de fermentação rápida – pão de milho e *popovers*, por exemplo.

Pão-de-ló: Bolos em cuja massa se usa o método *génoise* com ovos inteiros – ovos e açúcar, muitas vezes aquecidos para que este se dissolva, são batidos até ficarem espumosos; em seguida, os demais ingredientes são lentamente acrescentados e a mistura é assada de imediato para manter a maior quantidade possível de bolhas de ar capturadas.

Papel encerado: Papel revestido com cera é uma superfície conveniente para esfriar comida pegajosa ou enrolar manteiga composta. No entanto, para outros usos antiaderentes em temperaturas amenas, foi quase inteiramente substituído por papel-manteiga. Embora ainda preferível para esfriar balas, não se pode cozinhar com ele; o papel-manteiga é mais versátil.

Papel-manteiga: Papel tratado com silicone, o que o torna resistente ao calor, à gordura e à umidade. É comumente usado na confeitaria: biscoitos e bolos não grudam nele. Pode também ser usado para muitos outros fins, como para revestir qualquer recipiente de cozimento. Além disso, braseados que precisam reduzir enquanto estão cozendo no forno podem desenvolver uma pele sobre o líquido; para evitar isso, mas permitir alguma evaporação, uma tampa de papel-manteiga pode ser pressionada sobre o recipiente. O papel pode ser também dobrado para fazer pacotes à prova d'água, seja para cozinhar *en papillote* ou para substituir o saco de confeiteiro ao espremer uma *ganache* de chocolate sobre bolos ou *petits-fours*; manteiga *maître d'hôtel* ou massa de biscoito podem ser enroladas e armazenadas nele; massas firmes podem ser abertas entre folhas de papel-manteiga; ele pode assumir praticamente qualquer forma, desde funil até ser amarrado ao redor de um ramekin para sustentar um suflê que cresce. É um excelente instrumento para o cozinheiro.

***Papillote*:** *En papillote* significa em papel, usualmente papel-manteiga untado. Comida feita *en papillote*, muitas vezes peixe ou outras carnes delicadas, é cozida no vapor, de modo que os sabores do fogo alto não são associados a ela. Por isso, outros sabores devem ser introduzidos no pacote, como vegetais aromáticos, ervas adicionais, especiarias ou até marinadas, e por vezes o item pode ser selado antes de ser fechado na bolsa de papel. Os benefícios deste método são que é isento de gordura (embora se possa adicionar um pouco de manteiga composta para dar sabor), mantém todos os sabores no pacote até que este seja aberto e causa grande impressão no momento de servir. O difícil é saber quando o item está pronto, por isso é melhor seguir uma receita testada para ter uma noção do tempo de cozimento necessário para o item específico que você está preparando. É importante também servir *en papillote* apropriadamente – de modo que quem vai comer possa sentir o intenso vapor aromático que se desprende do pacote. Ele pode ser apresentado por um garçom, e então servido, ou apresentado no prato para que o comensal o abra; neste caso, deve conter todos os componentes, em vez de ser acompanhado por ingredientes adicionais no prato.

Passador de legumes: Valioso instrumento culinário para amassar frutas e vegetais. Uma pá girada à mão comprime a comida através de uma lâmina, triturando-a e separando-a de pele, sementes e celulose. O resultado é um purê uniforme. Embora outros instrumentos possam realizar trabalho semelhante, ele tem vantagens únicas por ser ao mesmo tempo um moedor e um coador. A bacia do passador de legumes acomoda quantidades maiores de comida (batatas, por exemplo, são muitas vezes passadas por um passador de legumes, que as tritura sem as tornar pegajosas. Passadores de legumes têm lâminas de diferentes tamanhos, o que permite ao cozinheiro escolher o grau de refinamento do purê.

***Passe-vite*:** Ver PASSADOR DE LEGUMES.

***Pasta*:** Palavra italiana para massa, designa uma série de preparações baseadas em farinha de trigo que resultam em macarrões e *dumplings*; algumas pessoas incluem até a polenta na categoria das *pastas*, juntamente com o nhoque parisiense (bolinhos à base de *pâte à choux*). As variedades, preparações e formatos de *pasta* são inúmeros. *Dumplings* podem ser pequenos como *spaetzle* ou até cuscuz, ou podem ser massa recheada. Massa de *pasta* pode ser farinha, água e sal, ou pode incluir ovos ou outros amidos como batata, vegetais amassados e ervas aromáticas. Ela pode ser comprada seca ou fresca, e embora haja diferenças de qualidade entre as marcas, não é possível afirmar que a fresca seja melhor que a seca ou vice-versa. Elas são diferentes – as frescas tendem a ser mais macias e requerem menos cozimento. Fazer sua própria *pasta* não é difícil, e resulta em um conjunto de qualidades adicionais.

A maioria das *pastas* deve ser cozida em água salgada a gosto até ficar macia, mas firme, ou mesmo *al dente*, mas nunca encharcada a ponto de se desmanchar. Em seguida deve-se coá-la, acrescentar-lhe óleo e servi-la. Algumas preparações sugerem a adição da *pasta* parcialmente cozida ao molho, de modo que ela absorva parte do líquido saboroso e ajude a engrossá-lo. Se não for servir a *pasta* imediatamente, você deve mergulhá-la em água com gelo e escorrê-la, depois pôr óleo e mantê-la fria até o momento de reaquecê-la. Pode-se reaquecê-la em água fervente, em molho, em micro-ondas ou salteando-a.

Pasta americana, *fondant*: Uma mistura flexível de açúcar, como uma pasta, que é derretida (e muitas vezes aromatizada) para ser usada como cobertura decorativa ou recheio de bolos e chocolates. *Fondant* de chocolate é uma mistura de chocolate usada para cobrir bolo de chocolate ou para glacear frutas e doces.

Pasta de amido: Uma mistura de água e amido puro, como maisena ou araruta, utilizada para engrossar molhos. Muitas vezes é usada em conjunção com a palavra *lié* (*jus de veau lié* é caldo de vitela engrossado com pasta de amido). Deve ter a consistência de nata fresca e ser mexida imediatamente antes de acrescentada ao líquido (os grânulos de amido não são solúveis em água fria, e terão descido para o fundo). É importante despejar a mistura num fluxo fino e mexer continuamente o líquido a que ela é incorporada (que deve estar quente). Ele não se transformará em gelatina ou engrossará até que a água chegue à temperatura de fervura; se a pasta de amido for adicionada depressa demais, ele pode ficar granulado. Pastas de amido são excelentes para engrossar na última hora, mas lembre-se de que o líquido se decomporá depois de cozimentos repetidos ou prolongados. Embora seja melhor misturar a pasta de amido "no olho" e adicioná-la ao líquido quente até atingir a consistência desejada, uma proporção básica é uma colher de sopa de maisena misturada a uma colher de sopa de água, o que dará consistência média a um copo de água.

Pasteurizar, pasteurização: Pasteurização é o processo de aquecer um líquido – como leite ou sucos de frutas – a temperaturas mínimas específicas durante tempos específicos, de modo a matar organismos patógenos. O processo não só impede que o líquido deixe alguém doente como serve de conservante ao matar os micróbios responsáveis pela deterioração do alimento. Se carne cozida se conserva por mais tempo que carne crua é porque foi, de certa maneira, pasteurizada.

Patê: Mistura de carne (ou peixe, mariscos ou fígado), com gordura e condimentos, que é depois cozida num molde ou crosta, esfriada e servida fria.

***Pâte*:** Palavra francesa para macarrão ou massa, como em *pâte à choux*, *pâte brisée*.

***Pâte à choux* (massa cozida):** É uma versátil massa que se distingue pelo fato de que farinha é combinada com manteiga e água e parcialmente cozida antes que ovos sejam acrescentados. A massa resultante, que pode ser salgada ou doce, incha quando assa, tendo por isso uma textura leve e elegante e um sabor neutro de ovo que suporta bem gostos mais marcantes, sejam salgados ou doces. *Gougères* (carolinas de queijo) são feitas temperando-se essa massa com parmesão ou outros queijos e servem-se quentes, recém-saídas do forno, ou esfriadas e preenchidas com recheio de carne. Mas as carolinas podem também ser usadas em preparações doces como éclairs (bombas de creme) e profiteroles, em que são recheadas com sorvete e cobertas com calda de chocolate. A massa crua é por vezes adicionada a recheios de carne como *panade*, por ser algo que liga, enriquece e condimenta. Pode também ser escalfada, uma forma de massa italiana às vezes chamada de nhoque parisiense. Para fazer *pâte à choux*, a proporção básica é de partes iguais de farinha e água por volume, 1/2 parte de manteiga e 1/2 parte de ovo (um ovo inteiro para 50 mililitros de água). Leva-se água e manteiga ao ponto de fervura, adiciona-se a farinha mexendo sempre e cozinha-se a mistura até que ela se desprenda da panela e seque um pouco. Os ovos são então batidos nessa massa, um por um. A mistura é tipicamente espremida com saco de confeiteiro sobre uma assadeira e assada. É algo fundamental no repertório de um cozinheiro.

***Pâte brisée*:** Também chamada de massa crocante, é uma das preparações básicas de pâtisserie para crostas e tortas. A proporção básica é de três partes de farinha, duas partes de gordura e uma parte de água. (Se for acrescentado açúcar, é chamada de *pâte sucrée*.)

***Pâte feuilletée*:** Ver MASSA FOLHADA.

***Pâte sucrée*:** É a massa básica de pâtisserie adoçada, ou massa de torta. (Ver *PATÊ BRISÉE*.)

Pato: O pato doméstico é uma ave muito saborosa e subutilizada na cozinha caseira. Com exceção de peitos desossados, fica melhor se cozido lentamente a baixas temperaturas. Pode ser assado devagar; isso ajuda a amaciar as coxas duras (que são excelentes braseadas) e a derreter a copiosa gordura. Coxas de pato braseadas podem ser retiradas do osso e adicionadas a saladas, sopas e estufados. São extraordinárias em *confit*. Os peitos podem ser salteados ou assados na panela, ou grelhados sem a pele. É necessário começar os peitos com o lado da pele para baixo sobre um fogo muito suave, para dissolver a gordura e assegurar uma pele crocante. Os chefs tendem a servi-los ao ponto para malpassado. A pele crocante é um dos grandes prazeres que o pato oferece. Ela pode ser estriada para facilitar o derretimento da gordura (ver HACHURAS). Gordura de pato derretida é um excelente meio de cozimento. Os ossos proporcionam um ótimo caldo. Patos selvagens comportam-se de maneira diferente: sua pele não fica tostada, as coxas devem ser braseadas para ficarem macias e a carne do peito é muito escura, rica e com sabor de caça; não deve ser cozida além de ao ponto para malpassada ou, como pombo novo, pode ficar com gosto de fígado.

Peças de carne (*subprimal cuts*): Os quartos de carne – as grandes divisões iniciais de uma carcaça em traseiro serrote, dianteiro etc. – são subdivididos em cortes menores chamados peças (o lombo retirado do traseiro serrote, por exemplo). (Ver QUARTOS DE CARNE.)

Pectina: Substância presente em frutas e hortaliças, usada como agente gelificante em conservas e geleias.

Peixe: Esse é um tópico tão vasto que é quase impossível incluí-lo num glossário de culinária, mas há alguns fundamentos que todos os cozinheiros devem compreender sobre a categorização dessas criaturas subaquáticas providas de barbatanas. Em primeiro lugar está a apreciação do fato de que os peixes são o último grupo de animais silvestres ainda disponíveis para a maioria de nós, embora, com os avanços da aquicultura, isto seja cada vez menos verdade com relação aos peixes mais apreciados, como salmão, e à maioria dos peixes de água doce.

Os peixes se classificam em roliços ou achatados. Os segundos, habitantes das profundezas – como as várias espécies de linguado –, são magros, suaves, de carne branca (porque não nadam muito). Os peixes roliços, como perca-do-mar, bacalhau, vermelho etc., estão em contínuo movimento, e por isso têm carne mais firme, substancial e saborosa. Os nadadores mais potentes, como salmão e atum, por exemplo, desenvolvem músculo vermelho e muitas vezes têm mais gordura que os peixes de carne branca. Os peixes também podem ser categorizados em termos do conteúdo de gordura, de magros a gordos e a oleosos (como a cavalinha, por exemplo, outro potente nadador). Os peixes roliços e os achatados são limpos e porcionados de maneiras diferentes, e se você tiver acesso a peixes frescos inteiros, é útil saber cortar em filés cada um dos tipos.

O peixe deve ter cheiro limpo e fresco – não tenha vergonha de pedir para cheirar o exemplar que está prestes a comprar. Idealmente, ele deveria ser armazenado a uma temperatura tão próxima quanto possível de 0°C. Isso significa refrigerá-lo no gelo, num recipiente que permita à água escorrer para que o peixe não fique mergulhado nela; peixes inteiros devem ser guardados no gelo, de barriga para baixo, ao passo que filés devem ser enrolados em plástico para evitar o contato com a água. O peixe deve ser comprado tão perto quanto possível da hora em que você pretende cozinhá-lo.

Extremamente delicado, o peixe deve ser manipulado com cuidado. A maioria deles, sendo naturalmente macia, só precisa ser suavemente cozida. Alguns toleram calor maior por mais tempo, como cação-anjo e garoupa, mas em regra é mais provável que você cozinhe um peixe mais do que menos. Diferentemente da carne vermelha, o peixe em geral não se beneficia com repouso e deve ser servido logo depois de cozido. Alguns peixes são melhores crus, ou ligeiramente "cozidos" com ácido, como no sashimi ou no ceviche (atum, salmão e vermelho, por exemplo).

Pele de peixe: Pode ser um componente saboroso e excelente se manipulada apropriadamente – o que em geral significa cozida até ficar crocante. Pele de peixe encharcada não é muito atraente, mas se você raspar com uma faca a pele limpa de, digamos, um filé de perca-do-mar ou de salmonete, para frente e para trás até que o muco e a água sejam removidos, a umidade secará mais depressa e a pele ficará crocante antes que o peixe cozinhe demais. Do ponto de vista do sabor, da textura e da aparência, uma pele de peixe crocante pode ser bem apetitosa.

Pele de porco: É repleta de gelatina e pode ser adicionada a caldos e estufados para lhes dar corpo. Pode também ser usada em *confit*, ou cozida de forma lenta em líquido até ficar completamente macia; raspa-se então sua gordura e ela pode ser adicionada a linguiças ou recheios de carne. Pode também ser assada, frita em frigideira ou derretida e frita sob imersão para pururuca.

Película, camada, casca protetora (em carnes): Na cozinha, película designa a superfície pegajosa que a carne desenvolve quando, depois de curada, é deixada para secar ao ar, geralmente refrigerada. Como compostos de fumaça se acumulam mais eficientemente nessa superfície pegajosa que numa superfície úmida, deixa-se que muitos itens destinados ao defumadouro adquiram primeiro essa camada protetora.

Peneira: Um utensílio feito de malha fina; passa-se a comida através dele para conseguir uma textura uniforme e remover as impurezas (tecido conjuntivo numa *mousseline*, por exemplo). A palavra para peneira em francês é *tamis*, e esse termo é frequentemente utilizado em relação a peneiras planas; peneiras cônicas, usadas para coar molhos e caldos, são chamadas de *chinois tamis*. A peneira é um instrumento de refinamento. Não é estritamente necessário na cozinha, mas é conveniente e útil; para algumas preparações, é indispensável.

Peneira plana: Ver TAMIS.

Perfeição: Muito foi dito sobre a perfeição na cozinha e a busca da perfeição. A perfeição é uma direção, não um fim. Como ela é mais uma ideia que uma realidade efetiva, sua importância fundamental para o cozinheiro é como uma motivação, um estímulo – a ideia o estimula a trabalhar com mais afinco e tomar mais cuidado em cada passo de seu trabalho.

Perna: As pernas dos animais contêm normalmente uma abundância de tecido conjuntivo e, sendo músculos muito usados, são bastante magras. Assim, requerem em geral cozimento em fogo baixo – como no caso do pernil de cordeiro, do ossobuco de vitela (músculo entre o joelho e a coxa) e da alcatra, tradicionalmente braseados. O pernil de cordeiro tem vários músculos diferentes ligados por tecido conjuntivo; eles podem ser separados, cozidos e fatiados quase como um lombo. Cortes de carne bovina das pernas podem ser relativamente macios, dependendo da área da peça de que provêm (maminha da alcatra, por exemplo). Em geral, porém, sejam de coelhos, frangos e patos ou de animais maiores, as pernas se beneficiam de um cozimento suave e prolongado.

Persillade: Uma mistura de salsinha e alho finamente picados, usada como saborosa guarnição para carnes e peixes, seja durante o cozimento ou logo depois dele, quando a carne ainda está quente. É uma poderosa combinação de dois aromatizantes comuns. (Ver também *GREMOLATA*.)

Peru: Uma carne subutilizada durante 11 meses do ano. O peito, quando adequadamente cozido, é suculento, seja assado ou grelhado inteiro, ou ainda batido em *paillards* salteados ou grelhados (sabores de fumaça combinam tão bem com peru que grelhar é uma excelente maneira de cozê-lo). As coxas podem ter muita cartilagem e tendões, mas são muito saborosas; as sobrecoxas, carnudas e saborosas, talvez sejam a melhor parte da ave, e podem ser assadas ou grelhadas e comidas quentes ou frias. As vísceras, o fígado e a moela são também muito saborosos. Ossos de peru dão um excelente caldo, e a carcaça de um peru assado os fornece em abundância. Perus congelados comerciais são insípidos se comparados a perus frescos criados naturalmente.

Pé: Pés de animais – bezerro, porco, frango – são uma rica fonte de gelatina quando cozidos lentamente num caldo ou estufado. Se for apropriado para o caldo que está sendo feito (de frango para caldo de frango, de bezerro para caldo de vitela ou de carne bovina), dará ao líquido corpo adicional. Por causa do sabor neutro, pés de bezerro podem ser adicionados a qualquer tipo de caldo para corpo e sabor adicionais.

Pé de porco: Embora famosos como item importante da comida de bistrô, os pés de porco têm pouquíssima carne e muitos ossos e tecido conjuntivo, o que os torna melhores para caldo ou pratos a que queremos adicionar corpo. Ao fazer qualquer versão de pés de porco, é uma boa ideia suplementá-los com carne do jarrete, a junta acima do pé. Algumas preparações removem o interior acima da pata, envolvem a pele em torno de um recheio, cozinham-no e servem-no fatiado como uma linguiça, ou até o curam a seco. Pés de outros animais também são apreciados.

Pesar, peso: Pesar alimentos sólidos é a maneira mais eficiente de medi-los (em contraposição a medir pelo volume). Até líquidos – mel, creme de leite e óleo, por exemplo – em volumes idênticos podem variar em peso. (Ver MEDIDA.)

Pescoço: Os pescoços não contêm muita carne comestível; são compostos sobretudo de osso e outros tecidos conjuntivos, dando por isso boa consistência a caldos – especialmente pescoços de aves. Estes (de pato e ganso, por exemplo) têm também diâmetro de salsicha, podendo a pele ser recheada.

Peso para tortas: Pesos feitos especificamente para ficarem pousados sobre uma massa de torta a fim de manter sua forma quando ela é assada sem o recheio. São convenientes, mas feijões secos espalhados sobre a massa protegida por papel-alumínio ou papel-pergaminho desempenham a mesma função.

***Pesto*:** Tradicionalmente faz-se *pesto* moendo manjericão, alho, *pignoles* e queijo Pecorino Romano ou Parmigiano-Reggiano com azeite de oliva num almofariz, com um pilão. Hoje, porém, é mais comum usar um processador de alimentos, o que é ótimo. Além disso, a técnica pode ser usada com outras folhas de sabor forte, como azedinha (azeda-miúda) e rúcula, e fazer uso de castanhas diferentes, como nozes.

Pétala de tomate: Tomates sem pele cortados em quatro e cujas sementes foram removidas; geralmente usam-se tomates italianos. As pétalas costumam ser cortadas em forma de losango para guarnição, ou são picadas em *concassé*.

pH: É o nível de acidez ou alcalinidade no alimento, medido de 0 a 14; 7 é considerado neutro e os números inferiores a ele indicam acidez crescente. Embora em geral não seja necessário saber qual é o pH de um alimento, isso pode ser importante; uma linguiça que está sendo curada a seco, por exemplo, deve ter pH bastante baixo (isto é, acidez suficiente) para ficar protegida contra bactérias. E, de maneira geral, é útil compreender como a acidez ou a alcalinidade de uma mistura afetam o produto final. A massa a que um elemento básico foi acrescentado, tornando-a o oposto de ácida, será notavelmente mais macia. A fermentação é muitas vezes o resultado da interação entre um elemento básico e um ácido.

Picar finamente: Picar em pedaços muito pequenos. É de fato reduzir a comida a pedaços minúsculos, quase inidentificáveis como tais, e, o que é mais importante, idênticos. Quanto menos cortes você usar para picar finamente, melhor. Se você fosse passar alho ou echalota finamente picada numa torrada, eles pareceriam uma pasta uniforme.

Picar grosseiramente: Designa a divisão de alimentos em nacos (em contraposição a fatias ou cortes mais finos), usado quando a forma do alimento é irrelevante. "Pique grosseiramente" é uma instrução comum para vegetais que serão usados como aromáticos num caldo ou molho – algo entre 1 e 2,5 centímetros. Embora a forma do que é picado não seja importante, o tamanho pode ser: nacos maiores vão levar mais tempo para exercer sua influência aromática que nacos menores, e essa deve ser a principal consideração quando se corta. Se o que está sendo picado for permanecer no prato pronto, pedaços menores são em geral melhores. (Compare com cortar em cubos e picar finamente.)

Picles: Designa vegetais, carne ou peixe curados em salmoura. Muitas vezes denota algum tipo de acidez no ingrediente assim preparado, mais comumente pepinos. Um picles natural é aquele em que a acidez é desenvolvida através de fermentação – bactérias alimentando-se dos açúcares do vegetal e gerando ácido láctico, um conservante extra em relação ao sal. Uma boa salmoura para picles combina 50 gramas de sal por litro de água, uma solução salina de 5%. O termo pode significar também cozido ou marinado em vinagre.*

***Pied-de-poule*:** Estampa tradicional das calças do cozinheiro profissional, usada presumivelmente por disfarçar as manchas; por vezes essas calças são descritas informalmente como xadrez.

***Pilaf*:** Designa uma técnica culinária usada para grãos. Uma preparação usual para arroz comum de grão longo consiste em saltear cebola picada

* Comum para beterraba, cenoura e couve-flor em conserva ácida. (N.R.T.)

em óleo ou manteiga, adicionar uma parte de arroz e salteá-lo brevemente, depois adicionar duas partes de caldo e quaisquer ingredientes aromáticos e temperos adicionais (louro e sal, por exemplo), levar a mistura ao ponto de fervura, tampar e levar ao forno em calor médio por 20 minutos. *Pilaf* é uma técnica, não uma receita, o que significa que pode ser usada com muitos grãos. A proporção apropriada de grão para líquido depende do grão.

Pilão: Ver ALMOFARIZ E PILÃO.

Pimenta caiena em pó: Esse pó apimentado é uma fonte picante para uso geral. É facilmente encontrado na prateleira de temperos do supermercado. Mas os cozinheiros devem considerar também outros pós de pimenta, menos disponíveis, que podem dar formas de ardência mais complexas, adocicadas e saborosas – desde *chipotles* secos moídos até o pó de *Espelette*.*

Pimenta-do-reino: Pimenta em grãos moída; pode ter três cores – preta, branca ou verde –, mas em geral o termo pimenta-do-reino refere-se à preta. É frequentemente usada como a primeira opção de tempero, juntamente com o sal, mas você sempre deveria se perguntar se o que está temperando se beneficiará da pungência e ardência da pimenta-do-reino. Ela fica melhor se levemente torrada inteira e depois moída ou finamente picada. Logo em seguida, a melhor qualidade vem daquela recém-moída num moinho de pimenta. Evite comprar pimenta pré-moída ou quebrada porque ela perde o sabor rapidamente. Em pratos que se beneficiam de pimenta-do-reino, mas cuja aparência ficaria comprometida por pontinhos pretos, muitos chefs usam pimenta-do-reino branca.

O tamanho do grão quebrado afetará o prato; quanto mais fina a moagem, mais uniformemente a pimenta se distribuirá. Nos raros casos em que você quer que a pimenta seja mordida, ela fica melhor se finamente picada no tamanho desejado. Quando usar pimenta em grão como ingrediente aromático num caldo, é melhor primeiro quebrar os grãos usando o fundo de uma frigideira; eles liberam consideravelmente mais sabor dessa maneira do que se forem adicionados inteiros.

---

* Pimenta especial da região basca francesa, originalmente cultivada em mosteiros da Espanha e de Portugal. (N.R.T.)

A pimenta-do-reino preta é profundamente aromática e picante; a branca pode ser adstringente e ácida; a verde é menos ardida e muito aromática. A branca e a preta são vendidas secas; a verde é vendida seca e também conservada em salmoura (pimentas em grão acondicionadas em salmoura são geralmente usadas em molhos, inteiras ou picadas).

Pinças: São um valioso instrumento culinário para retirar itens do óleo quente, remover uma frigideira do forno ou virar a comida na panela, mas devem ser usadas com cuidado. Itens delicados podem se romper e rasgar ou ficar machucados e danificados. Virar um alimento grande ou pesado com pinças pode também estragar a comida em razão de seu próprio peso. A qualidade das pinças varia; procure as fortes e robustas.

***Pincé, pinçage*:** *Pincé* é um termo incomum que denota tomate, em geral extrato de tomate, salteado até que fique escuro e o gosto se intensifique. É muitas vezes usado em caldos escuros e molhos para intensificar a cor e o sabor. Tomate escurecido usado para condimentar caldos e molhos é chamado também de *pinçage*.

Pincel de cozinha: Um pincel pequeno, como os usados para pintar, com 3,8 centímetros de largura, é usado para um grande número de tarefas, desde pincelar ovos em massas até hidratar carnes ou pincelar as bordas de uma panela com água para impedir que o açúcar ou o caramelo se queimem.

Pitada: Quantidade propositadamente vaga, denotando pequena quantidade, muitas vezes a gosto. Pense sobre o que a receita lhe pede para adicionar em pitadas. Uma pitada de noz-moscada poderá ser suficiente. Uma pitada de sal não será, mas uma "pitada de três dedos" muitas vezes será. Use o bom senso.

***Plancha*:** Uma chapa de ferro ou *réchaud* usado no lugar de uma frigideira. Os alimentos preparados na *plancha* são cozidos diretamente na superfície de ferro. É usada sobretudo em restaurantes, onde pode ser um instrumento conveniente porque permanece muito quente e permite cozer várias porções ao mesmo tempo.

***Pluche*:** Um raminho de erva geralmente usado como toque final (um *pluche* de cebolinha francesa, por exemplo).

***Pôeler*:** Assar algo em seus próprios sucos, geralmente sobre um leito de *mirepoix* e manteiga, numa panela tampada. Esse procedimento é às vezes chamado de brasear ou assar na manteiga.

Ponto vidrado: Designa uma temperatura específica do açúcar, entre 145°C e 155°C. Depois de atingi-la, o açúcar resulta, quando esfriado, numa textura muito quebradiça usada para *butterscotch*, *brittles*, balas duras e toffee.

Ponto de areia: Termo que designa uma temperatura específica do açúcar, por volta de 138°C, usada para caramelos e outras balas puxa-puxa.

Ponto de bala dura, rebuçado: Designa uma temperatura específica do açúcar, cerca de 120°C a 127°C. Depois de atingi-la, o açúcar resulta, quando esfriado, numa textura sólida, usada para *nougat*, marshmallows e açúcar-cande.

Ponto de bala mole: Termo que designa uma temperatura específica do açúcar, por volta de 116°C, e a consistência que ele adquire após atingir essa temperatura e ser esfriado – sólido, mas flexível. É usado para pasta americana, *fudge*, *pralinés*, merengues italianos e *buttercream*.

Ponto de fita: Refere-se à consistência de uma gemada – para *zabaione* ou creme de limão que está sendo batida enquanto é cozida, geralmente sobre banho-maria. À medida que as gemas e outros ingredientes cozinham e ar é incorporado a eles, a mistura torna-se tão grossa que cai do batedor em lentas fitas.

Ponto de fumaça: Designa a temperatura em que o óleo começa a se decompor e passa a fumegar. Com óleo vegetal, isso acontece por volta de 232°C; com gordura animal, a temperaturas de cerca de 190°C (ver McGee).

Porcionar (carnes): Reduzir cortes maiores de carne ou animais inteiros a porções individuais.

Porco: O porco é um animal tão versátil do ponto de vista culinário que deu lugar a um ditado: dele só não se aproveita o grunhido. A carne tem uma extraordinária gama de sabores e texturas dadas por uma miríade de preparações; a gordura é inigualável, não só para enriquecer coisas as mais variadas, de pâtisseries a patês, mas também como meio de cozimento; a pele é repleta de colágeno (que nos dá gelatina). As vísceras são abundantes e têm elas próprias muitos usos, das tripas aos órgãos. A variedade de empregos das muitas partes do porco não tem igual entre os animais que criamos. Recomendo que se procurem porcos criados naturalmente – e se evite o porco adulterado, industrializado – quando o tempo, a disponibilidade e o custo tornarem essa escolha prática (eles hoje estão disponíveis na internet e, cada vez mais, em supermercados).

Pranchas (cozinhar sobre): Comida cozida sobre pranchas de madeira perfumada pode absorver aromas da fumaça da madeira. Salmão é muitas vezes cozido sobre pranchas de cedro. Essa era aparentemente uma técnica americana nativa tradicional, comum no noroeste do Pacífico; tradicionalmente o peixe era pregado na tábua, que depois era apoiada perto do fogo. Embora possa ser uma boa técnica de cozimento, tome cuidado com os chamativos pacotes de cedro vendidos em lojas de alimentos finos.

Prato de queijos: Geralmente os queijos encerram a parte salgada da refeição. Alguns restaurantes requintados usam um carrinho para servi-los; uma alternativa a servir uma variedade de queijos é criar serviços de queijos específicos.

Pré-cozer: Significa cozinhar parcialmente o alimento; usado quase sempre para tornar seu cozimento final rápido e fácil.

Pré-preparo: Etapas de preparação dos ingredientes individualmente, antes de compor uma receita ou prato. Pode incluir porcionamento de carnes, corte de vegetais, pré-cozimento e tempero.

Presunto: Carne de porco curada, normalmente com alguma forma de nitrito. É o nitrito de sódio – também chamado sal de cura ou sal cor-de-rosa – que dá ao presunto a cor rosada e o sabor singular. Sem o sal de cura, é carne de porco. (Deve-se notar que a carne de aves ganhará um sabor de presunto se curada com nitrito, dando aos que precisam evitar porco uma opção com sabor e textura semelhantes.) Chamamos vários cortes do porco de presunto – paleta curada é por vezes chamado de *cottage ham*, a pata dianteira é o *picnic ham* –, mas presunto designa em geral as grandes pernas traseiras. Estas podem ser curadas a seco – curadas em sal, depois penduradas para secar (o que é muitas vezes chamado de *prosciutto* ou *jambon cru*) –, curadas em salmoura e cozidas (presunto cozido) ou defumadas. Presunto é bom para se comer de qualquer forma, quente ou frio, mas seu uso mais eficaz talvez seja como tempero, adicionando densidade e complexidade a inúmeros pratos, de sopas a feijões e estufados.

Presunto cru: Chamado em italiano de *prosciutto*, é o presunto curado a seco. A perna traseira do porco é acondicionada em sal por cerca de dois dias por quilo, dependendo do fabricante, depois enxaguada e pendurada para secar por muitos meses, ou até por um ou dois anos. Os presuntos crus mais apreciados são os de Parma, na Itália, e o chamado *jamón ibérico*, da Espanha. Outras variedades incluem o Bayonne e o San Danielle. Na França, o presunto curado a seco é também chamado de *jambon cru*. Presunto cru defumado é chamado de *spec* (presunto alemão). O presunto cru é melhor quando servido em fatias finíssimas, e adiciona excelente dimensão e intensidade a massas, molhos, sopas etc. – mas, como libera copiosas quantidades de sal, é preciso cuidado ao temperar um prato a que ele foi acrescentado.

Processado: Termo vago, associado atualmente a alimento que foi intensamente manipulado por companhias de agronegócio e que inclui aditivos indesejáveis, como sais, açúcares e conservantes em excesso; é, portanto, comida a ser evitada. Pode também significar amassado num processador de alimentos, ou até ser associado a produtos curados, como bacon e salmão defumado.

Processador de alimentos: Aparelho para múltiplos fins, serve para cortar, picar, misturar e inúmeras outras tarefas, constituindo um equipamento inestimável – mas pode também comprometer algumas preparações. Embora possa pulverizar uma cebola em segundos, transformará parte dela em suco e resultará em nacos de diferentes tamanhos; cebolas picadas à mão resultam muito melhor. Em vez de amassar, como um passador de legumes, ele corta. Antes de usar o processador de alimentos, pense sobre o que está fazendo e por quê, e avalie se ele é ou não o instrumento apropriado para o trabalho em questão. Quando uma receita o instrui a "processar" alguma coisa, isso significa pulsá-lo num processador de alimentos; se o instrui a "bater" ingredientes, isso não significa misturá-los num processador de alimentos, mas sim numa batedeira ou mesmo à mão. Diferentes equipamentos têm diferentes efeitos sobre a comida.

Proteína: Uma das quatro moléculas fundamentais dos alimentos, as proteínas – combinações de aminoácidos – são as mais mutáveis. As mudanças que sofrem no processo de cozimento (seja por ação de ácidos, sal ou calor) resultam nas diferenças em textura e aparência entre o que conhecemos como cru e como cozido. Quando a clara de ovo passa de translúcida a opaca, quando o frango passa de rosado e carnudo a branco e firme, quando ácido é adicionado a leite quente para coalhá-lo na fabricação de queijo, quando um caldo forte esfria e se solidifica, quando uma massa densa e molhada torna-se pão úmido e leve, isso é o resultado da coagulação de proteína. As proteínas tendem também a escurecer sob calor elevado, dando-nos a crosta do pão e o tostado numa peça de carne salteada ou numa pele de frango assada. Elas fornecem grande parte dos aminoácidos fundamentais para nosso organismo. Muitos dos aminoácidos que as compõem contribuem para o sabor da comida (ver *UMAMI*). Por ser o tijolo dos músculos, nas cozinhas profissionais a própria palavra "proteína" é usada como designação geral para carne ou peixe. (Ver McGee para descrições mais completas, bem como para ilustrações de proteínas no nível molecular.)

Prova (da fermentação): Palavra aparentemente derivada da necessidade do padeiro de provar que sua levedura está viva, refere-se ao crescimento da massa, muitas vezes em sua etapa final, depois que ela foi moldada.

Provar: É o ato mais importante que um cozinheiro realiza. Um axioma na cozinha é "prove sempre". A importância de provar a comida durante todo o cozimento não pode ser exagerada.

Purê: Purês são alimentos sólidos transformados numa massa fofa e uniforme, e podem ser feitos de várias maneiras, dependendo da firmeza do item: usando um processador de alimentos, um liquidificador ou passando num *passe-vite* ou num chinois. Dessas duas últimas formas, tende-se a obter uma textura mais uniforme, e essa é uma das qualidades decisivas de um bom purê. Liquidificadores também dão excelente resultado. Já a comida transformada em purê num processador pode ter pedaços grossos, e se tiver muito amido pode ficar pegajosa; esta deve, portanto, ser a última opção como método para fazer purê.

Pururuca: A pele de animal cozida lentamente até ficar desidratada e soltar a maior parte de sua gordura, ficando castanho-dourada e crocante, é chamada de pururuca. Em sua forma mais comum, é feita de pele de porco, que tem gordura e colágeno abundantes. A pele deve ser cozida até ficar macia, ter a gordura residual raspada e depois pode ser cortada em tiras e frita. Pode ser também assada lentamente até ficar tostada. Pele de pato e de frango dão igualmente extraordinárias pururucas e podem ser usadas como uma guarnição substancial e crocante em saladas ou pratos de feijão, por exemplo. O mesmo vale para pele de peixe gordo. Pururucas de pele de aves ficam melhores quando postas entre dois *silpats* e assadas até ficarem castanho-douradas e crocantes.

Pyrex: Marca registrada de um vidro resistente ao calor, um bom material em que assar alimentos; a palavra é usada para designar qualquer artigo de vidro adequado para se cozinhar.

Q

Quartos de carne (*primal cuts*): São os principais e grandes cortes de carne – a paleta, a costela ou lombo e o pernil ou coxão, por exemplo –, que serão depois divididos em cortes individuais menores, comerciais.

Quatre épices: Literalmente "quatro especiarias", essa mistura francesa combina pimenta-do-reino, noz-moscada, canela e cravos-da-índia. É frequentemente usada em patês e algumas linguiças. É melhor você mesmo fazer a sua mistura, para maior frescor e adequação a seu gosto pessoal. Uma proporção razoável é de três partes de pimenta para uma de noz-moscada, canela e cravo-da-índia. Algumas receitas pedem especiarias doces adicionais, como pimenta-da-jamaica e gengibre.

Quebrar: A palavra é geralmente usada na cozinha em relação a moléculas de proteína. As proteínas são estreitamente enroscadas, mas, quando as ligações que mantêm sua forma são quebradas – mecanicamente, com calor ou com ácido –, elas se desenroscam em longos filamentos. Estes podem então se recombinar ou coagular de maneiras que podem ser úteis ou prejudiciais para a comida (quer seja numa clarificação, num merengue, num creme, num pedaço de carne ou de peixe), dependendo da habilidade do cozinheiro. McGee fornece descrições extraordinariamente claras e detalhadas da quebra de proteínas e seus resultados.

Queijo: O queijo funciona na cozinha de várias maneiras. Em todos os pratos, confere untuosidade. Como é composto de gordura de leite, você deve pensar nele como o faria com qualquer gordura. Parmigiano-Reggiano é usado para finalizar risotos, por exemplo, adicionando sabor, untuosidade e corpo ao prato. Queijos podem ser adicionados a molhos e se integrarão bem, contanto que o molho inclua um amido e não seja fervido (vinho ou suco de limão também podem ajudar a manter o molho cremoso). Os queijos também derretem e douram, adicionando assim cor, sabor e textura a pratos finalizados *au gratin*. Alguns queijos, como ricota, em vez de derreter se ressecam. Como qualquer queijo duro, estes podem ser ralados sobre a comida.

Queimado: Muitos erros na cozinha podem ser consertados, corrigidos, recuperados. O queimado é um que não pode. Com raras exceções, pedaços queimados de comida estragam um prato com um amargor de que é em geral impossível livrar-se e que não há como esconder. Alguns chefs adicionam uma *oignon brûlée* (metade de uma cebola escurecida numa chapa ou numa panela) a um caldo ou sopa para dar cor; pode-se chamuscar tomates para dar sabor a molhos, e queimar pimentas vermelhas sobre uma chama para remover a pele. A maioria dos chefs, porém, prefere manter qualquer coisa queimada longe de sua comida. Tenha cuidado quando uma sopa ou um molho grosso aderir ao fundo da panela; isso pode afetar o sabor de todo o líquido.

Queimado de congelamento: Comida que não foi bem embalada ou que fica exposta ao ar por ter sido empurrada de lá para cá no freezer se resseca. Coisas congeladas que se ressecam ficam queimadas, desbotadas e com gosto ruim. Você pode ver isso; se a comida está com má aparência, provavelmente está queimada. Embale as comidas de maneira eficaz e firme.

Queixada (de porco): A queixada de porco é apreciada por seu sabor e teor de gordura. Muitas vezes é curada, e pode ser usada como bacon ou *pancetta* no chamado *guanciale*. A gordura, substanciosa e saborosa, é ótima para a elaboração de embutidos.

***Quenelle*:** Designa um bocado de qualquer preparação, em forma de ovo. São feitas esfregando uma mistura – muitas vezes um recheio de carne a ser escalfado – entre duas colheres para o formato tradicional da *quenelle* de três lados; ou, para um formato mais elegante de um material macio como sorvete, arrastando uma colher por cima do material de modo que ele se curve com a concavidade.

R

Rabo: Rabos que podem ser cozidos com bons resultados incluem os de porco e de boi, que devem ser braseados ou cozidos lentamente em fogo baixo e lento. Em sua maior parte, rabos são ricos em colágeno, que adicionará gelatina, e portanto consistência, a caldos e molhos.

Raízes e tubérculos: Geralmente referem-se a raízes, talos e tubérculos duros e ricos em fécula – batatas e inhames, cenouras, beterrabas e pastinacas –, e não aos bulbos e talos mais úmidos e macios, como cebolas, rabanetes e castanhas portuguesas. São apreciados por sua variedade, versatilidade, economia, durabilidade quando armazenados e capacidade de caramelizar e adicionar doçura. Podem ser cozidos, glaceados, fritos, grelhados e assados com diferentes efeitos.

Raiz-forte: É importante distinguir a raiz-forte em frasco, uma espécie de purê de raiz-forte e vinagre, da raiz-forte recém-ralada. São produtos muito diferentes. A segunda é pungente e limpa, e, com a adição de gordura (em geral creme de leite), é a base de molhos deliciosos para carne e peixe. Pode também ser ralada ou finamente cortada em *julienne* e usada como guarnição decorativa e saborosa para carnes substanciosas, patês, saladas e peixes defumados. A raiz-forte preparada num frasco pode substituir a fresca, mas os resultados não serão comparáveis.

Ralar, ralador: Ralar é um tipo de corte prático, reduzindo um objeto grande a um tamanho específico e retalhando itens que não se prestam bem a serem picados, como queijo ou noz-moscada. Um bom ralador, com lâminas de diferentes tamanhos, é um utensílio de cozinha recomendável. É muito mais versátil do que em geral se supõe, e um cozinheiro criativo o usará para muito mais que queijo. Pode retirar a polpa da pele de tomate, ou ralar alho diretamente sobre um molho. Vegetais podem ser ralados tão rapidamente quanto picados, e impregnarão um caldo ou *court bouillon* em menos tempo que *mirepoix* cortado em cubos. (Ver também MICROPLANE.)

Ramekin: Pequeno prato, geralmente de porcelana com bordas retas, que pode ser usado para conter ingredientes, cozinhar (muitas vezes em banho-maria) e servir. Um conjunto deles é um instrumento útil na cozinha, não só para a *mise en place* como também para cozinhar e servir.

Raspas de cítricos: A casca externa das frutas cítricas, colorida e rica em óleo, é um poderoso tempero. A de limão, especialmente, é um condimento extraordinário, dando brilho e sabor sem a acidez do suco da fruta (ver *GREMOLATA*, por exemplo). É difícil pensar num prato que não seja melhorado com um pouco delas. As raspas podem ser retiradas da fruta de muitas maneiras: com faca para descascar, descascador de vegetais, *zester* ou Microplane. Os *zesters* e Microplanes são mais eficientes porque separam a casca externa da camada branca, que é amarga. Ao usar uma faca ou descascador, você pode precisar remover essa camada. Como as raspas podem ter traços de amargor também, para preparações refinadas branquear a casca e submetê-la algumas vezes a choque térmico antes de usá-la pode ser recomendável.

Reação de Maillard: Refere-se a um escurecimento da comida, principalmente proteína e carboidratos, diferente daquele causado pela caramelização, o escurecimento do açúcar. A reação de Maillard pode começar a ocorrer por volta de 110°C, temperatura cerca de 55 graus inferior à da caramelização do açúcar. As reações de Maillard são muitas e resultam numa série de sabores excelentes e complexos, como o do exterior tostado de um bife, o da crosta do pão, o da pele castanho-dourada de um frango assado ou o de grãos torrados de chocolate e café. Muitas vezes chefs usam as palavras caramelização e caramelizar para se referir às reações de Maillard, embora tecnicamente sejam reações diferentes. (Ver McGee para uma descrição química completa das transformações de Maillard.)

Receitas: Receitas não são manuais de montagem. Você não pode usá-las como se fossem instruções para montar uma grelha ou uma mesa de pingue-pongue. Elas são guias e sugestões para um processo de infinitas nuances. São como partituras musicais. Uma suíte para violoncelo de Bach pode ser executada no nível de um iniciante ou ganhar uma interpretação extraordinária de Yo-Yo Ma – as mesmas notas/ingredientes, resultados enormemente diferentes.

Como usar uma boa receita: em primeiro lugar, leia-a e pense sobre ela. Faça-a em sua mente. Imagine que aparência terá quando a servir. Tente saber qual é o resultado antes de começar. Leia a receita toda, não só para compreendê-la em seu conjunto, mas para tornar seu trabalho mais eficiente e evitar erros ou passos desnecessários. Talvez uma massa precise gelar por uma hora no meio da preparação, ou um líquido deva ser cozido, depois esfriado. A receita sugere adicionar farinha, fermento em pó e sal um de cada vez, mas talvez você possa combinar todos os ingredientes secos antecipadamente enquanto espera que a manteiga chegue à temperatura ambiente para poder batê-la com os ovos. Dedicar alguns minutos à leitura de uma receita, efetuando cada passo em sua mente à medida que lê, poupará tempo e evitará erros.

Meça e prepare todos os ingredientes antes de começar. Não pique a cebola só no momento em que deve jogá-la na panela, tenha-a já picada num recipiente, pronta para ser usada; tenha aquele copo de leite e aquela meia xícara de açúcar preparados diante de você. Uma boa *mise en place* torna o processo mais fácil e agradável, e o resultado mais gostoso.

Se estiver inseguro quanto a uma instrução, use o bom senso. Você já imaginou em sua mente qual é o objetivo. Trabalhe rumo a esse objetivo usando todos os seus sentidos.

Como aperfeiçoar uma boa receita: faça-a de novo. Mais uma vez. Preste atenção. Faça-a de novo. É assim que os chefs procedem. Muitas vezes uma excelente culinária é simplesmente o resultado de se ter feito algo muitas e muitas vezes, prestando atenção. Uma excelente culinária tem muito a ver com simples repetição, assim como com talento natural ou conhecimento culinário.

Redanho, redinha: Membrana de tecido conjuntivo, raiada de gordura, que envolve o estômago e outras vísceras em porcos e carneiros (seu nome científico é omento). Envolver carne numa membrana gordurosa que praticamente desaparece durante o cozimento é um jeitoso truque culinário. O redanho pode ser usado para ajudar a dar formato à carne e mantê-la úmida durante o cozimento (carnes braseadas que foram esfriadas podem ser embrulhadas em redanho e reaquecidas num forno quente); pode cobrir uma linguiça (*crepinette*) ou juntar diferentes ingredientes (um embrulho de vegetais assados e um peito de frango, por exemplo); pode dar uma camada protetora de gordura a assados, servindo como um meio para bardear. Precisa ser especialmente encomendado no açougue ou através da internet; por vezes pode ser encontrado em mercados especializados.

Reduzir, redução: Reduzir significa cozinhar suavemente para diminuir a quantidade de água numa mistura e assim concentrar o sabor do líquido e engrossá-lo. Caldos e molhos, vinhos e vinagres são reduzidos por essas razões. Quando um líquido é definido por sua concentração e intensidade de sabor, é chamado de redução. Ao reduzir caldos e molhos, é útil afastar a panela parcialmente da chama; proteínas e impurezas vão se juntar do lado frio da panela, de onde podem ser facilmente retiradas e jogadas fora. Cuidado para não reduzir excessivamente caldos e molhos à base de carne; eles podem ficar pegajosos. Se tiver reduzido demais um molho, não adicione caldo e sim água (que é o que foi perdido). Vinhos e vinagres deveriam ser reduzidos muito lentamente, não cozidos, mas mantidos no que pode ser considerado uma temperatura de evaporação acelerada para preservar o sabor e evitar que o líquido grude nas bordas da panela, queimando e adicionando um gosto amargo à redução.

Refogar (assar na panela): Uma técnica de calor seco comum em restaurantes, mas igualmente vantajosa em casa. Um item – muitas vezes um corte maior, como uma peça inteira de filé mignon, e não uma porção individual – é salteado numa panela quente para selar sua superfície e adquirir sabor, depois é levado ao forno quente, onde terminará de cozinhar de maneira mais uniforme e rápida.

Refrescar: Alguns livros de culinária usam "refrescar" para a ação de mergulhar a comida em água com gelo para deter o cozimento. Evite esse termo ilógico, use a expressão "submeter a choque térmico", que é mais precisa.

Refrigerar, refrigerador: Um refrigerador não é apenas um onipresente aparelho para preservar alimentos; pode também ser pensado como um instrumento. Comidas que devem ser cozidas e depois esfriadas para serem servidas mais tarde – risoto, cogumelos, verduras salteadas etc. – serão tanto melhores quanto mais rapidamente forem esfriadas. O refrigerador é também o melhor lugar onde descongelar comidas congeladas. Ele deve ser mantido a 2,7°C ou abaixo disso. Tenha em mente que ele tem pontos quentes e frios, tal como um forno. Use-o de maneira cuidadosa, mantendo as comidas bem embaladas para evitar que peguem outros cheiros, com os recipientes marcados para que elas sejam facilmente identificadas (e não ignoradas e esquecidas). Mantenha as comidas bem organizadas, e tome cuidado com a contaminação cruzada (não ponha um prato de carne crua sobre laticínios ou hortaliças que não serão cozidos antes de serem comidos).

Regar: Regar a comida com a gordura quente na panela melhora seu sabor, cor e textura. Isso acontece quando você derrama com uma colher, pincela ou esguicha sobre uma galinha assada a gordura derretida junto com os sucos do cozimento, ou ainda quando joga manteiga queimada sobre couves-flores. As ideias importantes subjacentes ao processo são estas: a gordura da fôrma estará muito quente e pode ajudar a dissolver a pele de uma ave ou tostar a de um peixe salteado; pode também dar mais cor a vegetais e ajudar o alimento a cozer uniformemente. Além disso, quando regamos carnes assadas, os sucos da própria carne e os sólidos concentrados na gordura revestem o exterior da peça, realçando o sabor. Isso é particularmente verdadeiro quando manteiga faz parte da gordura – os seus sólidos, especialmente saborosos quando dourados, aderem à superfície da carne ou dos vegetais que estão assando. Regar dessa maneira carne assada na panela e cortes mais magros e tenros que assados – isto é, adicionar um pouco de manteiga à panela e usá-la para regar – é uma técnica especialmente eficaz.

Reidratar: Mergulhar comida desidratada em líquido baseado em água. Em geral, quanto mais gradualmente a comida for reidratada, melhor, especialmente no caso de legumes. Quando frutas são reidratadas, muitas vezes em álcool, a palavra "macerar" é frequentemente usada. No caso de alguns itens, especialmente cogumelos secos, o líquido usado na reidratação torna-se também um agente de sabor (coado através de um pano ou filtro de café).

***Remouillage*:** Um segundo caldo, normalmente feito em restaurantes, de ossos que foram usados para um primeiro caldo, de modo a fazer uso completo deles. É mais fraco, é claro, e muitas vezes adicionado ao primeiro caldo e depois reduzido.

Renina: Enzima encontrada no estômago de animais ruminantes e em alguns vegetais, usada para coalhar leite para o fabrico de queijo. É hoje normalmente produzida por engenharia genética.

Renovar: Rejuvenescer ou refrescar um prato ou molho adicionando-lhe ingredientes frescos. Molhos baseados em caldos podem ser renovados, por exemplo, adicionando-se mais caldo e ervas frescas.

Repouso, deixar em: Deixar que transcorra um período de tempo entre a remoção da comida (usualmente carne) do calor e o momento de cortá-la e servi-la. Deixar carne cozida em repouso é importante por permitir que as temperaturas se igualem e os sucos se redistribuam através do músculo (ver também COZIMENTO EM DESCANSO). Alguns chefs sugerem que o tempo de cozimento e o tempo de repouso deveriam ser iguais. Embora possa ser verdade para um pequeno pedaço de carne, e não, digamos, para um frango, isso sublinha a grande importância do repouso, mostrando que ele pode ser tão importante quanto o cozimento, e reforça o fato de que quanto maior for o corte de carne, mais tempo você deve deixá-lo repousar. Com poucas exceções, o peixe não se beneficia de repouso; tende a ressecar. Massas de pão e de macarrão são frequentemente deixadas em repouso, ou seja, dá-se um tempo para que o glúten relaxe e a massa possa ser moldada com mais facilidade. Massas de pâtisserie são muitas vezes deixadas em repouso no refrigerador para permitir que o glúten relaxe e a gordura endureça.

Reservar: "Reservar" comida significa guardá-la, mas usualmente refere-se ao ato de cozinhar algo integral ou parcialmente e reservá-lo para completar o cozimento ou a montagem do prato mais tarde. Conservar bem os alimentos é guardá-los de maneira que se mantenham tão próximo quanto possível do modo como estão no momento. Em alguns casos, é uma simples questão de armazená-los. Outros itens são cozidos muito antes do momento de serem servidos e depois reservados – uma das habilidades mais decisivas de um cozinheiro de restaurante, e que também pode ser muito vantajosa para o cozinheiro caseiro. Saber qual comida pode ser cozida e conservada sem prejuízo permite ao cozinheiro caseiro servi-la eficientemente em refeições de dias atarefados ou em jantares festivos em fins de semana.

Retardar, desacelerar (fermentação): Termo usado pelos padeiros para a desaceleração do crescimento da levedura em massas a fim de aumentar o tempo de fermentação e permitir o desenvolvimento do sabor. Normalmente isso é feito pondo-se a massa numa câmara climática, um refrigerador com controle de umidade e temperatura para esse fim, ou em algum tipo de ambiente fechado, controlado e fresco.

***Rillette*:** Cortes duros de carne cozidos até ficarem fáceis de desfiar, misturados com temperos e gordura e resfriados. As *rillettes* são muitas vezes passadas sobre um pedaço de pão com crosta ou uma torrada. São servidas em geral no início da refeição e constituem um ótimo petisco. A carne de porco é a mais usada, mas pato, ganso, coelho e muitos peixes também dão excelentes *rillettes*. Provavelmente elas se originaram da necessidade de conservar e usar as abundantes aparas de carne e gordura do porco.

Risoto: Uma preparação de arroz que dá destaque às variedades de grão curto (como *arborio*, *carnaroli* ou *vialone nano*), levando vinho, vegetais, temperos aromáticos e gordura, e caracterizada pelo método como é feito: o arroz é constantemente mexido à medida que um líquido saboroso é adicionado pouco a pouco, o que resulta num prato de grande cremosidade e riqueza. Um método prático para preparar risoto é este: salteie cebola picada até que fique translúcida, aumente o fogo para alto, acrescente um pequeno punhado de arroz por porção e salteie-o para tostá-lo e cobri-lo com óleo. Adicione então vinho branco e cozinhe, mexendo, até que o líquido desapareça e não reste nenhum aroma áspero do álcool. Comece a adicionar um saboroso caldo de frango ou vegetais, apenas para mal cobrir o arroz, e cozinhe esse caldo (caldo fresco faz um mundo de diferença aqui), mexendo quase continuamente. Acrescente mais caldo quando o primeiro tiver quase desaparecido, tempere com sal e continue esse processo até que os grãos fiquem macios. Retire o arroz do fogo e mexa-o adicionando a gordura (creme de leite e manteiga são as melhores); finalize com um pouco de Parmigiano-Reggiano ralado na hora e sirva imediatamente. Note que o risoto pode ser preparado muito antes do momento de servir: cozinhe o arroz dois terços do tempo necessário, despeje-o num prato ou bandeja e gele-o; ele pode ser concluído quando for conveniente, embora deva sempre ser terminado o mais perto possível do momento de servir. As variações – salgado ou doce, vinho tinto *versus* branco, a adição de outros vegetais ou carne, ou a finalização com um purê de vegetais em vez de parte da manteiga e do creme de leite para um prato de vegetais mais limpo e mais vívido – são inúmeras.

Robot Coupe: É a marca de um processador de alimentos comum em cozinhas profissionais; o nome é usado frequentemente como um termo genérico para processador de alimentos ou como um verbo para processar alimentos.

Rolo de massa: É um instrumento culinário essencial se você trabalha com massas, e um dispositivo conveniente para esmagar ou quebrar alimentos (descaroçar azeitonas para uma *tapenade* ou quebrar grãos de pimenta, por exemplo). A forma e o tipo de material são uma questão de preferência pessoal, dependendo de como você o usa (um rolo de mármore que se manterá frio enquanto você abre grande quantidade de massa rica em manteiga; um rolo pequeno e leve se você viaja com utensílios de cozinha).

Rondeau: Panela redonda e rasa de bordas retas, feita em diferentes tamanhos, com uma alça de cada lado e uma tampa.

Rouille: Molho à base de azeite de oliva, temperado com pimentas vermelhas, alho e tradicionalmente engrossado com pão, servido em geral com *bouillabaisse* ou ensopado de peixe. Maionese ou *aïoli* condimentados com pimenta rosa e outras especiarias são muitas vezes servidos como *rouille*.

Roulade: Pode significar um pedaço chato de carne enrolado em torno de algum ingrediente e cozido, ou designar de maneira geral qualquer tipo de carne ou recheio moldado em forma de cilindro.

Roux: Pasta de farinha e gordura cozida usada para engrossar molhos. Embora se possa usar qualquer tipo de amido em pó e gordura, tradicionalmente é feito combinando partes iguais por peso de farinha e manteiga e cozinhando a mistura pelo menos até que o gosto cru da farinha desapareça (ela começará a cheirar como crosta de torta). *Roux* pode ser mais cozido para níveis mais intensos de sabor e cor, de pálido a marrom-escuro, dependendo do molho a ser engrossado. Quanto mais escuro for, porém, menos poder espessante terá. Para que se disperse de modo uniforme, é usualmente adicionado frio a um molho quente, mas pode-se também adicioná-lo quente a um molho frio que depois será reaquecido para engrossar. Depois que o *roux* foi adicionado e o molho reaquecido até engrossar, a panela pode ser afastada para a borda da chama, mantendo-se um cozimento suave, para permitir que as impurezas se juntem no lado mais frio e sejam removidas, o que dá um resultado mais limpo e macio. Molhos engrossados com *roux* devem ter consistência *nappé* e parecer macios ao paladar; não devem ser pesados e ter sabor de farinha. Uma proporção de um para dez (por peso) de *roux* para molho resultará numa boa consistência; por exemplo, para engrossar um quilo de caldo, use 100 gramas de *roux* claro ou branco.

S

Sabor: Provavelmente o elemento mais importante de um prato. Todos os demais elementos na arte de cozinhar – o ponto, o tempero, a textura e a apresentação – estão em última análise a serviço do sabor. Ele é supremo.

Saca-rolhas: Embora exista toda espécie de instrumentos engenhosos para retirar a rolha de uma garrafa, o abridor de tamanho de bolso que os garçons geralmente usam é a melhor escolha. São baratos, ocupam pouco espaço e têm poucas partes móveis, por isso tendem a não quebrar; duram por muito tempo. Requerem um pouco de prática, mas suas vantagens fazem com que valha a pena aprender a usá-los.

***Sachet d'épices*:** Um conjunto de ingredientes aromáticos embrulhados numa gaze; é usado para condimentar um caldo ou molho e posteriormente retirado da panela. Uma mistura tradicional inclui ramos de tomilho e salsa, louro, alho e pimenta em grão. O *sachet* permite que os ingredientes aromáticos sejam facilmente retirados da panela; se o caldo ou o molho forem ser coados, eles podem ser adicionados diretamente ao líquido.

Saco de confeiteiro: Sacos cônicos feitos de algodão forrado com poliuretano são usados para espremer coisas de todo tipo, de *crème pâtissière* a purê de batatas ou *pâte à choux*. Você pode até usá-lo para encher tripas com recheio ao preparar linguiças. Não estão entre os itens essenciais da cozinha caseira, mas têm muitos usos. Sacos de confeiteiro de plástico, descartáveis, são também disponíveis e uma boa opção; os de pano requerem limpeza mais demorada, mas são mais fortes e baratos que os de plástico. Os descartáveis têm a vantagem da facilidade e conveniência, e não transferem sabores, como os de lona podem fazer.

Sal: Provavelmente o mais importante e poderoso ingrediente na cozinha; muitos chefs consideram a habilidade de usá-lo bem a mais importante que um cozinheiro pode ter. É usado em todo tipo de prato, de salgados a doces, em proteínas, vegetais e grãos. É um conservante mais poderoso que qualquer outro, alterando o gosto e a textura de carnes e vegetais. As regras gerais para o tempero com ele são poucas: sempre use sal não iodado, pois o iodo dá um sabor áspero de produto químico; sal kosher é o melhor de uso geral para cozinhar e temperar, embora o sal marinho também seja bom. Inúmeros sais especiais são comercializados, desde sais condimentados a sais de formações rochosas e eras específicas. Prove e avalie sais desconhecidos antes de comprar e usar.

Salgue a comida bem antes do momento de servir, para que o sal se dissolva e se distribua. Use-o mais perto do início que do fim do processo de cozimento. Salgue a carne muito antes do momento de cozinhá-la; é possível salgá-la demais, mas não cedo demais; quanto maior o corte, mais cedo deve ser salgado. A exceção é a delicada carne de peixe, que pode ser "queimada" se for salgada cedo demais; ela deve ser temperada pouco antes do momento de ser cozida.

No cozimento de grãos, macarrão e legumes, prove a água depois de salgá-la. A comida pronta ficará tão salgada quanto ela estiver, logo, ela deve parecer agradavelmente temperada, e não salgada (ver ÁGUA SALGADA).

Muitas pessoas se preocupam com os perigos do sal. Embora seja verdade que consumir muito dele pode ser ruim, a maior parte do sal que ingerimos atualmente está escondida nos alimentos processados; a menos que você tenha pressão sanguínea alta ou retenção de água, salgar os alimentos adequadamente não é perigoso para a saúde numa dieta composta de alimentos naturais não processados. (Ver o artigo SAL, p.29.)

Sal de cura: Um sal que contém pequena quantidade de nitrito ou nitrato, também chamado de nitrito de sódio ou, genericamente, de sal cor-de-rosa; é muitas vezes vendido sob vários nomes comerciais. Nitrato de sódio é sal cor-de-rosa que inclui nitrato, um importante componente de linguiças curadas a seco, necessário para impedir o crescimento das bactérias que causam o botulismo. O nitrato de potássio, ou salitre, era usado para isso, mas foi substituído por nitrito de sódio e nitrato de sódio (dependendo do item a ser curado) em razão da consistência e da segurança desses últimos.

"Sal e pimenta-do-reino a gosto": Ver "A GOSTO".

Sal iodado: Sal a que foi acrescentado iodeto de potássio, um procedimento iniciado em 1924 nos Estados Unidos para evitar a deficiência de iodo comum nos estados interioranos. Com sabor áspero de produto químico, o sal iodado não é recomendável para uso no cozimento ou no tempero de alimentos. Atualmente, as dietas americanas são normalmente variadas o bastante para que possamos prescindir dele.

Sal kosher: Não contendo iodo, tem um efeito mais limpo sobre a comida. Há outros sais não iodados disponíveis, mas, por ser ao mesmo tempo barato e amplamente disponível, o kosher é o preferido para cozinhar e temperar. Vem em grãos maiores e leva um pouco mais de tempo para se dissolver na superfície da carne, mas seu tamanho facilita o controle da quantidade entre as pontas dos dedos. Use sempre a mesma marca, o que lhe ajudará a dosá-lo de maneira estável pelo tato. Lembre-se de que diferentes sais têm diferentes volumes por peso, sendo portanto recomendável que você pese o sal kosher em vez de medi-lo pelo volume quando o utilizar em quantidades maiores que uma colher de sopa.

Sal rosa: É o termo genérico para nitrito de sódio, sal de cura, sal com adição de 6,25% de nitrito. (Sal rosa não é a mesma coisa que um produto chamado *sel rose*, sal cor-de-rosa em francês. *Sel rose* contém nitrato de potássio, salitre.)

Salada: As saladas atualmente podem ser divididas em três amplas categorias, servidas frias a menos que indicado diferente: verdes, não verdes e compostas. As primeiras são aquelas em que o ingrediente predominante são tenras e saborosas alfaces. As não verdes incluem preparações em que frutas, legumes, uma mistura de raízes em *julienne*, um amido básico, ovo, peixe ou carne são o principal ingrediente. Saladas compostas são aquelas que orquestram vários ingredientes básicos – carne, queijo, hortaliças cruas ou escaldadas e submetidas a choque térmico – em adição a verduras (*cobb salad*, por exemplo, é uma tradicional salada composta).

Os elementos básicos de uma salada verde são simples: quanto mais fresca for a alface, melhor a salada (nunca é demais insistir nisso). Lave as verduras e enxugue-as cuidadosamente; rasgue-as em tamanhos convenientes e tempere-as quase na hora de servir, seja com um vinagrete ou simplesmente com óleo e vinagre. Nesse caso, a ordem é importante: primeiro salgue, permita que o sal se dissolva para que se distribua uniformemente, cubra as alfaces com óleo e depois tempere com o vinagre. A qualidade de uma salada não verde – feijão, batata, macarrão, por exemplo – é quase sempre determinada pelo molho, o tempero e a textura (como geralmente são moles, beneficiam-se de ingredientes que as tornem um pouco crocantes). Saladas compostas, quer sejam clássicas, como a *niçoise*, quer sejam saladas tailandesas que dão destaque a carnes quentes ou grelhadas servidas frias, ou uma que combine simplesmente vegetais cozidos e resfriados (por vezes chamada de vegetais *à la grecque*), são muito provavelmente subutilizadas em cozinhas caseiras, infelizmente: são de rápido preparo, saudáveis e gostosas.

Salada completa: Uma categoria de preparações – para não dizer uma excelente estratégia para refeições simples, gostosas e balanceadas –, cuja espinha dorsal são alfaces e verduras, mas cujos ingredientes são variados o bastante para abranger uma refeição completa: podem incluir vegetais cozidos e resfriados, carnes, laticínios e amidos. São geralmente servidas com um molho vinagrete. Os ingredientes em uma salada completa são normalmente separados das folhas, cuidadosamente arrumados, e não misturados de maneira aleatória. *Cobb salad* e *salade niçoise* são exemplos comuns, mas de fato essas saladas podem ser compostas de praticamente qualquer combinação criteriosa de alimentos.

Salamandra: Equipamento para gratinar a superfície superior do alimento, usado em cozinhas de restaurantes. É assim chamado, aparentemente, porque é usado com frequência para mudar a cor da comida, dando tons dourados e textura atraente a uma *glaçage* ou finalizando um *gratin*.

Salame: Linguiças de carne de porco curadas a seco, normalmente com carne e gordura grosseiramente moídas que permanecem visualmente distintas.

Salitre: Nitrato de potássio, usado antigamente para curar carnes (bacon, *corned beef*, linguiça curada a seco etc.). Foi substituído por nitrito de sódio e nitrato de sódio nos Estados Unidos porque estes têm efeitos mais seguros, mas continua sendo comumente usado na Europa.

Salmão: As diferenças mais significativas na qualidade do salmão e no modo como você o cozerá derivam da distinção entre cultivado e silvestre. O segundo tende a ter sabor mais pronunciado, textura mais atraente, muitas vezes cor mais intensa e, o que é importante para o cozinheiro, é geralmente mais magro. Além disso, pode ser melhor para a saúde e costuma ser mais caro. Salmão cultivado tem sabor menos variado que o das diversas espécies de salmão silvestre encontradas nas águas frias dos oceanos Pacífico e Atlântico, e tende a ser mais gordo. Assim, o salmão silvestre deve ser cozido muito suavemente, e nunca ser cozido além de ao ponto para malpassado, ou ficará seco e insípido. Já o cultivado é muito mais tolerante ao calor. Evidências de que o cultivo de salmão pode ter impacto negativo sobre o ambiente, para não falar do sabor inferior do peixe, sugerem que é melhor comprar salmão silvestre quando a escolha é possível e acessível ao bolso. O peixe pode ser servido cru (embora nesse caso seja melhor usar o silvestre), curado ou cozido, e os métodos de cozimento são vários – pode-se grelhá-lo, assá-lo, salteá-lo ou escalfá-lo.

Salmoura: Uma salmoura é sal em solução. É uma técnica poderosa que não somente tempera carne e peixe, mas pode também curá-los ou adicionar-lhes sabores complementares. Vegetais frescos podem ser colocados em salmoura à temperatura ambiente para uma conserva natural, em que o ácido é gerado por bactérias. A força da salmoura – a razão de sal para água – pode variar, mas uma proporção boa e eficaz é de 50 gramas de sal para um litro de água, o que resultará numa salmoura de 5 a 6%, dependendo do tipo de sal utilizado. Use sempre sal kosher ou marinho, e é melhor pesá-lo do que medi-lo por volume. Uma salmoura a 5% é também um excelente líquido em que cozer hortaliças verdes (ver ÁGUA SALGADA), e a intensidade ideal para uma conserva natural. Muitas vezes adiciona-se uma pequena quantidade de açúcar à salmoura para contrabalançar a aspereza do sal. Ingredientes aromáticos podem ser também acrescentados para complementar o sabor da carne ou dos vegetais (estragão e cítricos para frango, por exemplo, alho e sálvia para costeletas de porco, alho e pimentas em fruto para conserva de vegetais). Os aromáticos devem ser cozidos em fogo lento na salmoura enquanto o sal se dissolve para impregnar a água. As salmouras devem ser completamente resfriadas antes que a carne ou os vegetais sejam adicionados e devem ser jogadas fora depois de usadas (nunca reutilize uma salmoura). O item que ficou em salmoura deve descansar depois de ser removido para que a concentração de sal se equalize dentro da carne. Um pedaço de carne que ficou em salmoura, tendo absorvido água, resultará num rendimento 10 a 15% maior e muitas vezes numa carne mais suculenta depois de pronta.

***Salpicon*:** Termo francês para carne ou peixe cortados em cubos e ligados com um molho (ou com xarope ou creme num salpicão de frutas) e usado como *appareil* ou recheio.

***Salsa*:** Palavra italiana e espanhola para molho. Também é usada para denotar preparações mexicanas de tomates e vegetais aromáticos picados, com condimentos picantes. Podem ser verdes (de *tomatillos* e chilis verdes) ou vermelhas (de tomates e chilis vermelhos), cozidas ou cruas, e são usualmente servidas frias. No entanto, o termo pode ser usado para molhos italianos, espanhóis e mexicanos em geral.

Salsinha: Outrora a guarnição sempre usada quando faltava um toque de verde ao prato num restaurante, a salsinha é de fato uma erva de extraordinária versatilidade na culinária, usada como ingrediente aromático em caldos, sopas e estufados, ou finamente picada para finalizar muitos molhos. É também adicionada à manteiga *maître d'hôtel*, e um ingrediente fundamental em *gremolata* ou no tabule. Dois tipos são amplamente disponíveis: de folha crespa ou lisa, por vezes chamada italiana. A maioria dos chefs prefere a salsa lisa porque tem sabor menos marcante e textura mais delicada que a crespa.

Saltear, *sauté*: Designa um método de cozimento por calor seco; a palavra vem de *sauter*, o verbo francês para "saltar". É usado para cortes macios de carne e outros itens, como vegetais, que não requerem amaciamento, e é feito numa panela com pequena quantidade de óleo. Costuma-se saltear em fogo muito alto, de modo a dar sabor ao exterior do alimento, mas podem ser usados níveis diversos de calor dependendo do que está sendo cozido – peito de pato, por exemplo, é geralmente salteado sobre fogo muito baixo para derreter a gordura da pele. O aquecimento apropriado da panela antes que a gordura ou a comida sejam postas nela é parte importante do método, assim como a escolha do tamanho certo de recipiente (se for grande demais, os itens podem ficar secos ou queimar; se muito pequeno, podem ficar apinhados e cozinhar no vapor em vez de dourar, e podem também esfriar a panela e grudar). A técnica de saltear inclui o desenvolvimento de um *fond* no fundo da panela: proteínas e açúcares escurecidos que, quando deglaçados, podem adicionar sabor a um molho feito no próprio recipiente.

Saltear, *stir-fry* (à chinesa, numa *wok*): Método de cocção por calor seco que se distingue pelo fogo muito alto e o curto tempo de cozimento, usado para cortes macios de carne e vegetais tenros. Tradicionalmente, envolve uma *wok* e um nível de calor acima do alcançável na maioria das cozinhas caseiras, sendo por isso difícil obter em casa os sabores oferecidos pelo equipamento profissional para fritar em fogo alto mexendo. Mas você pode chegar perto usando uma panela muito espessa, deixando-a extremamente quente antes de adicionar óleo de cozinha e fritando em pequenas quantidades, para que a comida não esfrie a panela.

***Salumi*:** Termo italiano para carnes e embutidos curados a seco, como presunto cru e *soppressata* (observe que salame designa apenas linguiças curadas a seco). A arte do *salumi* tem uma grande dívida para com o porco; sua razão de ser foi originalmente a conservação da comida, mas continua sendo uma parte vibrante da tradição culinária italiana e está gozando de uma espécie de renascimento na cozinha americana, pois chefs contemporâneos passaram a se interessar por curar a seco suas próprias carnes e linguiças. *Salumi* é muitas vezes servido no início da refeição ou como aperitivo. (Ver também CHARCUTARIA, do francês *charcuterie*, uma categoria ampla que inclui preparações cozidas, como patês e *confits*.)

Sangue: O sangue pode ser tanto um inconveniente quanto uma vantagem. Em caldos e estufados, é uma impureza que retiramos, usualmente depois que coagulou e emergiu à superfície no início do cozimento. Perto do final do cozimento, porém, pode-se adicionar sangue a um molho para engrossá-lo e enriquecê-lo (muitas vezes no caso de aves e carnes de caça, como em um *civet**). Em algumas linguiças, o sangue é o ingrediente essencial; sua textura delicada, semelhante à de um creme, e seu sabor rico e intenso fazem uma extraordinária linguiça chamada *boudin noir* (morcela).

***Saucier*:** O membro da cozinha encarregado dos molhos ocupa uma posição muitas vezes considerada a mais prestigiosa numa *brigade* tradicional, o que indica tanto a habilidade requerida para ótimos molhos como a importância desse elemento na *haute cuisine* francesa.

***Sauteuse, sautoire*:** São dois tipos de frigideiras, panelas rasas usadas para saltear. A primeira tem bordas inclinadas, que facilitam movimentar a comida e fazê-la saltar, e tem menos tendência a reter vapor. A segunda tem bordas retas e por vezes vem com tampa (para cozimento no vapor, por exemplo). Uma *sautoire* também é boa para fritar em pouca gordura, mas, uma vez que os lados não facilitam o fluxo do ar em volta da comida como as bordas inclinadas fazem, deve-se usar uma *sauteuse* para refogar.

***Savory*:** Significa salgado, e pode se referir a pratos específicos bem como a uma seção do cardápio, ou à própria cozinha, para distingui-la da cozinha doce ou de pâtisserie.

Sazonal, da estação (alimentos e pratos): Embora restaurantes possam comprar praticamente qualquer comida que queiram a qualquer época do ano, na cozinha caseira é sensato preparar alimentos da estação e também cozinhar pratos associados às estações do ano. Isso significa não apenas cozinhar aspargos no verão e morangas no inverno, mas também fazer sopa de cebola *au gratin* no inverno e não no verão. Ao cozinhar sazonalmente, é mais provável que você esteja cozinhando o que está no auge do sabor, de modo que os pratos prontos terão melhor gosto, serão melhores para a saúde e terão passado menos tempo na estrada para chegar ao supermer-

* Prato de carne de caça marinada e ensopada, servida ao molho pardo – por exemplo, *civet de lapin* (de lebre) ou *de canard* (de pato); no Brasil, é comum a galinha ao molho pardo. (N.R.T.)

cado. Cozinhar sazonalmente não só está de acordo com o bom senso, tem também muitas vantagens, seja para o chef de restaurante ou para o cozinheiro caseiro.

Sebo: Gordura bovina derretida é chamada de sebo. Usada antigamente na cozinha profissional para esculturas decorativas, hoje é raramente utilizada.

***Sec*:** A palavra *sec* ("seco", em francês) pode se referir a linguiças curadas a seco, sendo também frequentemente usada com relação a reduções, especialmente para a quase eliminação do líquido de uma redução mediante cozimento. Quando se "seca" uma redução de vinho, echalotas e ervas, não deve restar nenhum líquido agitando-se na panela, mas as echalotas e as ervas devem permanecer úmidas.

Sela: Um corte, geralmente de cordeiro, veado ou coelho, que compreende os dois lados das costelas e ambos os lombos, de fato as costas inteiras do animal. Selas são normalmente assadas e antigamente, nos restaurantes, eram servidas inteiras para uma mesa pelo espetáculo de sua apresentação e a elegância dos cortes. Hoje, porém, isso raramente é feito, já que o serviço à inglesa indireto está fora de moda.

Selar: Cozer proteína, geralmente carne (mas alguns peixes e mariscos também), sobre fogo muito alto, para dar à superfície cor, textura e sabor mais complexos. Selar não "estanca os sucos", uma ideia comum desmentida por McGee no início dos anos 1980 (de fato, o calor elevado contribui para expulsá-los da peça). Quando as proteínas que compõem a carne chegam a uma temperatura muito alta, muitos sabores complexos se criam. Selar um item o torna visualmente atraente e cria uma textura contrastante com o interior macio. É possível selar a carne antecipadamente e resfriá-la de imediato, para que possa ser terminada mais tarde no forno pouco antes do momento de ser servida (o que você poderia querer fazer, por exemplo, se precisasse de espaço sobre o fogão para outras preparações *à la minute*; tome o cuidado de deixar carne previamente selada chegar à temperatura ambiente antes de finalizá-la). Selar é uma das mais influentes aplicações de calor à proteína.

Sentidos: Seus sentidos são os instrumentos mais importantes na cozinha. Use todos eles, preste atenção, lembre-se do que vir. Ouça, prove, toque e cheire. Ouça sua comida, fique atento ao som dos vários alimentos enquanto cozinham; preste atenção ao aroma ambiental de uma cozinha e a mudanças sutis que indicam frescor, deterioração, estágios de cozimento ou queima. Preste atenção à textura e à resistência: qual é o aspecto de carne cozida de menos ou de mais? De uma massa de pão? De um tomate verde? A carne está com uma cor pálida demais, não selada o suficiente? Escura demais, carbonizada e amarga? O molho ficou caramelizado em vez de simplesmente reduzido? De que tamanho são as bolhas naquele creme de leite que está sendo reduzido? Um bom cozinheiro aplica na cozinha todos os seus sentidos, de várias maneiras.

Sistema métrico: É de longe a forma mais prática de fazer medições na cozinha, e é frequentemente usado nos restaurantes americanos mais elegantes. As proporções são mais rapidamente reconhecidas e é mais fácil lembrar-se das receitas quando se usam medidas métricas. Um exemplo perfeito da eficiência desse sistema é que uma boa salmoura para uso geral combina 50 gramas de sal com um litro (1.000 mililitros ou 1.000 gramas) de água, 5% do peso representados claramente nos números. Compare com os equivalentes no sistema de medidas americano: 5% por peso de um quarto, ou 32 onças, é 1,6 onça de sal. Conversões básicas arredondadas são: 25 gramas equivalem a uma onça, 450 gramas equivalem a uma libra e uma xícara equivale a 250 mililitros. Ao duplicar ou triplicar receitas, porém, saiba que pequenas variações em conversões podem, quando multiplicadas, tornar-se grandes e comprometer o resultado final.

***Slow Food*:** Organização e movimento internacionais que têm por objetivo proteger o melhor da comida – seu cultivo, preparo, cozimento e consumo – contra o fast-food e a comida homogeneizada, produzida por indústrias, intensamente processada que domina cada vez mais a dieta contemporânea (para mais informação, visite www.slowfood.com). A expressão passou a ser associada a artesanal, e atualmente vem sendo aplicada a itens feitos dessa maneira, sugerindo um estilo e uma atitude culinária.

***Soigné*:** Termo francês para elegância e excelência de execução. (Ver FINESSE.)

Sopa: As sopas podem ser divididas em três amplas categorias – claras, cremosas e em purê – que informam como deveríamos pensar sobre elas. As primeiras são compostas por caldo ou *bouillon* e ingredientes sólidos, e os dois são mantidos separados e distintos (sopa de macarrão com frango, sopa de cebola). As sopas cremosas são tradicionalmente engrossadas com amido (seja diretamente com um *roux* ou usando um molho-mãe baseado em *roux*, bechamel ou *velouté*) e finalizadas com creme de leite (creme de brócolis ou de cogumelo). As sopas em purê tornam-se grossas e opacas porque o ingrediente principal é amassado (*gazpacho*, sopa de feijão-preto). Inevitavelmente, há sopas de tipo híbrido, especialmente porque as engrossadas com amido hoje são raras, tendo a prática saído de moda (mas elas podem ser deliciosas e não deveriam ser desprezadas); muitos purês são finalizados com creme de leite, por exemplo, e uma sopa de creme de cogumelo não precisa ser engrossada com amido. Mas quando você pensa em fazer uma sopa, é útil imaginar que tipo procura, em vez de pensar nos ingredientes que a comporão; em vez de ler títulos de receitas de sopas, pense primeiro: "Clara, cremosa ou em purê?" Depois passe para o tipo de cozinha, a sazonalidade etc. A qualidade das sopas claras é determinada pelo líquido usado e pelo cozimento adequado dos ingredientes (fervê-los deixará a sopa turva e deteriorará uma guarnição delicada). A da sopa cremosa depende muitas vezes da textura e da intensidade apropriada do sabor do ingrediente principal, que não deve ser esmagado ou apagado pelo líquido; ela também não deve ser mantida em temperaturas elevadas por mais tempo que o necessário, ou o sabor pode ficar rançoso e desagradável. As sopas em purê, que têm tipicamente textura mais grossa, têm a qualidade determinada pelo ingrediente principal, o caldo usado para cozê-lo e os aromáticos que condimentaram esse caldo. Questões secundárias incluem o tempero e a guarnição: sopas cremosas e em purê beneficiam-se especialmente de temperos ácidos – vinagre de xerez para sopa de lentilhas, por exemplo, ou vinagre de vinho branco para creme de couve-flor.

Soro: É um subproduto da fabricação de queijo, o líquido que resta depois que o leite foi coalhado. Pode ser cozido novamente para se fazer ricota (que significa "recozida").

Sorveteira: Uma sorveteira congelará praticamente qualquer líquido, creme ou purê, doce ou salgado. Embora sua conveniência seja inegável, com gelo e sal em abundância e dois recipientes, um que caiba dentro do outro, e uma colher de pau ou espátula dura você pode obter o mesmo efeito, se precisar.

***Sous chef*:** Literalmente, subchefe, o chef que está em segundo lugar no comando na hierarquia da cozinha.

***Sous vide*:** A expressão francesa significa "sob vácuo", isto é, fechado a vácuo numa bolsa plástica, e o termo geralmente indica que o alimento foi preparado ou cozido dentro desse plástico. A técnica permite o cozimento a temperaturas muito baixas, o que resulta em texturas que não poderiam ser obtidas de outras maneiras. Em cozinhas profissionais muito movimentadas, ela é também uma medida de conveniência, porque o alimento pode ficar perfeitamente bem cozido e permanecer assim por longo tempo, sem comprometimento. As desvantagens são que, em razão das baixas temperaturas, o alimento não terá sabor de tostado ou caramelizado, e tampouco será crocante ou terá contrastes de textura, fatores que podem ser corrigidos pelo modo como um cozinheiro o finaliza. Outra desvantagem é que o alimento pode parecer estéril para o cozinheiro, sem nenhum aroma ou som do cozimento. Cozinhar *sous vide* tornou-se moda nos restaurantes, mas é uma prática polêmica pelas questões de segurança envolvidas no cozimento a baixas temperaturas no ambiente anaeróbico da bolsa fechada, e pelo temor de que ela possa diminuir a arte na culinária.

Sovar: Sovamos massas para ajudar a desenvolver a proteína glúten, que lhes dá a elasticidade de que precisam para conter as bolhas de ar que as fermentam. A massa pode ser sovada mecanicamente (em geral chamamos isso de bater e não de sovar) ou à mão. É fácil bater massa de pão em excesso mecanicamente; a batedeira acaba por decompor a estrutura do glúten e a massa ficará flácida – perderá a elasticidade, não voltará rapidamente à posição inicial quando apertada ou puxada – e não crescerá ou cozerá de maneira apropriada. Com as mãos, é difícil sovar em excesso.

***Stage, stagiaire*:** Termo francês para "estágio", *stage* refere-se a um breve período de trabalho não remunerado numa cozinha com o objetivo de aprender ou praticar; a pessoa que faz o *stage* é chamada de *stagiaire*. Estagiar pode ser parte essencial da formação de um cozinheiro. As melhores cozinhas costumam ter filas de espera de pessoas que desejam trabalhar de graça para aprender.

Suar: Cozer vegetais ou espinhas de peixe sobre fogo lento, de modo que comecem a soltar sua umidade sem dourar. Suamos vegetais, frequentemente cebolas, porque o cozimento ajuda a desenvolver seu sabor, mas por vezes não queremos nem a cor carregada nem a doçura intensa da caramelização. Carne e ossos que estão sendo assados para um caldo vão suar se a assadeira estiver muito cheia, e não dourarão da maneira apropriada.

***Suet*:** Gordura da carne que envolve os rins de boi e de carneiro. Muito dura à temperatura ambiente, pode ser derretida e usada como meio de cozimento ou até para lardear e bardear – uma gordura muito saborosa, extremamente saturada.

Suflê: A técnica do suflê tira partido da capacidade que tem a clara de ovo de capturar bolhas de ar. O resultado é um prato elegante, que pode ser doce ou salgado. Os suflês são menos frágeis e difíceis do que sugere sua reputação; na verdade, uma vez que tanto o *appareil* ou base (onde está o sabor) quanto as claras batidas em neve podem ser preparados com muita antecedência, ou combinados e congelados, eles são até práticos. A proporção comum é partes iguais por peso de clara de ovo e *appareil*. Este deve parecer excessivamente temperado, porque será combinado com as claras não temperadas. *Appareils* comuns são bechamel para os suflês salgados e *crème pâtissière* ou purês de fruta para os doces. Quando você estiver pronto para assar o suflê, misture as claras batidas com o *appareil*, suavemente para evitar perder ar capturado, até que a mistura fique uniforme. Passe com colher para ramekins inteiramente untados com manteiga e polvilhados com açúcar ou farinha e asse em forno quente por cerca de 20 minutos. Sirva imediatamente. Um suflê chegou a seu auge porque está cheio de ar quente; à medida que esse ar esfria, ele murcha. As claras e o *appareil* podem ser preparados antecipadamente, mas devem ser misturados pouco antes do momento em que serão assados, ou podem ser combinados, divididos em porções e congelados, e depois assados. Suflês congelados podem ser assados com bons resultados, mas é melhor misturá-los e assá-los *à la minute*.

Suprême: 1) Corte de frango em que o peito é removido do osso com uma asa ainda presa (por vezes com o osso da asa limpo); é uma elegante maneira de servir o prosaico peito. A palavra é por vezes usada para designar um filé em geral e até uma fruta cítrica partida em gomos. 2) *Suprême* é o nome de um molho clássico – *velouté* de frango finalizado com creme de leite, cogumelos e manteiga.

T

Tábua de corte: A melhor superfície sobre a qual cortar é a madeira, uma madeira firme como bordo (de que algumas das melhores tábuas são feitas), e não uma muito dura. Evite por completo qualquer tábua de cortar que seja mais dura que a sua faca. Tábuas de polipropileno e borracha são aceitáveis (mas ficam feias). Evite aquelas que não ficam arranhadas ou cortadas; elas são mais duras que sua faca e vão estragá-la; se você puder ouvir o barulho da lâmina batendo na tábua, isso é mau sinal. Evite as chamadas tábuas antibacterianas. A crença de que tábuas de madeira são menos higiênicas que as de plástico é um equívoco. Evite contaminação bacteriana limpando a tábua com água muito quente e sabão e deixando-a secar inteiramente na vertical. Use uma leve solução de água sanitária para uma esterilização final. Repetindo: use tábuas de corte de madeira. É melhor trabalhar com elas – melhor para suas facas, melhor para sua comida, melhor para suas mãos e melhor para os seus olhos.

Tabuleiro: Ver ASSADEIRA.

Tagine, tajine: Panela usada na África do Norte, feita de barro, rasa e com tampa cônica. É usada para cozinhar sobre o tampo do fogão (ou sobre brasas vivas); o interior inacabado da tampa absorve a umidade, de modo que a comida é cozida tampada, mas sem que uma grande quantidade de vapor se condense na tampa e pingue de volta. A palavra pode designar também o prato feito numa *tagine*, usualmente um estufado picante.

Talhar, talhado: Quando ingredientes que não se juntam facilmente têm de ser combinados numa mistura homogênea, chamamos isso de emulsão, e quando vários ingredientes se separam uns dos outros, chamamos essa emulsão de talhada. Manteiga é uma emulsão, e se você a puser numa panela quente, ela talha – a gordura clara se separa da água e dos sólidos de leite antes mantidos homogeneamente. Preparações que costumam talhar são molhos emulsionados, como *hollandaise* ou maionese (gordura emulsionada com uma pequena quantidade de água e gema de ovo) – num molho antes espesso e cremoso, a gordura se separa da água e se aglutina numa espécie de sopa. A razão para essa decomposição é normalmente gordura em excesso, ou calor excessivo; um molho mal misturado será instável e também poderá talhar. Pode-se consertar molhos talhados reiniciando a emulsão, começando com novas gemas e adicionando o molho talhado como o faríamos com a gordura; a emulsão deve retornar (ver McGee para a descrição completa da estrutura de uma emulsão). Misturas de carne como salsichas e patês, em que a gordura está uniformemente distribuída, são consideradas emulsões, e também podem talhar quando cozidas – a gordura separa-se do resto da mistura. A causa em geral é que a carne e a gordura foram aquecidas demais antes de serem misturadas ou durante a mistura. Um recheio talhado como este, no entanto, não pode ser corrigido depois de cozido.

Tamis: Peneira plana de malha muito fina através da qual se espreme a comida para remover impurezas e criar uma textura fina. *Mousselines*, por exemplo, são muitas vezes passadas através de um tamis antes de serem moldadas e cozidas.

Tampar (panelas e frigideiras): Tampar panelas e frigideiras, como deve ser óbvio, mantém mais calor dentro delas. Molhos cozinham mais intensamente e a água ferve mais depressa numa panela tampada. Cozinhe hortaliças verdes sempre descobertas (embora não haja inconveniente em cobrir a panela momentaneamente para ajudar a água a voltar a ferver se você estiver usando uma panela muito pequena). Cobrir um molho parcial ou completamente inibe sua redução – assim, se o molho estiver suficientemente reduzido, mas não suficientemente cozido, continue a cozê-lo tampado. Para conservar um pouco de calor e permitir alguma redução (num prato braseado, por exemplo), a tampa pode ficar entreaberta. Uma tampa de papel-manteiga pode ser cortada de modo a se ajustar à panela para permitir alguma redução, evitar que uma película se forme e reter calor.

Tato: Um sentido valioso para o cozinheiro, e uma habilidade a ser desenvolvida. Usamos o tato principalmente para verificar se a comida (em geral, carne) está pronta, tocando-a e avaliando sua resistência. Mas ele pode ser também uma fonte de prazer para o cozinheiro, seja quando ele passa a mão ao longo de um belo peixe ou quando para a fim de apreciar a textura de uma massa de macarrão recém-aberta.

Tecido conjuntivo: Tecido que une ou sustenta outros tecidos em todos os animais. Entre os diferentes tipos de tecido conjuntivo estão os ossos, os tendões e as cartilagens. Eles são uma bênção e uma maldição para o cozinheiro. São valiosos por serem uma rica fonte de uma proteína chamada colágeno, que, quando cozida, decompõe-se em gelatina e dá consistência a líquidos, de delicados a firmes. Mas os tecidos conjuntivos são a matéria que torna alguns cortes de carne duros. Como eles em geral só se decompõem e ficam macios a temperaturas consideradas muito além do bem passado para carnes, cortes duros – como as paletas e os músculos dianteiros dos animais – são muitas vezes cozidos em líquido (isto é, a temperaturas inferiores a 100°C) durante horas e servidos com esse líquido, ao qual forneceram gelatina e sabor abundantes.

Têmpera, temperar (ajustar a temperatura): 1) Ajustar a temperatura da comida significa evitar ou impedir que ela sofra uma mudança drástica. Em geral falamos de têmpera para amenizar o choque de temperatura dos ovos quando combinados com um líquido quente: uma pequena quantidade desse líquido é primeiro adicionada aos ovos, que são depois então adicionados ao líquido quente, um procedimento que evita que eles coalhem. Mas podemos também retirar um *foie gras* do refrigerador e permitir que tempere, ou amoleça enquanto se aquece, para facilitar a remoção de nervuras. 2) Têmpera refere-se a um procedimento que se executa com chocolate, aquecendo-o e esfriando-o suavemente de modo que, ao se solidificar, ele tenha um brilho lustroso e um toque atraente. Se não for devidamente feito, ele pode ficar com uma textura granulada e uma cobertura esbranquiçada. É usado em preparações formais, quando o chocolate será usado para revestir morangos, *petit-fours* ou confeitos, ou como glacê para bolos.

Temperar (alimento): Significa adicionar sabor. Como quase sempre usamos sal para fazer isso, o verbo é muitas vezes usado no sentido de salgar, mas pode também se referir à aplicação de outros sabores ou ingredientes que realçam o gosto, quer sejam comuns, como pimenta-do-reino ou vinagre, ou incomuns, como pó de funcho ou casca de laranja em pó.

Temperar (panelas): Panelas de ferro devem ser "temperadas"; se isso for devidamente feito, elas terão uma superfície quase antiaderente. Encha a panela com cerca de 2,5 centímetros de óleo, aqueça até que ele fique quase fumegante e apague o fogo. Deixe o óleo esfriar completamente, descarte-o (se não tiver queimado, pode ser reutilizado) e enxugue a panela com toalha de papel. Para mantê-la temperada, não a lave com sabão, use apenas água; sal pode ser usado como um abrasivo para esfregar. Se por alguma razão a panela perder a têmpera, esfregue-a inteiramente com uma esponja de aço até que fique perfeitamente limpa e volte a temperá-la.

Temperatura ambiente: Preste atenção à temperatura de sua cozinha – o ambiente afetará a comida. O cozimento de um assado depois que ele é retirado do forno (ver COZIMENTO EM DESCANSO) pode ser acelerado numa cozinha quente, e salsichas e recheios de carne ficam mais propensos a desmanchar. A temperatura ambiente pode afetar a mistura e a fermentação de uma massa. Uma cozinha fria pode ser benéfica quando se está trabalhando com gorduras macias, como manteiga, e pode retardar o cozimento em descanso.

Temperaturas da carne: Em geral, malpassado significa entre 50°C e 55°C, ao ponto para malpassado até 60°C, ao ponto até 65°C e bem passado acima disso. Os livros diferem com relação a essas definições, e as que dou aqui são mais baixas do que as que aparecem na maioria deles. O Departamento de

Agricultura dos Estados Unidos tem recomendações específicas de temperatura relativas à segurança da carne que privilegiam esse fator em relação ao sabor e à nutrição (ver www.usda.gov). Se você tiver preocupações com a segurança, siga essas recomendações. Embora associemos a cor com o ponto de cozimento, este se refere de fato a temperaturas, e não a cores.

Tempo: O tempo é algo que deve ser bem administrado na cozinha – não apenas os tempos de cozimento, mas a maneira como o utilizamos. Tendemos a usar todo o tempo de que dispomos na cozinha, sejam quais forem as necessidades a serem supridas. Isto é, se temos uma hora, tendemos a despender essa hora inteira, quer tenhamos cinco ou 20 coisas para fazer. Não pensamos com frequência nestes termos, mas o modo como usamos o tempo tem um impacto substancial sobre a facilidade e o prazer de cozinhar. Em geral, quanto menor for o tempo em que você consegue preparar algo bem, melhor você será.

É importante reiterar também que o cozinheiro que confia no tempo para saber se algo está pronto corre sério risco. A resposta para "por quanto tempo devo cozinhar isto?" é quase sempre "depende". É claro que há tempos padrão de cozimento (um *pilaf* de arroz ficará pronto em 20 minutos) e ordens gerais de magnitude (escalfamos camarões por minutos, não por horas), mas é sempre melhor confiar no que dizem seu olho, toque e paladar, e também no aroma e no som da comida.

Tempura: Técnica de fritura por imersão da culinária tradicional japonesa. Sua excelência é definida pela leveza e a crocância da massa que envolve os alimentos fritos. Tradicionalmente, essa massa é feita com partes iguais, por volume, de água e farinha, com uma gema de ovo para cada duas xícaras. Deve ser misturada imediatamente antes de se mergulhar nela o alimento e fritá-lo. Chefs contemporâneos costumam adicionar amido puro à farinha para reduzir a porcentagem de glúten na massa (que pode torná-la mais dura que delicada), ou ainda fermento ou água com gás para fermentação adicional. Geralmente o item a ser recoberto é passado primeiro na farinha, para assegurar que a massa tenha aderência a ele.

Tendão: O tendão, que liga o músculo ao osso, é quase inteiramente composto de tecido conjuntivo, o que significa que é uma rica fonte de gelatina e por isso adicionará consistência a caldos. Em algumas cozinhas, notavelmente a chinesa, tendões bovinos e de porco são considerados uma iguaria (cozidos lentamente em fogo brando, são servidos com um molho substancioso e um condimento pungente como contraponto).

Termômetro: Há três tipos importantes de termômetro para o cozinheiro caseiro. O primeiro, um equipamento essencial que não deve faltar em nenhuma cozinha, é um de bolso, de leitura instantânea, que pode ser usado para determinar a temperatura de líquidos e do interior de peças de carne, entre outras coisas; são disponíveis com mostradores analógicos ou digitais, e ambos são excelentes, embora os segundos tendam a ser mais "instantâneos".

O segundo tipo não é essencial, mas é conveniente: um cronômetro-termômetro digital ligado a um fio permite monitorar a temperatura interna de um prato enquanto ele cozinha. O terceiro tipo é próprio para balas, capaz de ler as temperaturas elevadas de óleo e açúcar. Os outrora comuns "termômetros de carne" são antiquados – assim como as temperaturas finais que sugerem – e desnecessários.

Como cozinhar é uma questão de levar comidas de uma temperatura a outra, um bom termômetro de leitura instantânea é um equipamento decisivo e barato. Mas ter um desses é apenas o primeiro passo: usá-lo apropriadamente é o que importa. Um ditado comum na cozinha é: "Um termômetro só é tão bom quanto a pessoa que o usa." Preste atenção ao posicionamento dele, saiba qual porção da comida ele está medindo, teste-o na água com gelo (0°C) e na água fervente (100°C) para se certificar de que as medidas são precisas e lembre-se de que instrumentos grandes, se estiverem frios, podem abaixar a temperatura do que você está medindo.

Termômetro de forno: Um instrumento útil para verificar se a temperatura dentro do forno é a que você supõe. Ponha-o em várias partes do aparelho, no fundo e na frente, na prateleira de cima e na de baixo, para ter uma noção não só de qual é a temperatura quando você regula o forno para, digamos, 220°C, mas também do grau de uniformidade do calor dentro dele, o que provavelmente o ajudará a usá-lo melhor.

Terrine: Qualquer prato preparado numa fôrma de terrine pode ser assim chamado (patês, geralmente cozidos nessas fôrmas, são tecnicamente patês *en terrine*).

***Terroir*:** Palavra francesa para solo, inicialmente usada para denotar traços específicos de um vinho característico de certo solo. Hoje o sentido foi alargado, e o termo é usado para descrever sabores, pratos e ingredientes típicos de uma região, ou até mesmo o caráter do cozinheiro – quaisquer qualidades específicas de determinado local podem ser vistas como reflexo do *terroir.*

Tesoura de trinchar aves: Uma tesoura robusta de cozinha, capaz de cortar ossos menores, juntas e carcaças, pode vir a calhar. Como a maior parte do que faz pode ser feito também por uma faca, considere-a uma comodidade, não um item essencial, a menos que você trinche muitos frangos.

Textura: Fator crítico no sucesso de um prato; em algumas preparações, como cremes, sopas cremosas ou um *foie gras* salteado, é tão importante quanto o sabor.

Timbale: Forma circular para uma única porção que molda a comida, de tortinhas a cremes ou vegetais.

Tofu: É leite de soja coalhado de maneira muito semelhante ao queijo. É vendido em blocos sólidos encontrados numa variedade de embalagens e texturas, dependendo do modo como tenham sido processados. Muitas vezes é cortado em fatias ou em cubos nas culinárias asiáticas, e é um item básico dessas dietas há séculos. Como tem pouco gosto, é usado para veicular outros sabores, seja óleo picante de pimenta ou o missô num *bouillon* delicado. Sua textura granulosa e coalhada pode ser uma desvantagem, por isso é muitas vezes conveniente tostar o exterior, salteando ou fritando. Tofu, uma boa fonte de proteína em dietas sem carne, pode ser defumado e adicionado a pratos de feijão, como você faria com joelho de porco ou bacon, ou misturado com molhos de vegetais para encorpá-los.

***Tomalley*:** O hepatopâncreas, glândula verde, macia e saborosa da lagosta, chamada equivocadamente de fígado, pode ser comido cru, adicionado a molhos como tempero ou usado para fazer uma manteiga composta a ser incorporada em molhos para lagosta.

Tomate: O tomate é um dos "paus para toda obra" da cozinha. Seu uso como guarnição em saladas ou sanduíches já é quase instintivo. Quando estão no ponto, fatiados, salgados e comidos com um mínimo de adornos, poucas coisas são melhores. Como um ingrediente para uso geral, um elemento culinário, os tomates adicionam doçura, acidez e cor a inúmeras preparações. Seu uso em caldos (especialmente os escuros) – muitas vezes na forma de extrato, que pode ser usado cru ou cozido e é também chamado de *pincé* – é decisivo para o produto final. São uma base pré-pronta para molhos e podem ser levados em várias direções, dependendo do modo como são tratados, podendo ser crus, assados ou defumados. Até sua água abundante, separada da polpa, é um líquido de intenso sabor. Os cuidados básicos com os tomates são poucos: como eles variam muito em qualidade, preste atenção ao escolhê-los (use-os abundantemente no verão e no outono, quando são excelentes, e com parcimônia no inverno). Tomates italianos são disponíveis durante o ano todo e são a primeira opção para molhos e outros usos gerais (encontre um bom tomate enlatado de que você goste para fazer molhos no inverno). Tomates cultivados de modo hidropônico também podem ser encontrados o ano inteiro, uniformemente vermelhos e imaculados, mas são muito inferiores aos localmente cultivados, que permanecem no tomateiro até ficarem prontos para ser comidos. Não refrigere tomates, porque isso estraga o sabor. Se forem ser comidos fatiados ou cortados em cubos, é bom salgá-los com antecedência, o que realça e intensifica o sabor.

Tomate *concassé*: A expressão designa tomate cru picado. "*Concasser*" em francês significa triturar ou esmagar, mas há níveis de refinamento diferentes dependendo de como o *concassé* será usado. Tradicionalmente, tomates italianos são escaldados e mergulhados em água com gelo para que sua pele possa ser removida; depois são partidos em quatro ou no meio, as sementes são excluídas e a polpa é grosseiramente picada. Pode-se também partir os tomates em quatro e remover as sementes e a polpa interna para cortar as chamadas "pétalas de tomate"; estas podem ser cortadas em *julienne*, em losangos para uma guarnição ou picadas em *concassé*.

Tomilho: Erva aromática inestimável que pode ser usada durante todo o processo de cozimento, de caldos à guarnição de pratos acabados. Por essa razão, tomilho fresco é onipresente na cozinha profissional. É uma erva perene e vigorosa, fácil de cultivar em jardins ou em canteiros no peitoril da janela.

***Torchon*:** Palavra francesa para pano de prato, designa uma preparação de *foie gras* em que o fígado é enrolado e apertado num pano, geralmente uma gaze espessa, e rapidamente escalfado, depois resfriado, desembrulhado e fatiado.

Torta: A palavra pode ser usada para designar praticamente qualquer coisa que combina uma massa e um recheio. Pode variar entre salgada e doce, aberta ou coberta com massa. Em geral implica alguma forma de crosta rasa, e deve ser vista como um veículo, uma maneira de moldar e pôr em evidência um ingrediente principal, ou vários ingredientes, bem como de apresentar sabores e texturas contrastantes. É uma espécie de recipiente, que pode realçar ou enobrecer praticamente qualquer coisa que não seja sopa. Pode ser servida no início, meio ou fim de uma refeição; a casca pode ser moldada numa fôrma ou à mão. A massa é geralmente à base de farinha de trigo, mas pode ser composta de castanhas ou outros ingredientes ou ser feita de massa folhada amanteigada ou massa *phyllo*. A torta é uma ideia: um punhado de cebolas caramelizadas numa panela pode não parecer grande coisa, mas ponha-as sobre uma crosta, tempere bem, e você terá uma torta de cebolas caramelizadas.

Toucinho: Camada de gordura que percorre o comprimento das costas de um porco e pode chegar a ter 7,5 centímetros de espessura. A gordura de porco é versátil na cozinha (seja amolecida em banha para cozinha e confeitaria ou moída para salsicha), e o toucinho é a mais pura expressão dela. Limpo e cremoso, ele é usado, moído ou fatiado, para enriquecer linguiças e patês, bem como cortes inteiros de carne magra (ver LARDEAR e BARDEAR). O toucinho de porcos criados naturalmente pode também ser curado e comido puro, finamente fatiado, uma preparação chamada lardo.

***Tourner*, tornear:** Significa cortar um vegetal em forma oval, muitas vezes descrita como uma bola de futebol americano de sete lados. Exige alguma prática e um tempo extra, e há mais desperdício do que com cortes mais simples. Se você descascar os vegetais primeiro, o corte poderá ser usado de várias maneiras. Facas de tornear, especialmente curvilíneas, são disponíveis, mas somente a prática o ajudará a melhorar a técnica. Vegetais torneados são usados em preparações refinadas por sua aparência elegante.

Toxina: Substâncias venenosas estão presentes em diversos alimentos – alcaloides em batatas e cianeto nos caroços de algumas drupas, por exemplo –, e em alguns casos são produzidos por micro-organismos (a toxina muscular que causa botulismo é gerada por uma bactéria). As toxinas são frequentemente instáveis e tornam-se inertes pelo cozimento, mas nem sempre.

Traseiro serrote ou pistola: Um dos grandes cortes de carne do quarto traseiro tirado das costas de animais terrestres, inclui parte da espinha, as costelas traseiras e o lombo.

Trigo: Os grãos de trigo compõem-se do endosperma (a maior parte do grão), do farelo (a cobertura do endosperma) e do germe (ou embrião). Os dois últimos (sendo o germe particularmente nutritivo) são o que é removido da farinha de trigo refinada. Os trigos se distinguem sobretudo pela quantidade de proteína que contêm, incluindo o teor de glúten, que dá às massas sua elasticidade. Aquelas com alto teor de glúten são usadas para massas de pão. Grão duro de trigo é muito rico em proteína, e é moído na semolina usada para macarrão. A farinha de trigo integral inclui o germe e o farelo, que têm baixo teor proteico, por isso resulta em massa que gera um produto acabado mais denso. O germe também contém gordura, portanto, a menos que você a use com frequência, é melhor lacrar bem e refrigerar ou congelar a farinha de trigo integral.

Tripas: Geralmente designam tripas naturais, do trato digestivo de carneiros, porcos e bovinos, embora tripas manufaturadas de colágeno também estejam disponíveis. Variam em tamanho de acordo com o animal, desde pequenas tripas de carneiro usadas para linguiças finas como *breakfast links* e *chipolatas* até a tripa comum de porco para linguiças frescas e as enormes tripas bovinas para preparações como *bologna* e mortadela (a maioria dos fornecedores indica os diferentes diâmetros disponíveis). Em sua maioria são comestíveis, mas algumas são grossas demais para tal. Podem ser encomendadas pelo correio ou em açougues. Normalmente vêm acondicionadas em sal e, sob refrigeração, conservam-se por um ano ou mais.

As tripas comestíveis de porcos e carneiros são especialmente valiosas porque são ao mesmo tempo finas e fortes, ficam bem douradas e proporcionam um agradável estalo quando mordidas. Além disso, são porosas, permitindo que linguiças especiais sequem em preparações curadas a seco, como salame e *soppressata*. Além de um excepcional recipiente para carnes moídas, são por vezes usadas como recheio de um tipo de linguiça, a *andouillette*.

Tripas bovinas também são usadas como invólucro, mas tendem a ser maiores e mais fibrosas, muitas vezes duras demais para serem comidas. O redanho, uma membrana raiada de gordura do tecido conjuntivo que envolve o estômago e as vísceras de porcos e carneiros, também pode ser usado como uma espécie de tripa – assim como bexiga de porco e carneiro, pele do pescoço de patos e gansos e invólucros plásticos.

Triquinose: Doença causada por um verme parasitário que pode estar presente na carne de porco e em carne de caça. Atualmente quase não se ouve falar de parasitas encontrados em carne de porco comercializada, de modo que não é mais necessário cozê-la até deixá-la bem passada (ver CARNE DE PORCO). A triquinose é mais frequentemente causada por carne de caça, como a de urso.

Tutano: O tecido conjuntivo gordo dentro dos ossos é um ingrediente subestimado na cozinha, mas pode ser uma deliciosa guarnição e um saboroso enriquecimento para numerosas preparações. É usualmente assado ou escalfado. Pode ser cortado em cubos e adicionado a molhos, sendo um extraordinário complemento. Pode também ser cozido e colocado sobre torradas como canapé, dar sabor a cremes salgados ou ser servido assado no osso, temperado com sal grosso e servido como acompanhamento de uma peça de carne bovina. Deve-se mergulhá-lo em água salgada para remover o sangue residual, o qual se descolorará e coagulará quando estiver cozido. Ossos cheios de tutano podem ser facilmente encontrados em supermercados e açougues.

U-V

Umami: Descreve um sabor apetitoso e intenso; a palavra é japonesa, e traduz aproximadamente a essência do deleite. O efeito de *umami* pode ser sentido provando-se um bom tomate fresco puro e depois o mesmo tomate salgado. Muitas comidas consideradas como tendo sabor *umami* são incluídas em pratos como tempero para realçar esse efeito, como molho oriental de peixe, queijo parmesão, tomates ou cogumelos.

Utensílios de cozinha: Ver o artigo UTENSÍLIOS, p.50.

Vegan: Vegetariano estrito, que não come nenhum tipo de animal nem produto derivado de animais, como ovos, leite e queijo.

Vegetais: Na cozinha, os vegetais se dividem em algumas categorias que se sobrepõem: verduras (que em sua maioria precisam de muito pouco cozimento), raízes e tubérculos (que, a menos que sejam comidos crus, precisam de cozimento completo) e vegetais aromáticos (usados para realçar caldos e molhos).

Vegetais verdes: Devem ser cozidos o mais rapidamente possível e servidos de imediato, ou, para preservar a cor brilhante e o sabor, submetidos a choque térmico, escorridos e suavemente reaquecidos no momento de serem servidos. É claro que podem ser assados, grelhados, cozidos no vapor ou assados sobre brasas, mas em geral a técnica fundamental para cozê-los é mergulhá-los numa vasta quantidade de água intensamente salgada, tanta que não saia do ponto de ebulição.

Vegetariano: Alguém que não come carne de nenhum animal. Há várias categorias de vegetarianos, desde os que não comem carnes, mas comem peixe, até aqueles chamados *vegans*, que não comem nenhum animal nem produto animal.

Velouté: Caldo branco (de peixe, frango ou vitela) engrossado com *roux* e usado como molho ou base para sopas. É usado para sopas cremosas – *chowder* de mariscos é tipicamente engrossada com *roux*, por exemplo. Como base de molhos, dá corpo e um sabor de fundo a sabores dominantes – uma *sauce vin blanc*, ou molho de vinho branco, é *velouté* aromatizado com vinho e echalotas; uma *sauce allemande* é *velouté* aromatizado com cogumelos. Esses molhos derivados, ou molhos compostos, são muitas vezes finalizados com manteiga, creme de leite ou uma *liaison*. (Ver também MOLHOS-MÃE e o artigo MOLHO, p.22.)

***Verjus*:** Suco de uvas não amadurecidas, um líquido ácido e frutado que pode ser usado mais ou menos como vinagre, para temperar molhos, fazer vinagretes e até *sorbets*.

Vinagre: Um dos mais importantes temperos à disposição do cozinheiro. Sua principal função é adicionar acidez, uma das qualidades fundamentais que ajudam a determinar o gosto, além de uma variedade de notas aromáticas, dependendo do tipo de vinagre. Os pratos devem quase sempre ser provados para terem o nível de acidez avaliado, assim como avaliamos se estão devidamente salgados; muitos podem ser melhorados com a adição de algumas gotas de vinagre no último minuto. Outras preparações dependem inteiramente do vinagre – o vinagrete, o escabeche espanhol, o molho *aigre-doux* francês.

Os tipos de vinagre incluem aqueles feitos de vinho, de frutas, de grãos (vinagre de malte), e os especiais, como o balsâmico e o de xerez. O vinagre se produz porque um tipo específico de bactéria, como a *acetobacter*, consome álcool e cria como resultado o ácido acético. Pode-se usar também álcool puro para fazer vinagre branco e vinagre branco destilado, que não têm nenhum componente adicional aromático ou de sabor.

Vinagre branco é um bom fluido de limpeza e pode ser usado para cozinhar, mas dificilmente é o preferível. Quase sempre um bom vinagre de vinho é preferível. A qualidade do vinagre varia enormemente – muitas vezes, mas nem sempre, está atrelada ao preço. Prove os vinagres e compare o sabor. Quando ele é o principal componente de um prato, é importante escolher um de boa qualidade. Vinagre de vinho é usado para todos os fins na cozinha, mais comumente o de vinho tinto, embora o de vinho branco deva ser usado quando sua cor for apropriada (num molho branco, por exemplo) ou quando for desejado por seu sabor.

Melhor que comprar vinagre de vinho é você mesmo fazer o seu. É necessária uma cultura de bactérias, uma massa gelatinosa chamada de "mãe" ou "mãe do vinagre", que pode ser comprada em lojas especializadas ou pela internet, ou ainda, ocasionalmente, ser encontrada no fundo de vinagres comercialmente vendidos. Os vinhos adicionados a essa massa, desde que possam respirar (bactérias precisam de oxigênio), se transformarão em vinagre em dois ou três meses.

Vinagre balsâmico é feito na Itália a partir do suco não fermentado de uvas especiais, e envelhecido em barris (ver VINAGRE BALSÂMICO). Mais uma vez, a qualidade varia enormemente; evite balsâmicos baratos ou genéricos de supermercados, que não são verdadeiros vinagres balsâmicos. Vinagre de xerez, feito na Espanha, é um vinagre diferente, de sabor intenso graças ao processo de envelhecimento. Mais uma vez, ao usá-lo, escolha um bom – Banyfuls, da região epônima, é especialmente apreciado.

Vinagre balsâmico: É um ingrediente de tempero, um condimento, um componente de molhos (usualmente quando reduzido) e, no caso dos melhores balsâmicos, um excelente licor digestivo. É feito tradicionalmente com o suco não fermentado de uvas viníferas – em geral Trebbiano –, que é cozido, fermentado e envelhecido em barris, resultando num vinagre muito especial, doce, ácido e de sabor complexo. Há balsâmicos bons e há os baratos (estes últimos muitas vezes têm adição de outros vinagres de vinho e açúcar), e é importante distingui-los ao cozinhar. Todos os balsâmicos verdadeiros vêm da Itália; os mais famosos são de Módena, uma província de Emilia-Romagna, e isso estará escrito na garrafa; o rótulo pode também indicar por quanto tempo o vinagre foi envelhecido. A prova é a melhor maneira de avaliar a qualidade, e isso deve ser vivenciado e aprendido. Um bom balsâmico é um importante item na despensa, capaz de transformar um prato – quer seja uma simples salada, vegetais grelhados, um molho ou uma tábua de queijos – de bom em excelente. O balsâmico é muitas vezes reduzido a um xarope complexo, grosso e doce.

Vinagrete: Deveria ser pensado como uma ampla categoria de molhos, e não como um molho específico, para saladas. Alguns chefs o veem como um quinto molho-mãe. Seu princípio fundamental, a combinação de gordura, ácido e temperos para criar um molho ácido, é infinitamente variável.

A gordura pode ser neutra (canola) ou saborosa (de bacon); o ácido pode variar de suco de limão-taiti ou de outras frutas cítricas a vinagres e *verjus*, e pode ser combinado com qualquer tipo de ingredientes aromáticos e especiarias. A proporção padrão para um vinagrete é uma parte de ácido para três de gordura. Mas, dependendo do ácido, ou mesmo do gosto pessoal, mais ou menos gordura pode ser necessária (mais para limão-taiti, menos para *verjus*, por exemplo). O método básico é combinar o vinagre e os temperos, inclusive o sal (para permitir que se dissolva), e batê-los lentamente com a gordura para obter um molho homogêneo. Isso criará uma emulsão temporária. O uso de um liquidificador pode lhe dar um vinagre emulsionado estável, e alguns vinagretes cremosos são emulsionados com gema de ovo, de fato uma maionese fina e ácida. A mostarda, que tem propriedades emulsificantes, é frequentemente incluída em vinagretes que precisam manter a emulsão.

Vinho (cozinhar com): Vinho é tanto um tempero quanto um meio de cozimento. Em regra, não cozinhe com vinho que você não beberia; quanto melhor for a qualidade, melhor será o resultado. Em geral, o efeito áspero e embriagante do álcool não é desejável na comida, por isso ele precisa evaporar. Se você estiver usando vinho numa marinada, é melhor cozinhá-lo para evaporar o álcool (e impregnar o vinho com aromatizantes) e depois gelá-lo antes de fazer a marinada; isso impede que o álcool desnature – ou seja, cozinhe – a superfície da carne.

Vísceras: Ver MIÚDOS.

Vitela: É a carne do vitelo, novilho macho de vacas leiteiras, abatido nos primeiros meses de vida. É apreciada por seu sabor e textura delicados; os ossos e as juntas são valorizados pelo colágeno e o sabor neutro. Como o jovem animal tem grande abundância de tecido conjuntivo macio, que se derrete em gelatina, seus ossos e juntas são excelentes para uso em caldos, e seus cortes mais duros, como paleta e perna, ficam ótimos braseados.

A maior parte da vitela disponível nos açougues provém de vitelos que viveram confinados e foram alimentados com uma fórmula de soja para manter sua carne clara e macia à medida que cresciam. O chamado "*bob veal*" vem de vitelos não confinados abatidos nas primeiras semanas de vida, antes que tenham começado a se alimentar naturalmente de capim. A melhor vitela vem desses bezerros não confinados e não desmamados, e está se tornando mais disponível, embora possa ser mais vermelha e menos delicada que a outra.

Volume: Ver MEDIDA.

W-Z

Wondra: Marca registrada de uma farinha de trigo chamada de "instantânea". Com baixo teor de proteína e pré-cozida, seus grânulos não formam grumos quando se hidratam, o que a torna (assim como às farinhas semelhantes) boa para massas delicadas e pastéis, bem como para engrossar molhos *à la minute*.

Xícara de medida: Dividem-se em duas categorias: para ingredientes secos (especificamente recipientes de 1/4, 1/3, 1/2 e 1 xícara) e para líquidos (recipientes claros com várias medidas indicadas nas laterais). Por conveniência, é bom ter uma de cada tipo.*

***Zester*:** Instrumento que remove a casca externa de frutas cítricas; é conveniente se você faz isso com frequência, mas o mesmo resultado pode ser obtido com uma faca.

Zona de risco: Termo relativo à segurança alimentar que designa temperaturas em que bactérias não só existem como florescem, multiplicando-se em taxas exponenciais. A maioria das bactérias prospera de maneira notavelmente mais lenta a temperaturas de refrigeração, 4°C ou menos. Acima

* Não confundir xícaras de medida com copos ou jarras medidores. As primeiras são mais comuns na cozinha profissional. Já os segundos são mais usados na cozinha doméstica, e suas medidas não são tão precisas – mas eles podem trazer medidas relativas a peso de alguns alimentos muito utilizados, como açúcar, farinha etc., o que é bastante útil. (N.R.T.)

disso, a velocidade com que elas se multiplicam aumenta. À temperatura de cerca de 37°C elas estão florescendo. A partir de 48°C, começam a se tornar menos efetivas. A maioria não sobrevive por muito tempo a temperaturas acima de 60°C. Portanto, a faixa de temperaturas entre 4°C e 60°C é chamada de zona de risco no que diz respeito à contaminação bacteriana e à segurança dos alimentos. Essa é a razão por que alimentos propensos a bactérias nocivas, como frango, ovos e carne moída, não devem ser mantidos por longos períodos a temperaturas na zona de risco.

Agradecimentos

Michael Pardus foi meu primeiro instrutor culinário, e foi quem me introduziu na cozinha profissional. Ele me ensinou como provar caldos e como salgar a comida. E quando eu quis encontrar maneiras mais fáceis de fazer as coisas, ele me disse que era melhor do que eu e que todos os meus colegas de classe também o eram, e isso surtiu o efeito desejado.

A forma concisa de expressá-lo é esta: ele me ensinou tudo que eu precisava saber para aprender o resto.

Michael Pardus continua a lecionar no Culinary Institute of America, onde nos conhecemos, e sou-lhe imensamente grato por ter concordado em ler e comentar todo o glossário, questionar-me, acrescentar informações e ajudar-me a refinar o que estava ali. Sua ajuda, generosidade, curiosidade, facilidade de expressão, habilidade técnica e conhecimento sobre os alimentos desenvolvidos em mais de um quarto de século como cozinheiro profissional, chef e professor foram de valor inestimável para este livro.

Alguns meses após concluir *The Making of a Chef*, sobre Pardus e outros, e de ter aprendido a cozinhar no CIA, conheci Thomas Keller, que três anos antes, em 1994, havia aberto no vale do Napa um restaurante chamado The French Laundry. É ficar muito aquém da realidade dizer que essa foi minha grande sorte. Se Pardus me ensinou o que eu precisava saber para aprender o resto, o resto começou com Keller, que continua sendo um dos chefs mais respeitados do mundo. Seu exemplo foi e é tão marcante, sua abordagem da culinária é tão inteligente, observadora e perceptiva que é impossível isolar o que eu sei do que ele me ensinou ou me ajudou a compreender. Durante os dez anos em que estive em contato com ele, e enquanto escrevia sobre ele e com ele, Keller me ensinou muito sobre comida e culinária – mas, o que foi de longe o mais importante, ensinou-me a *ver* na cozinha. Ensinou-me a prestar atenção.

Além de Pardus e Keller, gostaria também de agradecer aos chefs, todos meus amigos, a quem recorri para pedir informação ou confirmação sobre um ponto ou outro: Brian Polcyn, do Five Lakes Grill, em Milford, Michigan; Dan Hugelier, do Schoolcraft College, em Livonia, Michigan; Grant Achatz e Curtis Duffy, do Alinea, em Chicago, Illinois; Michael Symon, do Lola, Cleveland; em Manhattan, Rory Herrmann e Jonathan Benno, do Per Se, e Eric Ripert, do Le Bernardin.

Enquanto batalhava com Pardus no CIA, passei também algum tempo num curso chamado Introdução à Gastronomia, ministrado pelo chef-instrutor Bob del Grosso. O fato de ele atualmente não estar trabalhando como chef nem lecionando foi minha sorte, porque teve tempo de ler e comentar este livro com a precisão de um cientista e a paixão de um cozinheiro.

Sou grato a todos esses chefs, não somente por sua ajuda com este livro mas por seu discernimento na profissão e na culinária em geral, e também a muitos outros com quem aprendi e cujos nomes não posso citar aqui.

Escrever um livro é um trabalho de equipe. Sou grato a minha amiga e agente Elizabeth Kaplan, a minha editora na Scribner, Beth Wareham, e aos muitos outros na e com a Scribner que me ajudaram a transformar o manuscrito num livro, inclusive Kate Bittman e Virginia McRae.

Por fim, sou grato a Donna, Addison e James, sem os quais nada do que tem algum valor poderia acontecer.

Bibliografia

Child, Julia, Louisette Bertholle e Simone Beck. *Mastering the Art of French Cooking.* Nova York, Knopf, 1967.

Culinary Institute of America. *The New Professional Chef.* Nova York, Van Nostrand Reinhold, 2006.

Davidson, Alan. *The Oxford Companion to Food.* Oxford, Oxford University Press, 1999.

De Temmerman, Geneviève e Didier Chedorge. *The A-Z of French Food.* Arces, Scribo, 1988.

Escoffier, Auguste. *Escoffier: The Complete Guide to the Art of Modern Cookery.* Nova York, Van Nostrand Reinhold, 1979.

Hazan, Marcella. *Essentials of Classic Italian Cooking.* Nova York, Knopf, 1995.

Herbst, Sharon Tyler. *The New Food Lover's Companion.* Hauppauge, Barron's Educational Series, 2001.

Keller, Thomas. *The French Laundry Cookbook.* Nova York, Artisan, 1999.

McGee, Harold. *On Food and Cooking: The Science and Lore of the Kitchen.* Nova York, Scribner, 2004.

Montagne, Prosper. *Larousse Gastronomique.* Organizado por Jenifer Harvey Lang. Nova York, Crown, 1995.

Pepin, Jacques. *La Méthode.* Nova York, Time Books, 1979.

____. *La Technique.* Nova York, Quadrangle/The New York Times Book Co., 1976.

Rodgers, Judy. *The Zuni Cafe Cookbook.* Nova York, Norton, 2002.

Rombauer, Irma S., Marion Rombauer Becker e Ethan Becker. *The All New All Purpose Joy of Cooking.* Nova York, Scribner, 1997.

Strunk, William Jr. e E.B. White. *The Elements of Style.* Nova York, Macmillan, 1979.

The New Best Recipe. Brookline, America's Test Kitchen, 2004.

Este livro foi composto por Letra e Imagem em Scala
e Poppi e impresso por Bartira Gráfica em maio de 2009.